UDA 1910–1929
Yr Almaen 1929–1947

John Wright, Steve Waugh
Golygydd: R. Paul Evans

Cyhoeddwyd dan nawdd Cynllun Adnoddau Addysgu a Dysgu CBAC

TGAU HANES CBAC
UDA 1910–1929
Yr Almaen 1929–1947

Addasiad Cymraeg o *WJEC GCSE History The USA 1910–1929 & Germany 1929–1947*

Addasiad Cymraeg: Testun Cyf

Noddwyd gan Lywodraeth Cynulliad Cymru
Cyhoeddwyd dan nawdd Cynllun Adnoddau Addysgu a Dysgu CBAC

Archebion: cysyllter â Bookpoint Cyf, 130 Milton Park, Abingdon, Oxon OX14 4SB. Ffôn: (44) 01235 827720. Ffacs: (44) 01235 400454. Mae llinellau ar agor 9.00–5.00, dydd Llun i ddydd Sadwrn, gyda gwasanaeth ateb negeseuon 24 awr. Ewch i'n gwefan yn www.hoddereducation.co.uk.

Cyhoeddwyd am y tro cyntaf yn 2011 gan
Hodder Education,
Cwmni Hachette UK,
338 Euston Road,
London NW1 3BH

Rhif yr argraffiad 5 4 3 2 1
Blwyddyn 2015 2014 2013 2012 2011

Lluniau'r clawr © Stapleton Collection/Corbis, © Bettmann/Corbis
Darluniau gan Barking Dog a Richard Duszczak
Teiposodwyd mewn Minion Pro 11pt gan Fakenham Prepress Solutions, Fakenham, Norfolk NR21 8NN
Argraffwyd yn yr Eidal

Mae cofnod catalog ar gyfer y teitl hwn ar gael gan y Llyfrgell Brydeinig

ISBN: 978 1444 142501

CYNNWYS

Hoffai'r Cyhoeddwyr ddiolch i'r canlynol am roi caniatâd i atgynhyrchu deunyddiau o dan hawlfraint:

Cydnabyddiaeth ffotograffau
t.7 Trwy garedigrwydd Llyfrgell y Gyngres, Adran Argraffiadau a Ffotograffau, Casgliad Coffa Alfred Bendiner, LC-DIG-ppmsca-05646; **t.10** Cartŵn ar ostyngiad poblogaidd mewnfudwyr i'r Unol Daleithiau, 1914 (litho), Ysgol Americanaidd, (20fed ganrif)/Casgliad Preifat/Peter Newark American Pictures/The Bridgeman Art Library; **t.11** © Llyfrgell ac Archifau, Cymdeithas Hanesyddol Gorllewin Pennsylvania; **t.12** © Casgliad Labadie, Prifysgol Michigan; **tt.13, 14** ac **16** © Bettmann/Corbis; **t.19** © Casgliad Granger, NYC/TopFoto; **t.20** *b* © Casgliad Granger, NYC/TopFoto, *g* © Bettmann/Corbis; **t.23** © Llyfrgell y Gyngres, Adran Argraffiadau a Ffotograffau; **t.26** © Bettmann/Corbis; **t.30** *b* © Casgliad Granger/TopFoto, *g* © Ohio State University; **t.31** © Cymdeithas Hanesyddol Minnesota/ Corbis; **t.32** © Llyfrgell y Gyngres, Adran Argraffiadau a Ffotograffau, LC-USZ62-100533; **t.34** *ch* Cartŵn yn dangos Wncl Sam wedi blino'n lân gan lif y diafol o alcohol anghyfreithlon yn ystod y Gwaharddiad (1920–33) (litho lliw), Ysgol Almaenig, (20fed ganrif)/Casgliad Preifat/Peter Newark American Pictures/The Bridgeman Art Library, *d* © IMAGNO/Archifau Awstria/Getty Images; **t.36** © Corbis; **t.37** *ch* Y Brodyr Gusenberg, Cyflafan Dydd San Ffolant, tudalen flaen *The Chicago Daily News*, 14 Chwefror 1929 (papur newyddion) Ysgol Americanaidd, (20fed ganrif) © Casgliad Preifat/ Peter Newark American Pictures/The Bridgeman Art Library, *d* © Casgliad Granger/TopFoto; **t.39** © MPI/Getty Images; **t.40** *b* 'Yr Ystum Cenedlaethol' gan Clive Weed, o Judge, 12 Mehefin 1926 © Project Hanes Cymdeithasol America/Prifysgol Dinas Efrog Newydd, *g* © Llyfrgell y Gyngres, Adran Argraffiadau a Ffotograffau, Casgliad NYWT&S, LC-USZ62-123252; **t.44** cartŵn 'Croeso i Bawb', 1880 (litho lliw), Keppler, Joseph (1838–94)/Casgliad Preifat/Peter Newark American Pictures/The Bridgeman Art Library; **t.45** ©Ullsteinbild/Topfoto; **t.46** © Mary Evans Picture Library; **t.51** © Bettmann/ Corbis; **t.52** © Casgliad Granger/TopFoto; **t.53** © Corbis; **t.55** © Swim Ink 2, LLC/Corbis; **t.56** © Ullsteinbild/TopFoto; **t.57** © Bettmann/Corbis; **t.58** © Llyfrgell y Gyngres, Adran Argraffiadau a Ffotograffau; **t.59** © Mary Evans/Classic Stock/H. Armstrong Roberts; **t.60** © Bettmann/Corbis; **t.61** © Bettmann/Corbis; **t.65** © Ullsteinbild/Topfoto; **t.67** © Casgliad Granger, NYC/TopFoto; **t.70** © Bettmann/Corbis; **t.72** © Llyfrgell o Gasgliadau Arbennig Charles Deering McCormick, Llyfrgell Prifysgol Northwestern; **t.77** © Casgliad Hulton-Deutsch/Corbis; **t.81** © Casgliad Frank Driggs/Getty Images; **t.83** © Bettmann/Corbis; **t.86** © Bettmann/Corbis; **t.87** © Casgliad Granger, Efrog Newydd/Topfoto; **t.90** © Bettmann/Corbis; **t.94** © John Iacono/Sports Illustrated/Getty Images; **t.95** © Bettmann/Corbis; **t.97** © Casgliad Granger, NYC/TopFoto; **tt.98** a **99** © Bettmann/ Corbis; **t.100** *ch & d* © Bettmann/Corbis; **t.101** © Ullsteinbild/TopFoto; **t.102** © Mark Rucker/ Transcendental Graphics, Getty Images; **t.103** © Bettmann/Corbis; **t.115** © akg-images; **t.116** © Casgliad Hulton-Deutsch/Corbis; **t.118** © Popperfoto/ Getty Images; **t.121** © Walter Ballhause/akg-images; **t.122** © akg-images; **t.123** *ch* © Randall Bytwerk, Archif Propaganda'r Almaen, *d* © Ullstein Bild/akg-images; **t.125** *ch* © Randall Bytwerk, Archif Propaganda'r Almaen, *bd* © akg-images, *gd* © SZ-Photo/Scherl; **t.126** *d* Bildarchiv preussischer Kulturbesitz © The Heartfield Community of Heirs/VG Bild-Kunst, Bonn a DACS, Llundain 2010; **t.127** © SZ-Photo/Scherl; **t.128** © Mary Evans/ Weimar Archive; **t.129** *b* © Bildarchiv preussischer Kulturbesitz, *d* Portread o Adolf Hitler (1889–1945), 1933 (olew ar ganfas), Jacobs, B. von (fl.1933)/ Casgliad Preifat/The Bridgeman Art Library; **t.131** © Punch Limited/ Topham/TopFoto; **tt.134** ac **135** © Bettmann/Corbis; **t.137** © R. Paul Evans; **t.138** © Bettmann/Corbis; **t.139** 'Maent yn saliwtio gyda'r ddwy law yn awr' gan David Low, 1934 © Evening Standard/Solo Syndication (ffotograff: Archif Cartwnau Prydain, Prifysgol Kent); **t.140** © Hulton Archive/Getty Images; **t.141** © 2000 Topham Picturepoint/TopFoto; **t.143** © Bundesarchiv, Plak 003-002-046, Grafiker: Ahrlé, René; **t.144** © Institut für Stadtgeschichte Frankfurt am Main; **t.146** © R. Paul Evans; **t.147** © SZ-Photo/Scherl; **t.148** © akg-images; **t.149** © Llyfrgell Wiener; **t.152** *ch* © akg-images, *d* © Bundesarchiv, Plak 003-011-012, Grafiker: Daehler, Jupp; **tt.153** ac **154** © akg-images; **t.157** Yr heddlu yn yr Almaen yn arestio comiwnyddion ar orchymyn Hitler, 1933 (ffoto du a gwyn), Ffotograffydd Almaenig (20fed ganrif)/Casgliad Preifat/Peter Newark Military Pictures/The Bridgeman Art Library; **t.158** © 2000 Topham Picturepoint/TopFoto; **t.159** © Bildarchiv preussischer Kulturbesitz; **t.161** © SZ-Photo/Scherl; **t.162** *ch* © 2006 TopFoto, *d* © Ullstein Bild/akg-images; **t.163** *c* © akg-images, *g* © Casgliad Hulton-Deutsch/Corbis; **t.164** © Mary Evans/Weimar Archive; **t.168** © akg-images; **t.169** © Mary Evans/Weimar Archive; **t.170** © 1999 Topham Picturepoint/TopFoto; **t.174** © akg-images; **t.177** © Bildarchiv preussischer Kulturbesitz; **t.178** © Llyfrgell Robert Hunt; **t.179** © Mary Evans Picture Library 2010; **t.180** *ch* © Randall Bytwerk, Archif Propaganda'r Almaen, *d* © Mary Evans Picture Library 2008; **t.183** © APIC/Getty Images; **t.184** 'Volkssturm, For Liberty and Life', poster recriwtio Almaenig, 1944 (litho lliw) gan Jolnir, M. (fl.1932–45) © Casgliad Preifat/Archives Charmet/The Bridgeman Art Library; **t.186** © akg-images; **t.187** © Paentiad gan Wadyslaw Siwek, Trwy garedigrwydd Muzeum Auschwitz-Birkenau; **t.189** © SZ Photo/ Scherl; **t.191** © akg-images/Wittenstein; **t.194** © akg-images/ullstein bild; **t.198** © Bettmann/Corbis; **t.200** © Heinrich Hoffman/Bildarchiv Preußischer Kulturbesitz; **t.201** © Yevgeny Khaldei/Corbis; **t.203** © The Art Archive/ Eileen Tweedy; **t.204** © Bettmann/Corbis; **t.206** *b* © St Louis Post-Dispatch, defnyddiwyd gyda chaniatâd, Cymdeithas Hanesyddol Talaith Missouri, Colombia, *g* © Corbis; **t.207** 'Wel, dyna ddiwedd y Natsïaid' gan David Low, 1946 © Evening Standard/Solo Syndication (Ffotograff: Archif Cartwnau Prydain, Prifysgol Kent); **t.208** © Bettmann/Corbis; **t.210** © akg-images.

Cydnabyddiaethau
tt.4–5 Papur arholiad enghreifftiol CBAC, atgynhyrchwyd gyda chaniatâd CBAC; **t.14** Woody Guthrie, 'Two good men' (1946); **t.17** Abel Meeropol. 'Strange Fruit' (Y Gerddoriaeth a'r Geiriau gan Lewis Allan) © 1939 – Edward B Marks Music Company – adnewyddwyd yr hawlfraint; neilltuwyd tymor hawlfraint estynedig oddi wrth Lewis Allan yn weithredol o 21 Gorffennaf, 1995 i Music Sales Corporation – holl hawliau ar gyfer y byd y tu allan i UDA yn cael eu rheoli gan B Marks Music Company – Cedwir Pob Hawl – Atgynhyrchwyd y geiriau gyda chaniatâd caredig Carlin Music Corp., Llundain NW1 8BD ; **t.47** M. Chandler a J. Wright, Tabl yn dangos prisiau cyfranddaliadau detholedig 1927–29 o *Modern World History for Edexcel* (Heinemann Educational, 2001); **t.58** John Vick, Tabl o brisiau fferm UDA detholedig, 1919–25 o *Modern America* (Collins Educational, 1991); **t.62** Dave McCarn, 'Cotton Mill Colic' o *The Folksongs of North America*, golygwyd gan Alan Lomax (Doubleday, 1960).

Gwnaed pob ymdrech i olrhain pob deiliad hawlfraint, ond os oes unrhyw rai wedi'u hesgeuluso'n anfwriadol bydd y Cyhoeddwyr yn barod i wneud y trefniadau angenrheidiol ar y cyfle cyntaf.

CYFLWYNIAD

Ynglŷn â'r cwrs

Yn ystod y cwrs hwn mae'n rhaid i chi astudio pedair uned:

- Dwy astudiaeth fanwl (Unedau 1 a 2).
- Un astudiaeth amlinellol (Uned 3).
- Ymchwiliad i ddadl neu wrthdaro hanesyddol (Uned 4).

Asesir yr unedau trwy dri phapur arholiad ac un asesiad dan reolaeth:

- Mae gennych ddwy awr i ateb cwestiynau ar y ddwy astudiaeth fanwl sef Unedau 1 a 2.
- Mae gennych un awr i ateb cwestiynau ar yr astudiaeth amlinellol sef Uned 3.
- Yn yr asesiad mewnol (Uned 4) mae'n rhaid i chi gwblhau tasg o dan reolaeth yn yr ystafell ddosbarth.

Ynglŷn â'r llyfr

Mae'r llyfr hwn yn ymdrin â dwy astudiaeth fanwl ac mae wedi'i rannu'n ddwy ran (un rhan i bob uned). Yna, mae pob rhan wedi'i rhannu'n dair adran, a thair pennod i bob adran.

Rhan 1: UDA, gwlad o wahaniaethau, 1910–29

- Mae **Adran A** yn edrych ar y prif heriau gwleidyddol a chymdeithasol yn wynebu UDA, gan gynnwys yr ymdrechion i gyfyngu ar fewnfudo, ofn eithafiaeth wleidyddol, anoddefgarwch hiliol a chrefyddol, ynghyd â throseddu cyfundrefnol a llygredd.
- Mae **Adran B** yn canolbwyntio ar gynnydd a chwymp economi UDA, gan gynnwys y rhesymau dros y ffyniant economaidd, pa effaith a gafodd y ffyniant hwn ar y gymdeithas yn UDA a pham y gwnaeth y ffyniant hwn orffen mor sydyn yn 1929.
- Mae **Adran C** yn egluro'r newidiadau yn niwylliant a chymdeithas UDA, gan gynnwys sut y daeth adloniant fel y sinema yn boblogaidd, newidiadau i ffordd o fyw a statws menywod, poblogrwydd cynyddol chwaraeon a'r chwiwiau, mympwyon a'r angerdd am yr anghyffredin.

Rhan 2: Yr Almaen mewn cyfnod o newid, 1929–47

- Mae **Adran A** yn edrych ar dwf y Blaid Natsïaidd a'i dulliau o atgyfnerthu ei grym, gan gynnwys problemau gwleidyddol ac economaidd Gweriniaeth Weimar, datblygiad cynnar y Blaid Natsïaidd, cynllwynio gwleidyddol 1932–33, y rhesymau dros lwyddiant y Natsïaid mewn etholiadau, Hitler fel Canghellor a'r newid i unbennaeth.
- Mae **Adran B** yn canolbwyntio ar y newid ym mywyd pobl yr Almaen yn ystod cyfnod y Natsïaid, gan gynnwys sut yr aeth y Natsïaid i'r afael â phroblemau economaidd, y driniaeth a roddwyd i fenywod a phobl ifainc, sut yr ehangodd y Natsïaid reolaeth wleidyddol a defnyddio propaganda a sensoriaeth, polisi hiliol y Natsïaid a'r ffordd yr oeddent yn trin crefydd.
- Mae **Adran C** yn egluro rhyfel a'i effeithiau ar fywyd yn yr Almaen, gan gynnwys sut y newidiodd bywyd yn yr Almaen yn ystod yr Ail Ryfel Byd, y driniaeth a gafodd Iddewon, gwrthwynebiad gan sifiliaid a'r lluoedd arfog, gorchfygu'r Almaen a chosbi'r Almaen.

Mae pob pennod yn:

- cynnwys gweithgareddau – mae rhai yn datblygu'r sgiliau hanesyddol sydd eu hangen arnoch, tra bod eraill yn enghreifftiau o gwestiynau arholiad sy'n rhoi'r cyfle i chi ymarfer sgiliau arholiad. Mae'r cwestiynau enghreifftiol wedi'u huwcholeuo mewn glas.
- rhoi arweiniad cam wrth gam, enghreifftiau o atebion a chyngor ar sut y mae ateb mathau penodol o gwestiynau yn Unedau 1 a 2.

Gwybodaeth am Unedau 1 a 2

Mae arholiad Unedau 1 a 2 yn brawf o'r canlynol:

- gwybodaeth a dealltwriaeth o'r datblygiadau allweddol ym mhob un o'r tri maes pwnc ar gyfer pob astudiaeth fanwl.
- y gallu i ateb amrywiaeth o gwestiynau sy'n profi sgiliau a chwestiynau ffynhonnell.

Bydd y papur arholiad yn cynnwys cyfuniad o ffynonellau ysgrifenedig a gweledol:

- Gall ffynonellau ysgrifenedig gynnwys dyfyniadau o ddyddiaduron, areithiau, llythyrau, cerddi, caneuon, cofiannau, hunangofiannau, papurau newydd, gwerslyfrau hanes modern, safbwyntiau haneswyr, neu wybodaeth oddi ar y rhyngrwyd.
- Gall ffynonellau gweledol gynnwys ffotograffau, posteri, cartwnau neu baentiadau.

Mae'n rhaid i chi ateb y mathau canlynol o gwestiynau, sy'n gofyn i chi ddangos sgiliau ysgrifennu a defnyddio ffynonellau amrywiol:

- Deall ffynhonnell weledol – gofyn i chi egluro neges neu negeseuon sydd yn y ffynhonnell.
- Deall ffynhonnell sy'n gysylltiedig â galw i gof eich gwybodaeth eich hun – gofyn i chi egluro beth sydd yn y ffynhonnell a'i rhoi yn ei chyd-destun hanesyddol.
- Dadansoddi ffynhonnell, a chefnogi hynny drwy ddefnyddio eich gwybodaeth eich hun – gofyn i chi ddod i benderfyniad ynglŷn ag i ba raddau y mae'r ffynhonnell yn cefnogi safbwynt.
- Defnyddioldeb – gofyn i chi werthuso pa mor ddefnyddiol yw ffynhonnell.
- Croesgyfeirio dwy ffynhonnell i werthuso safbwyntiau gwahanol.
- Disgrifio – gofyn i chi roi disgrifiad manwl, o ddigwyddiadau allweddol y cyfnod fel arfer.
- Egluro – gofyn i chi egluro pam y mae rhywbeth wedi digwydd.
- Ysgrifennu traethawd drwy ddefnyddio strwythur – gofyn i chi asesu pwysigrwydd achosion, newidiadau neu ganlyniadau a dod i benderfyniad.

Cwestiynau enghreifftiol

Isod ac ar dudalen 5 mae cyfres o gwestiynau enghreifftiol ar gyfer Unedau 1 a 2 (heb y ffynonellau). Byddwch yn cael arweiniad cam wrth gam drwy bob rhan o'r llyfr ar y ffordd orau o fynd ati i ateb y cwestiynau hyn.

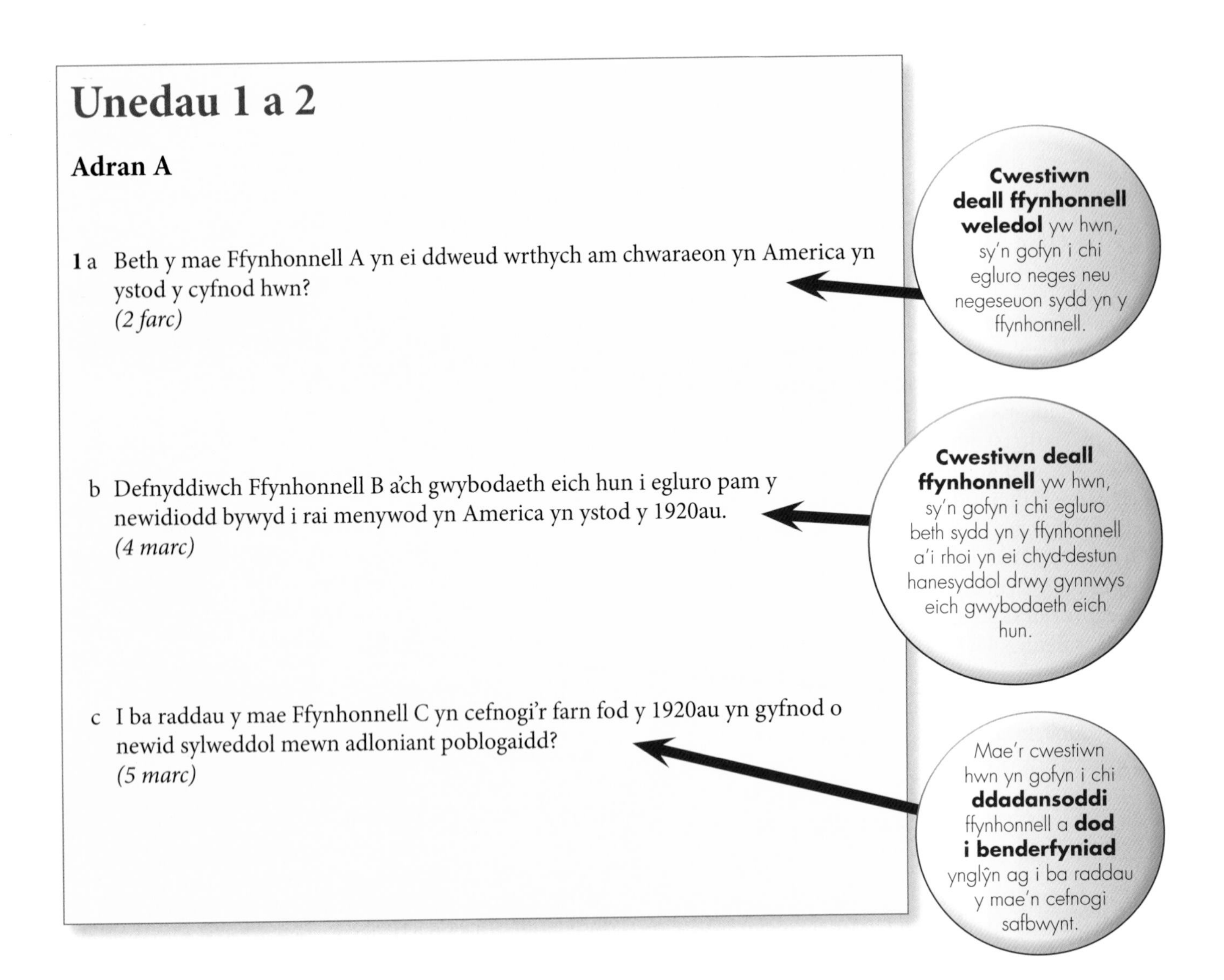

Unedau 1 a 2

Adran A

1 a Beth y mae Ffynhonnell A yn ei ddweud wrthych am chwaraeon yn America yn ystod y cyfnod hwn?
(2 farc)

b Defnyddiwch Ffynhonnell B a'ch gwybodaeth eich hun i egluro pam y newidiodd bywyd i rai menywod yn America yn ystod y 1920au.
(4 marc)

c I ba raddau y mae Ffynhonnell C yn cefnogi'r farn fod y 1920au yn gyfnod o newid sylweddol mewn adloniant poblogaidd?
(5 marc)

ch Pa mor ddefnyddiol yw Ffynhonnell CH i hanesydd sy'n astudio pam y daeth y sinema yn fath poblogaidd o adloniant?
(6 marc)

Cwestiwn **defnyddioldeb** yw hwn. Mae'n rhaid i chi benderfynu pa mor ddefnyddiol yw ffynhonnell i hanesydd drwy edrych ar y cynnwys, y tarddiad a'r pwrpas.

d Pam y mae Ffynonellau D a DD yn rhoi gwahanol safbwyntiau am y diwylliant jazz newydd?
(8 marc)

Mae hwn yn gwestiwn am wahanol safbwyntiau ar fater hanesyddol sy'n gofyn i chi **groesgyfeirio** dwy ffynhonnell, gan gymharu eu cynnwys a'r awduron.

Adran B

2 a Beth y mae'r ffotograff hwn yn ei ddangos i chi am driniaeth Iddewon yn yr Almaen hyd at 1939?
(2 farc)

Cwestiwn deall ffynhonnell weledol yw hwn, sy'n gofyn i chi egluro neges neu negeseuon sydd yn y ffynhonnell.

b Disgrifiwch fywyd menywod yn yr Almaen o dan y Natsïaid.
(5 marc)

Cwestiwn **disgrifio** yw hwn sy'n profi eich gwybodaeth a'ch dealltwriaeth o nodwedd allweddol.

c (i) Eglurwch pam yr oedd llai o ddiweithdra yn yr Almaen yn 1933.
(ii) Eglurwch pam yr oedd y Natsïaid yn rheoli addysg yn yr Almaen.
(2 × 4 marc)

Cwestiwn **egluro** yw hwn sy'n gofyn i chi egluro pam y mae rhywbeth wedi digwydd. Mae dau o'r cwestiynau hyn ar y papur.

ch I ba raddau y gwnaeth pobl yr Almaen elwa ar y newidiadau a gyflwynwyd gan y Natsïaid yn ystod y cyfnod 1933–39? Eglurwch eich ateb yn llawn.
(10 marc)

Dylech roi safbwyntiau'r ddwy ochr i'r cwestiwn hwn:
- trafodwch y manteision a fwynhawyd gan lawer o Almaenwyr yn sgil rheolaeth y Natsïaid
- trafodwch y grwpiau hynny nad oeddent wedi elwa o dan reolaeth y Natsïaid

a dod i benderfyniad.

Cwestiwn **traethawd** yw hwn. Mae'n rhaid i chi ddefnyddio eich gwybodaeth eich hun i lunio traethawd dwy ochr gan ddefnyddio'r **strwythur**. Dylech hefyd ddod i benderfyniad ar y cwestiwn a osodwyd.

Adran A
Y prif heriau gwleidyddol a chymdeithasol yn wynebu America

Ffynhonnell A Rhan o gyfweliad gydag Al Capone yn y 1920au

Peth gwirion iawn fyddai ceisio gwerthu cwrw os nad oedd pobl am ei brynu a'i yfed. Dw i wedi gweld tai gamblo hefyd ar fy nheithiau a welais i neb erioed yn pwyntio gwn at ddyn a'i orfodi i fynd i mewn. Dw i erioed wedi clywed am neb yn cael ei orfodi i fynd i rywle i gael hwyl.

Rydw i'n helpu'r cyhoedd. Ni all deddf reoli syched. Mae pobl yn fy ngalw i'n bootlegger. Iawn. Diod wedi ei smyglo sydd ar y lorïau, ond pan gaiff ei chynnig i chi ar blât arian mae'n arwydd o groeso.

Mae'r adran hon yn edrych ar y prif heriau gwleidyddol a chymdeithasol a oedd yn wynebu America rhwng 1910 a 1929, yn ystod dau ddegawd o newid mawr i'r wlad a'i phobl. Ar y dechrau, cafodd UDA ei hystyried yn wlad lle gallai pobl ddifreintiedig y byd wneud eu ffortiwn a byw yn rhydd. Ond ar ôl y Rhyfel Byd Cyntaf roedd pobl yn drwgdybio ac yn ofni mewnfudwyr. Mae'r adran hon yn edrych ar yr ymdrechion i gyfyngu ar fewnfudo ac yn ystyried problemau crefyddol a hiliol y cyfnod hwn.

Mae hefyd yn sôn am y **Gwaharddiad** (gweler Ffynhonnell A), a'i effaith anfwriadol o greu oes y gangster ar adeg pan oedd UDA yn wynebu rhai o'i heriau anoddaf.

Mae pob pennod yn egluro pwnc allweddol ac yn dilyn sawl trywydd ymholi pwysig fel yr amlinellir isod:

Pennod 1: Pam y daeth mewnfudo'n bwnc mor bwysig yng nghymdeithas America?

- Pam y gwnaeth pobl ymfudo i UDA?
- Pam yr oedd pobl yn gwrthwynebu'r mewnfudwyr?
- Pam yr oedd pobl yn ofni eithafiaeth wleidyddol yn UDA?
- Pam yr oedd achos Sacco a Vanzetti yn bwysig?

Pennod 2: A oedd America'n wlad o anoddefgarwch crefyddol a hiliol yn ystod y cyfnod hwn?

- Beth oedd Ffwndamentaliaeth grefyddol?
- Beth oedd profiad Americanwyr du a lleiafrifoedd hiliol yn y 1920au?
- Beth oedd y Ku Klux Klan?
- Pam nad oedd camau'n cael eu cymryd yn erbyn y Ku Klux Klan?
- Sut y cafodd Americanwyr Brodorol eu trin?

Pennod 3: A oedd y 1920au yn ddegawd o droseddu cyfundrefnol a llygredd?

- Pam y cyflwynwyd y Gwaharddiad?
- Beth oedd effeithiau'r Gwaharddiad ar gymdeithas UDA?
- Pam y daeth y Gwaharddiad i ben?
- Beth oedd cyfnod y gangster?
- I ba raddau yr oedd llygredd a sgandal yn effeithio ar y llywodraeth?

1 Pam y daeth mewnfudo'n bwnc mor bwysig yng nghymdeithas America?

Ffynhonnell A Cerdyn post a gynhyrchwyd yn UDA gan y Cwmni Cyhoeddi Hebraeg, tua 1910

TASG

Beth y mae Ffynhonnell A yn ei ddangos i chi am fewnfudo i UDA yn ystod y cyfnod hwn? (Am arweiniad ar sut i ateb y math hwn o gwestiwn, edrychwch ar dudalen 16.)

Ar ddiwedd y bedwaredd ganrif ar bymtheg a dechrau'r ugeinfed ganrif ymfudodd tua 40 miliwn o bobl i UDA. Roedd y mwyafrif o'r bobl hyn yn dod o Dde a Dwyrain Ewrop a chyfeiriwyd atynt fel y 'mewnfudwyr newydd'. Roedd hyn yn eu gwahaniaethu oddi wrth yr 'hen fewnfudwyr' a oedd wedi cyrraedd o Orllewin a Gogledd Ewrop ar ddechrau'r bedwaredd ganrif ar bymtheg. Fodd bynnag, erbyn y 1920au cynnar datblygodd gelyniaeth agored tuag at fewnfudwyr a hyd yn oed **senoffobia** (ofn tramorwyr) yn UDA.

Mae'r bennod hon yn ateb y cwestiynau canlynol:

- Pam y gwnaeth pobl ymfudo i UDA?
- Pam yr oedd pobl yn gwrthwynebu'r mewnfudwyr?
- Pam yr oedd pobl yn ofni eithafiaeth wleidyddol yn UDA?
- Pam yr oedd achos Sacco a Vanzetti yn bwysig?

Arweiniad ar arholiadau

Drwy'r bennod hon, byddwch yn cael cyfle i ymarfer cwestiynau arholiad o wahanol arddull a rhoddir arweiniad manwl ar sut i ateb cwestiynau 1(a), 2(a) a 3(a) yn Unedau 1 a 2 y papur arholiad. Cwestiwn deall ffynhonnell weledol yw hwn sy'n werth 2 farc.

Pam y gwnaeth pobl ymfudo i UDA?

Ffynhonnell A O hunangofiant Louis Adamic a ymfudodd i UDA o Slovenija yn 1913. Cyhoeddwyd ei lyfr *From Laughing in the Jungle* yn 1932

Roeddwn i'n credu bod yr Unol Daleithiau yn lle crand, syfrdanol, anhygoel bron – y Wlad Euraidd – yn fwy nag y gallech ei ddychmygu ac yn gyffrous iawn. Yn America gallech chi wneud llawer o arian mewn amser byr, prynu eiddo a thir, gwisgo coler wen a chael sglein ar eich esgidiau. Roedd pobl hefyd yn bwyta bara gwyn, cawl a chig yn ystod yr wythnos, nid dim ond ar ddydd Sul, hyd yn oed os mai gweithiwr cyffredin oeddech chi. Yn America roedd hyd yn oed y dyn cyffredin yn 'ddinesydd' ac nid 'deiliad' fel sy'n wir yn nifer o wledydd Ewrop.

Ymfudodd pobl i UDA am lawer o resymau gwahanol. Gellir dosbarthu'r rhain yn ffactorau 'gwthio' a 'thynnu'. Mae'r ffactorau gwthio yn egluro pam yr oedd mewnfudwyr yn awyddus i adael eu mamwlad ac mae'r ffactorau tynnu yn cyfeirio at atyniadau'r bywyd newydd yn UDA. Roedd tir ar gael ar gyfer ffermio, ond erbyn 1900 roedd tir amaethyddol da, rhad yn brin. Roedd diwydiant yn ffynnu yn UDA, roedd llawer o swyddi ar gael ac roedd hi'n ddigon hawdd dechrau menter newydd os oedd gan rywun ben busnes da. Roedd UDA yn cynnig cyfle i bawb. Roedd yn cael ei gweld fel gwlad i bobl rydd gyda sicrwydd o hawliau dynol sylfaenol. Er enghraifft, daeth Iddewon o Ddwyrain Ewrop i chwilio am ryddid crefyddol ac i ddianc rhag **pogromau** Rwsia, lle'r oedd miloedd wedi cael eu lladd.

Ffynhonnell B Darn o gyfweliad gyda labrwr fferm o Wlad Pwyl yn 1912, yn egluro pam yr oedd yn awyddus i fynd i UDA

Rydw i'n awyddus iawn i fynd i America, a gadael fy mamwlad oherwydd fy mod yn un o chwech o blant gyda dim ond ychydig iawn o dir. Mae fy rhieni'n ifanc o hyd, felly mae'n anodd i ni fyw. Yma yng Ngwlad Pwyl, mae'n rhaid gweithio'n galed iawn am gyflog bach – dim ond digon i fyw. Felly hoffwn fynd i America ac efallai gallwn ennill mwy o arian.

Yn syml, nid oedd mamwlad y mewnfudwyr yn cynnig dim o'r manteision hyn. Yn ogystal, roedd **polisi 'Drws Agored'** gan lywodraeth UDA, felly, roedd hi'n eithaf hawdd cael mynediad i'r wlad.

Ffynhonnell C Nifer y mewnfudwyr yn cyrraedd UDA, 1871–1920

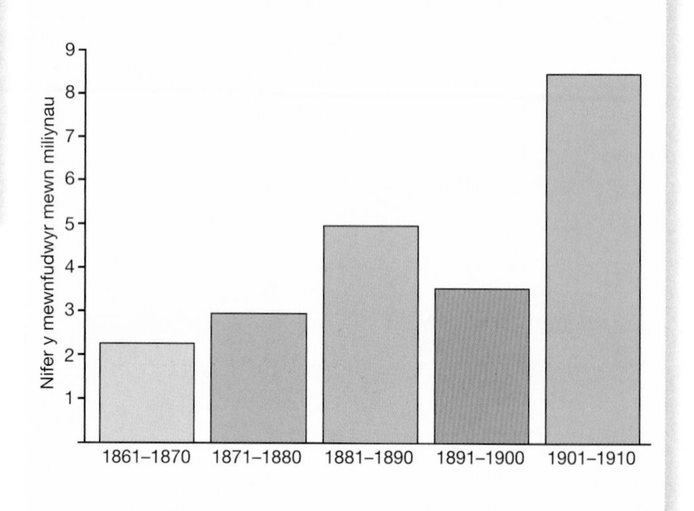

TASGAU

1. Defnyddiwch y wybodaeth yn Ffynhonnell B a'ch gwybodaeth eich hun i egluro pam yr oedd pobl yn awyddus i ymfudo i UDA. (Am arweiniad ar sut i ateb y math hwn o gwestiwn, edrychwch ar dudalen 27.)
2. Pa mor ddefnyddiol yw Ffynhonnell A i hanesydd sy'n astudio mewnfudo i UDA? (Am arweiniad ar sut i ateb y math hwn o gwestiwn, edrychwch ar dudalennau 49–50.)
3. Gweithiwch gyda phartner i gynllunio poster neu hysbyseb addas i ddenu pobl i UDA ar ddechrau'r ugeinfed ganrif.

Pam yr oedd pobl yn gwrthwynebu'r mewnfudwyr?

Erbyn 1910 roedd llawer o bobl UDA yn dechrau gwrthwynebu'r mewnfudo torfol. Roedd y mewnfudwyr yn symud i'r dinasoedd ac yn tueddu i fyw gyda phobl o'r un wlad â nhw, gan greu **getos**. Roedd anoddefgarwch yn tyfu ac roedd teimlad y byddai'r mewnfudwyr 'newydd' yn dwyn swyddi a gweithio am gyflogau isel iawn. Roedd pobl hefyd yn credu mai'r mewnfudwyr oedd yn gyfrifol am y cynnydd mewn troseddu, meddwi a phuteindra.

Pan ddechreuodd UDA gymryd rhan yn y Rhyfel Byd Cyntaf, cafwyd gwrthwynebiad i ragor o fewnfudo a chafwyd llawer mwy o elyniaeth tuag at fewnfudwyr o'r Almaen. Yn wir, rhoddodd sawl talaith y gorau i ddysgu Almaeneg yn eu hysgolion. Hefyd, ar ôl cymryd rhan yn y Rhyfel Byd Cyntaf, roedd llawer o Americanwyr yn awyddus i weld eu gwlad yn cadw draw oddi wrth faterion Ewropeaidd. Roeddent eisiau i UDA dorri i ffwrdd o'r hyn oedd yn digwydd yn Ewrop ac roedd cyfyngu ar fewnfudo yn un ffordd o wneud hynny.

Yn y dinasoedd mawr, roedd y grwpiau o fewnfudwyr mwy sefydledig fel Americanwyr Gwyddelig ac Almaenig yn tueddu i ddibrisio'r mewnfudwyr newydd o Ddwyrain Ewrop a'r Eidal. I lawer o Americanwyr yn y 1920au, y dinesydd delfrydol oedd y '***WASP***' (*White, Anglo-Saxon and Protestant*) – Protestant Eingl-Sacsonaidd Gwyn. Nid oedd mewnfudwyr Asiaidd yn wyn ac roedd llawer o'r mewnfudwyr Ewropeaidd newydd yn Babyddion, yn aelodau o'r Eglwys Uniongred Roegaidd neu'n Iddewon. Yn fwy na dim, roedd llawer o Americanwyr yn poeni y byddai'r mewnfudwyr yn dod â chredoau gwleidyddol peryglus gyda nhw, yn enwedig **comiwnyddiaeth**.

Camau'r llywodraeth i gyfyngu ar fewnfudo

Cafodd cyfres o fesurau eu cyflwyno i gyfyngu ar fewnfudo, fel y gwelir yn y tabl isod. Yn ogystal â'r cyfyngiadau ar nifer y mewnfudwyr, cafodd mesurau eu cyflwyno i Americaneiddio'r bobl hyn. Trefnwyd digwyddiadau pwrpasol gan y Biwro Ffederal Derbyn Dinasyddion a ralïau gwladgarol o'r enw 'Diwrnod Americaneiddio'. Amcan y Diwrnod Americaneiddio oedd rhoi cyfle i ddinasyddion gadarnhau eu teyrngarwch i UDA a'r traddodiad o ryddid. Gofynnwyd i bobl gynnal seremonïau priodol mewn ysgolion a lleoedd tebyg. Trefnodd y Biwro Addysg Ffederal gyrsiau ar wleidyddiaeth a democratiaeth er mwyn paratoi mewnfudwyr ar gyfer yr arholiad dinasyddiaeth.

TASGAU

1 Disgrifiwch nodweddion allweddol y cyfyngiadau a roddwyd ar fewnfudo i UDA yn y 1920au. (Am arweiniad ar sut i ateb y math hwn o gwestiwn, edrychwch ar dudalen 73.)

2 Beth oedd ystyr 'Americaneiddio'?

Dyddiad	Mesur	Nodweddion allweddol
1917	Prawf Llythrennedd	Roedd rhaid i bob tramorwr oedd eisiau ymfudo i UDA sefyll prawf llythrennedd. Roedd rhaid iddynt brofi y gallent ddarllen darn byr yn Saesneg. Roedd llawer o bobl o wledydd tlawd, yn enwedig Dwyrain Ewrop, yn methu fforddio gwersi Saesneg, a byddent yn methu'r prawf. Hefyd, roedd y ddeddf yn gwahardd mewnfudo o Asia, a chodwyd tâl mewnfudo o $8.
1921	Deddf Cwota Brys	Cyflwynwyd cwota gan y ddeddf hon. Roedd y nifer o fewnfudwyr newydd a ganiatawyd yn cyfateb i'r canran o bobl o'r un genedl a oedd eisoes yn byw yn UDA yn 1910. Pennwyd ffigur o dri y cant. Mewn geiriau eraill, roedd y Ddeddf yn lleihau nifer y mewnfudwyr o Ddwyrain Ewrop.
1924	Deddf Tarddiad Cenedlaethol	Defnyddiwyd cyfrifiad 1890 a lleihau'r cwota i ddau y cant. Felly, gan fod llawer mwy o bobl wedi bod yn cyrraedd o Ogledd Ewrop hyd at 1890, rhoddwyd mynediad i fwy o'r bobl hyn. (Gweler Ffynhonnell C ar dudalen 10).
1929	Deddf Mewnfudo	Cyfyngwyd mewnfudwyr i 150,000 y flwyddyn. Nid oedd neb o Asia yn cael mynediad. Rhoddwyd 85 y cant o'r lleoedd i bobl o Ogledd a Gorllewin Ewrop. Erbyn 1930 roedd mewnfudo o Japan, China a Dwyrain Ewrop wedi dod i ben i bob pwrpas.

Mesurau i gyfyngu ar fewnfudo 1917–29.

Ffynhonnell A Rhan o araith seneddwr o Alabama yn 1921 a oedd o blaid y deddfau i gyfyngu ar fewnfudo

Daw'r llongau stêm â nhw draw i America ac wrth i'r teithwyr gamu oddi ar ffwrdd y llong mae problem y cwmni llongau ar ben, a'n problem ni yn dechrau – Bolsieficiaeth, anarchiaeth goch, cribddeilwyr, herwgipwyr yn herio awdurdod ac enw da'r faner. Mae miloedd yn cyrraedd heb fyth dyngu llw i'n Cyfansoddiad na dod yn ddinasyddion UDA. Maent yn talu gwrogaeth i'n gwlad ni ond yn byw yn ôl safonau eu gwledydd eu hunain, gan lenwi'r swyddi sy'n perthyn i ddinasyddion cyflogedig a theyrngar America. Nid yw eu gwasanaeth o gymorth o gwbl i'n pobl. Maen nhw'n fygythiad ac yn berygl i ni bob dydd.

Ffynhonnell B Yr Arlywydd Calvin Coolidge, gweriniaethwr, yn siarad â'r **Gyngres** yn 1923

Mae'n rhaid i ni gofio y bydd holl amcanion sefydliadau ein cymdeithas a'n llywodraeth yn methu oni bai bod America yn parhau yn Americanaidd. Dylem gyfyngu ar newydd-ddyfodiaid yn ôl ein gallu i'w derbyn fel dinasyddion da. Mae'n rhaid i America barhau yn Americanaidd. Rwy'n argyhoeddedig bod y sefyllfa economaidd a chymdeithasol bresennol yn cyfiawnhau cyfyngu ar nifer y bobl y dylem eu derbyn. Os nad yw pobl am gofleidio'r ysbryd Americanaidd, ddylen nhw ddim dod i America.

Ffynhonnell C Cwotâu mewnfudo blynyddol (miloedd) ar gyfer rhai gwledydd o dan Ddeddf Tarddiad Cenedlaethol 1924

Gwlad	Cwota
Yr Almaen	51,227
Prydain a Gogledd Iwerddon	34,007
Sweden	9,561
Norwy	6,453
Yr Eidal	3,845
Tsiecoslofacia	3,073
Rwsia	2,248
România	603

Ffynhonnell CH Cartŵn yn portreadu'r cwotâu mewnfudo – UDA 1921

TASGAU

3 Eglurwch pam yr oedd cynnydd yn y gwrthwynebiad i fewnfudo i UDA. (Am arweiniad ar sut i ateb y math hwn o gwestiwn, edrychwch ar dudalen 84.)

4 Pa mor ddefnyddiol yw Ffynhonnell A i hanesydd sy'n astudio'r rhesymau dros gyfyngu ar fynediad i fewnfudwyr? (Am arweiniad ar sut i ateb y math hwn o gwestiwn, edrychwch ar dudalennau 49–50.)

5 Beth y mae Ffynhonnell B yn ei ddangos i chi am agweddau tuag at fewnfudo? (Am arweiniad ar sut i ateb y math hwn o gwestiwn, edrychwch ar dudalen 16.)

6 Defnyddiwch Ffynhonnell C a'ch gwybodaeth eich hun i egluro effeithiau Deddf Tarddiad Cenedlaethol 1924. (Am arweiniad ar sut i ateb y math hwn o gwestiwn, edrychwch ar dudalen 27.)

7 I ba raddau y mae Ffynhonnell CH yn cefnogi'r safbwynt bod UDA wedi llwyddo i gyfyngu ar fewnfudo erbyn 1921? (Am arweiniad ar sut i ateb y math hwn o gwestiwn, edrychwch ar dudalennau 40–41.)

Pam yr oedd pobl yn ofni eithafiaeth wleidyddol yn UDA?

Y 'Bygythiad Coch'

Mae'r term '**Bygythiad Coch**' yn disgrifio ymateb cas llawer o ddinasyddion UDA i'r datblygiadau yn Ewrop rhwng 1917 a 1919, yn enwedig eu hofn o gomiwnyddiaeth. Yn Rwsia yn 1917 arweiniodd y **Chwyldro Bolsieficaidd** at sefydlu llywodraeth **gomiwnyddol**. Yn yr Almaen, ceisiodd grŵp o gomiwnyddion gipio grym ym mis Ionawr 1919.

Roedd y rhan fwyaf o Americanwyr yn credu na ddylai'r llywodraeth ymyrryd ym mywydau dinasyddion cyffredin a bod unigolion yn gyfrifol am eu tynged eu hunain. Enw'r ddamcaniaeth hon oedd '**unigolyddiaeth rymus**'. Roeddent yn casáu'r syniad y gallai llywodraeth reoli tir, eiddo a diwydiant. Roedd rhaid trechu pob bygythiad i system UDA – sef **cyfalafiaeth**.

Ffynhonnell A Darn o draethawd *The Case Against the Reds* gan y Twrnai Cyffredinol Mitchell Palmer, 1920

Yn fy marn i, maent wedi creu anfodlonrwydd yn y wlad hon, wedi achosi streiciau trafferthus ac wedi llygru ein syniadau cymdeithasol gan glefyd eu meddyliau a'u moesau aflan, ond credaf y gallwn gael gwared arnynt, a dyna sy'n rhaid i ni ei wneud er mwyn dileu'r bygythiad Bolsieficaidd am byth.

Roedd llawer o Americanwyr yn sicr mai mewnfudwyr i UDA oedd yn dod â syniadau chwyldroadol i'r wlad, yn enwedig mewnfudwyr o Ddwyrain Ewrop. Arweiniodd hyn at gynnydd mewn senoffobia – ofn afresymol o dramorwyr. Yn ogystal, roedd Americanwyr yn tueddu i ddefnyddio'r term comiwnyddiaeth am unrhyw syniadau gwleidyddol newydd, yn enwedig **radicaliaeth** ac **anarchiaeth**. Roedd pawb a oedd yn rhannu'r syniadau hyn yn cael eu disgrifio fel 'Cochion' (comiwnyddion). Pan sefydlwyd plaid gomiwnyddol yn UDA yn 1919, dechreuodd llawer o Americanwyr boeni y byddai chwyldro yn eu gwlad nhw.

Tyfodd ofnau'r Americanwyr yn sgil cyfres o ddigwyddiadau yn y blynyddoedd yn syth ar ôl y Rhyfel Byd Cyntaf.

Streiciau

Cafwyd 3600 o streiciau yn 1919. Roedd pobl yn protestio yn erbyn amodau gwaith gwael a chyflogau isel. Aeth hyd yn oed yr heddlu ar streic yn Boston. Roedd llawer o bobl America yn gweld y streiciau hyn fel arwydd bod chwyldro comiwnyddol ar fin digwydd.

Arweiniwyd **streic gyffredinol** yn Seattle gan sefydliad o'r enw Gweithwyr Diwydiannol y Byd (*IWW: Industrial Workers of the World*), enw a oedd yn awgrymu delfrydau comiwnyddol i lawer o bobl. Methodd y streic ac arweiniodd hyn at lai o archebion i'r dociau a mwy o ddiweithdra.

Yn ystod anghydfod y gweithwyr dur, cyhoeddodd perchenogion y cwmni dur daflenni yn ymosod ar streicwyr o dramor. Roedd y rhan fwyaf o'r wasg yn portreadu'r streiciau fel gweithredoedd gwrth-Americanaidd a oedd yn bygwth llywodraeth UDA.

Ffynhonnell B Hysbyseb mewn papur newydd yn UDA yn annog gweithwyr dur i ddychwelyd i'r gwaith, 1919. Roedd yr hysbyseb mewn wyth iaith, ac roedd yn cysylltu arweinwyr yr undeb â thramorwyr ac â syniadau ymgyrchwyr streic radical a oedd yn ddieithr i America

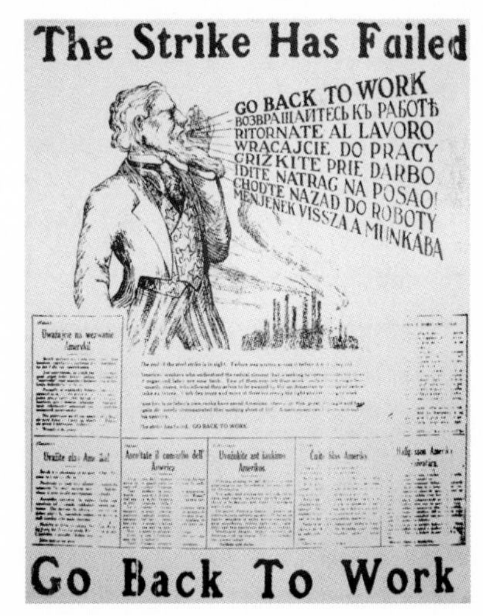

TASG

1 I ba raddau y mae Ffynhonnell B yn cefnogi'r safbwynt na chafodd streiciau 1919 lawer o effaith? (Am arweiniad ar sut i ateb y math hwn o gwestiwn, edrychwch ar dudalennau 40–41.)

Ymgyrchoedd bomio ac ymdrechion yr anarchwyr

Yn yr un flwyddyn (1919) dechreuwyd ymgyrch fomio gan grwpiau o anarchwyr eithafol. Mewn un ymosodiad enwog, cafodd cartref Mitchell Palmer, y Twrnai Cyffredinol (Pennaeth Adran Gyfiawnder UDA) ei fomio. Ym mis Ebrill 1919, cafodd deg o bobl eu lladd pan ffrwydrodd bom mewn eglwys ym Milwaukee. Ym mis Mai, anfonwyd bomiau post at 36 o Americanwyr enwog.

Ffynhonnell C Pamffled anarchaidd o'r enw *Plain Truth*, a ganfuwyd ger tŷ Mitchell Palmer yn 1919

Bydd tywallt gwaed yn anorfod. Fyddwn ni ddim yn dal yn ôl. Bydd llofruddiaeth yn anorfod. Byddwn ni'n lladd. Bydd dinistr yn anorfod. Byddwn ni'n dinistrio. Rydym yn barod i wneud unrhyw beth i atal y system gyfalafol.

TASGAU

2 Beth yw ystyr y termau canlynol: unigolyddiaeth rymus, comiwnyddiaeth, anarchiaeth, radical?

3 Eglurwch pam yr oedd pobl yn poeni am chwyldro posibl yn UDA yn 1919. (Am arweiniad ar sut i ateb y math hwn o gwestiwn, edrychwch ar dudalen 84.)

4 Pa mor ddefnyddiol yw Ffynhonnell C i hanesydd sy'n astudio'r rhesymau dros yr anghydfod yn 1919? (Am arweiniad ar sut i ateb y math hwn o gwestiwn, edrychwch ar dudalennau 49–50.)

5 Disgrifiwch y Cyrchoedd Palmer. (Am arweiniad ar sut i ateb y math hwn o gwestiwn, edrychwch ar dudalen 73.)

6 Lluniwch gyfres o benawdau papur newydd ar gyfer 1919 yn ymwneud â'r streiciau a'r bomio, er mwyn creu teimlad gwrth-gomiwnyddol. Dyma enghraifft o bennawd o'r cyfnod:

Y COCHION YN CYNLLUNIO I FOMIO A LLOFRUDDIO

Cyrchoedd Palmer

Aeth y wasg ati i gynhyrfu'r sefyllfa, gan fynnu bod hyn yn dystiolaeth bellach o gynllwyn cyffredinol gan y comiwnyddion i reoli'r wlad. Ymosododd yr heddlu ar orymdeithiau sosialaidd dydd Calan Mai 1920, gan dorri i mewn i swyddfeydd sefydliadau sosialaidd. Cafodd llawer o bobl ddiniwed eu harestio gan honni bod ganddynt ddaliadau gwleidyddol peryglus. Ymysg y rhai a gafodd eu harestio roedd undebwyr llafur, pobl ddu, Iddewon a Phabyddion. 'Cyrchoedd Palmer' oedd yr enw ar y cyrchoedd hyn gan mai Mitchell Palmer oedd wedi'u trefnu. Er bod y cyrchoedd yn anghyfreithlon, nid oedd llawer yn barod i brotestio yn eu herbyn. Cafodd cyfanswm o dros 6000 o gomiwnyddion honedig eu harestio mewn 36 dinas ar draws UDA. Anfonwyd cannoedd o fewnfudwyr Rwsiaidd adref ar long gyda'r llysenw yr 'Arch Sofietaidd'.

Ffynhonnell CH Y llanastr ar ôl un o Gyrchoedd Palmer ar swyddfeydd Gweithwyr Diwydiannol y Byd (*IWW*), 15 Tachwedd 1919

Pam yr oedd achos Sacco a Vanzetti yn bwysig?

Ar 5 Mai 1920, cafodd dau labrwr Eidalaidd, Nicola Sacco a Bartolomeo Vanzetti, eu harestio a'u cyhuddo o lofruddio Fred Parmenter. Parmenter oedd y meistr talu mewn ffatri yn ardal De Braintree, Massachusetts. Saethwyd Parmenter a swyddog diogelwch gan ddau leidr arfog ar 15 Ebrill 1920. Bu farw'r ddau ddyn, ond cyn ei farw, roedd Parmenter wedi llwyddo i ddisgrifio ei ymosodwyr fel tramorwyr tenau gyda chroen olewydd.

Dechreuodd achos Sacco a Vanzetti ym mis Mai 1921 gan barhau am 45 diwrnod. Oherwydd bod yr achos wedi cael cymaint o gyhoeddusrwydd, aeth sawl diwrnod heibio cyn y llwyddwyd i ddod o hyd i reithgor o 12 dyn a oedd yn dderbyniol i'r erlyniad a'r amddiffyniad. Galwyd cyfanswm o 875 o ymgeiswyr i'r llys. Ar 14 Gorffennaf 1921, cyhoeddodd y rheithgor fod y ddau ddyn yn euog. Cafwyd gwrthdystiadau ar draws UDA yn cefnogi'r ddau ddyn a gondemniwyd.

Apeliodd Sacco a Vanzetti yn erbyn y rheithfarn mewn sawl llys uwch, ond methu oedd eu hanes. Roedd yr apêl olaf yn 1927. Cafodd y ddau ddyn eu dienyddio mewn cadair drydan ar 24 Awst 1927.

Y dystiolaeth yn erbyn Sacco a Vanzetti

- Anarchwyr oeddent ac roedd yn gas ganddynt gyfalafiaeth Americanaidd a chyfundrefn llywodraeth UDA.
- Roedd Vanzetti wedi'i gael yn euog o ladrad arfog yn 1919.
- Roedd 61 o lygad-dystion wedi adnabod y ddau ddyn fel y llofruddwyr.
- Roedd Sacco a Vanzetti yn cario gynnau ar y diwrnod pan gawsant eu harestio.
- Dywedodd y ddau ddyn gelwydd wrth roi datganiadau i'r heddlu.
- Roedd tystiolaeth fforensig yn cysylltu'r ddryll a laddodd y swyddog diogelwch â'r un yr oedd Sacco yn ei gario.
- Gwrthododd Vanzetti roi tystiolaeth yn yr achos llys.

Bartolomeo Vanzetti (chwith) a Nicola Sacco (de).

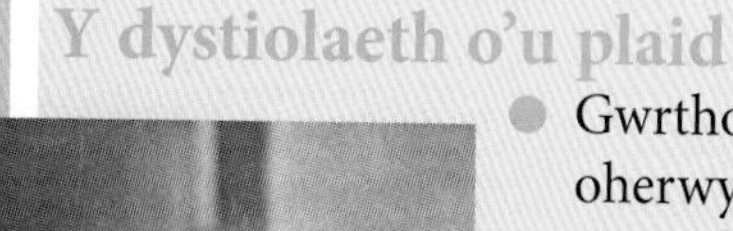

Y dystiolaeth o'u plaid

- Gwrthododd Vanzetti roi tystiolaeth oherwydd ei fod yn poeni y byddai ei weithgareddau gwleidyddol yn dod yn brif ganolbwynt yr achos ac y byddai'r llys yn ei gael yn euog o'r rheiny, gan ddiystyru mater y lladrad.
- Roedd 107 o bobl wedi cadarnhau alibi'r ddau ddyn (eu bod yn rhywle arall pan gafodd y lladrad ei gyflawni). Fodd bynnag, roedd llawer o'r tystion hyn yn fewnfudwyr newydd o'r Eidal na allent siarad Saesneg yn dda.
- Mae rhai pobl yn credu bod y dystiolaeth fforensig yn ymwneud â dryll Sacco yn ffug.
- Roedd manylion pwysig yn nhystiolaeth 61 o dystion yr erlyniad yn aml yn anghyson. Roedd rhai tystion wedi newid eu stori erbyn i'r achos llys ddechrau.
- Yn ôl y ddau ddyn, roeddent wedi dweud celwydd wrth yr heddlu oherwydd eu bod yn poeni y byddai'r system yn gwahaniaethu yn eu herbyn gan eu bod yn cefnogi anarchiaeth.
- Roedd dynion eraill wedi cyffesu i'r drosedd.
- Roedd y barnwr, Webster Thayer, yn ymddangos yn benderfynol o gael y ddau ddyn yn euog o'r drosedd.

Pwysigrwydd yr achos

- Cafodd yr achos sylw ar draws y byd, gan ddangos pa mor anoddefgar oedd cymdeithas America. Fel mewnfudwyr o'r Eidal, roedd y ddau ddyn wedi dioddef gwahaniaethu hiliol ac roedd llawer o'u hawliau sylfaenol wedi'u hatal.
- Dangosodd yr achos annhegwch system gyfreithiol America. Cafwyd y ddau ddyn yn euog ar sail tystiolaeth wan – er y daeth tystiolaeth i'r golwg maes o law yn awgrymu bod Sacco o bosibl yn euog.
- Yn y 1970au, penderfynodd **Llywodraethwr** Massachusetts roi pardwn ffurfiol i Sacco a Vanzetti, gan gytuno bod camdreial wedi bod (gweler Ffynhonnell CH).

Ffynhonnell A Sylw am y Barnwr Thayer a oedd yn gyfrifol am achos llys gwreiddiol Sacco a Vanzetti. Gwnaed y sylw yn 1930 gan Felix Frankfurter, cyfreithiwr a oedd yn ymgyrchu am dreial newydd ac awdur llyfr a oedd yn beirniadu'r treial gwreiddiol

Rwyf wedi adnabod y Barnwr Thayer trwy gydol fy oes. Credaf ei fod yn ddyn cul; yn ddyn anneallus ac yn llawn rhagfarn; mae wedi ei feddiannu'n llwyr gan ei ofn o'r Cochion, ac mae'r ofn hwnnw yn bodoli yn tua naw deg y cant o bobl America.

TASGAU

1. Pa mor ddefnyddiol yw Ffynhonnell A i hanesydd sy'n astudio'r achos yn erbyn Sacco a Vanzetti? (Am arweiniad ar sut i ateb y math hwn o gwestiwn, edrychwch ar dudalennau 49–50.)
2. Beth y mae Ffynhonnell B yn ei ddangos i chi am achos Sacco a Vanzetti? (Am arweiniad ar sut i ateb y math hwn o gwestiwn, edrychwch ar dudalen 16.)

Ffynhonnell B Gwrthdystwyr yn Boston yn 1925 yn cefnogi Sacco a Vanzetti

Ffynhonnell C Roedd Freda Kirchwey yn yr Almaen yn ystod yr wythnosau olaf cyn i Nicola Sacco a Bartolomeo Vanzetti gael eu dienyddio. Ysgrifennodd am ei hymateb i'r dienyddio yn *The Nation*, 28 Awst 1927. Cylchgrawn radical a gyhoeddwyd yn UDA oedd *The Nation*

Nid ydym wedi siarad llawer amdano – ond bob tro rydym wedi dod yn agos i bapur newydd rydym wedi rhuthro i weld, gan obeithio, heb fawr o obaith mewn gwirionedd, y byddai'r Llywodraethwr neu rywun arall yn dangos trugaredd drwy ryw ryfedd wyrth. Roedd hi'n anodd cysgu'r nosweithiau hynny. A lle bynnag roeddem yn mynd – o Baris a Berlin i Heiligenblut yn y Tyrol, Awstria – byddai pobl yn siarad â ni am y peth yn llawn dychryn ac yn methu'n lân â deall. Achosodd hyn fwy o wrthwynebiad i fewnfudwyr a dwysáu'r 'Bygythiad Coch', ac roedd fel pe bai'n cryfhau'r achos o blaid cyfyngu ar fewnfudo.

Ffynhonnell CH Cyhoeddiad Llywodraethwr Massachusetts, Awst 1977

Felly rwyf i, Michael S. Dukakis, yn cyhoeddi drwy hyn fod dydd Mawrth, 23 Awst 1977 yn Ddiwrnod Coffa Nicola Sacco a Bartolomeo Vanzetti ac yn datgan hefyd y dylid dileu am byth unrhyw stigma a gwarth sy'n gysylltiedig ag enwau'r ddau ddyn.

Ffynhonnell D Darn o'r gân 'Two Good Men' a gyfansoddwyd gan Woody Guthrie yn 1946

Vanzetti docked in nineteen eight;
Slept along the dirty street,
Told the workers 'Organize',
And on the 'lectric chair he dies.

All you people ought to be like me,
And work like Sacco and Vanzetti,
And everyday find ways to fight
On the union side for the workers' rights.

TASGAU

3 I ba raddau y mae Ffynhonnell C yn cefnogi'r safbwynt fod Sacco a Vanzetti wedi'u defnyddio fel dau fwch dihangol? (Am arweiniad ar sut i ateb y math hwn o gwestiwn, edrychwch ar dudalennau 40–41.)

4 Edrychwch ar y dystiolaeth o blaid ac yn erbyn y ddau ddyn ar dudalennau 13–15. Copïwch a chwblhewwch y tabl isod.

	Euog	Dieuog
Tystiolaeth gryfaf		
Tystiolaeth wannaf		

Nawr mae'n rhaid i chi benderfynu: euog neu ddieuog? Ysgrifennwch ddau baragraff yn egluro eich penderfyniad.

5 Astudiwch Ffynhonnell D. Pa neges y mae'r awdur yn ceisio ei chyfleu am Sacco a Vanzetti?

6 Ai ofn comiwnyddiaeth oedd y rheswm pwysicaf dros gyfyngu ar fewnfudo i UDA yn y 1920au? Eglurwch eich ateb yn llawn. Gallwch drafod y canlynol fel rhan o'ch ateb.

Dylech roi safbwyntiau'r ddwy ochr i'r cwestiwn hwn:

- trafodwch ofn comiwnyddiaeth a'i effaith
- trafodwch ffactorau eraill a arweiniodd at gyfyngu ar nifer y mewnfudwyr a oedd yn cael mynediad i UDA

a dod i benderfyniad.

(Am arweiniad ar sut i ateb y math hwn o gwestiwn, edrychwch ar dudalennau 91–92.)

Arweiniad ar arholiadau

Mae'r adran hon yn rhoi arweiniad ar sut i ateb cwestiynau 1(a), 2(a) a 3(a) yn Unedau 1 a 2. Mae'n gwestiwn deall ffynhonnell sy'n werth 2 farc.

Cwestiwn 1(a) – deall ffynhonnell weledol

Beth y mae Ffynhonnell A yn ei ddangos i chi am fewnfudo i America yn ystod y cyfnod hwn? (2 farc)

Ffynhonnell A Mewnfudwyr yn cyrraedd Ynys Ellis yn 1917. Maent yn cael archwiliad meddygol gan feddyg

Cyngor ar sut i ateb

Cwestiwn dod i gasgliad yw hwn sy'n ymwneud â deall ffynhonnell weledol.

- Gofynnir i chi edrych ar y llun a nodi manylion perthnasol.
- Dylech ddefnyddio'r disgrifiad ysgrifenedig sy'n dod gyda'r ffynhonnell hefyd gan ei fod yn rhoi gwybodaeth ychwanegol i chi.
- Dylech rhoi sylwadau ar yr hyn y gallwch ei weld yn y llun a'r geiriau sy'n ymddangos gyda'r ffynhonnell yn unig. Peidiwch â defnyddio gwybodaeth ffeithiol ychwanegol gan na fyddwch yn ennill marciau am hyn.
- I gael marciau llawn bydd angen i chi nodi o leiaf ddau bwynt perthnasol sydd wedi'u datblygu a'u cefnogi'n dda.

Ymateb yr ymgeisydd

Mae Ffynhonnell A yn dangos meddyg yn archwilio llygaid mewnfudwr am unrhyw arwydd o glefyd. Mae'n awgrymu na fydd pob mewnfudwr yn cael mynediad i UDA oherwydd bod rhaid iddyn nhw basio prawf meddygol. Roedd teuluoedd cyfan yn gadael Ewrop i ymfudo i UDA. Yn y llun mae dynion o bob oed yn cyrraedd ac yn cael archwiliad cyn cael mynediad.

Sylw'r arholwr

Mae'r ymgeisydd wedi gwneud nifer o sylwadau dilys sy'n seiliedig ar y ffynhonnell a'i phennawd. Mae'n deall yn glir bod angen archwiliad meddygol ar fewnfudwyr ac mae'n casglu o'r ffynhonnell fod y rhan fwyaf ohonynt yn bobl ifanc neu ganol oed. Mae hwn yn ateb cynhwysfawr sy'n haeddu'r 2 farc llawn.

A oedd America'n wlad o anoddefgarwch crefyddol a hiliol yn ystod y cyfnod hwn?

Ffynhonnell A Adroddiad o'r *Washington Eagle*, 1921. Mae'n disgrifio marwolaeth Americanwr du a gafodd ei gyhuddo o lofruddio menyw wen yn Georgia

Cafodd y negro ei gymryd i goedlan lle'r oedd aelodau o'r Ku Klux Klan wedi gosod cwlwm o goed pîn o amgylch boncyff. Cafodd y negro ei gadwyno i'r boncyff a gofynnwyd iddo a oedd eisiau dweud unrhyw beth. Wedi'i ddisbaddu ac mewn poen ofnadwy, gofynnodd y negro am sigarét a chwythodd y mwg i wynebau ei arteithwyr. Cafodd y tân ei gynnau a daeth cant o ddynion a menywod o bob oed ynghyd gan ddal dwylo a dawnsio wrth i'r negro losgi.

Ffynhonnell B 'Strange Fruit' – cerdd a ysgrifennwyd gan Abel Meeropol yn 1936 mewn ymateb i'r Americanwyr du a lynsiwyd (lladd yn anghyfreithlon) yn y 1920au

Southern trees bear strange fruit
Blood on the leaves
Blood at the root
Black bodies swinging in the southern breeze
Strange fruit hanging from the poplar trees
Pastoral scene of the gallant south
The bulging eyes and the twisted mouth
The scent of magnolia sweet and fresh
Then the sudden smell of burning flesh
Here is a fruit for the crows to pluck
for the rain to gather
for the wind to suck
for the sun to rot
for the tree to drop
Here is a strange and bitter crop

TASGAU

1. Pa mor ddefnyddiol yw Ffynhonnell A i hanesydd sy'n astudio sut y cafodd Americanwyr du eu trin yn ystod y 1920au? (Am arweiniad ar sut i ateb y math hwn o gwestiwn, edrychwch ar dudalennau 49–50.)
2. I ba raddau y mae Ffynhonnell B yn cefnogi'r safbwynt fod anoddefgarwch hiliol yn bodoli yn nhaleithiau deheuol UDA? (Am arweiniad ar sut i ateb y math hwn o gwestiwn, edrychwch ar dudalennau 40–41.)

Manteisiodd llawer o Americanwyr ar ffyniant economaidd y 1920au gan wella eu safon byw a chael mwy o amrywiaeth o weithgareddau hamdden ac adloniant. Er hynny, dioddefodd llawer o drigolion UDA hiliaeth a rhagfarn. Yn ystod y 1920au roedd llawer iawn o gasineb tuag at Americanwyr du ac anoddefgarwch crefyddol enfawr, ac roedd twf y Ku Klux Klan yn adlewyrchu hyn. Dangosodd y Prawf Mwnci gwarthus hwnnw hefyd fod bwlch mawr rhwng y gwahanol gredoau yn UDA.

Mae'r bennod hon yn ateb y cwestiynau canlynol:

- Beth oedd Ffwndamentaliaeth grefyddol?
- Beth oedd profiad Americanwyr du a lleiafrifoedd hiliol yn y 1920au?
- Beth oedd y Ku Klux Klan?
- Pam nad oedd camau'n cael eu cymryd yn erbyn y Ku Klux Klan?
- Sut y cafodd Americanwyr Brodorol eu trin?

Arweiniad ar arholiadau

Drwy'r bennod hon, byddwch yn cael cyfle i ymarfer cwestiynau arholiad o wahanol arddull a rhoddir arweiniad manwl ar sut i ateb cwestiwn 1(b) yn Unedau 1 a 2 y papur arholiad. Cwestiwn deall ffynhonnell yw hwn sy'n gysylltiedig â galw i gof eich gwybodaeth eich hun. Mae'n werth 4 marc.

Beth oedd Ffwndamentaliaeth grefyddol?

Yn y 1920au roedd y rhan fwyaf o Americanwyr gwledig yn bobl grefyddol iawn. Roedd de-ddwyrain UDA (gan gynnwys taleithiau fel Alabama, Arkansas, Kentucky a Tennessee) yn cael ei disgrifio fel '**Ardal y Beibl**' ac roedd y bobl yn ystyried eu hunain yn Gristnogion cyfiawn oedd yn ofni Duw. Roedd llawer o bobl yn yr ardaloedd hyn yn cael eu disgrifio fel **Ffwndamentalwyr** yn sgil sefydlu Cymdeithas Ffwndamentalwyr Cristnogol y Byd. Roeddent yn Brotestaniaid a oedd yn credu bob gair o'r Beibl yn ddigwestiwn.

Yn ystod y 1920au, ceisiodd llawer o bobl yn Ardal y Beibl arafu'r newidiadau oedd yn digwydd yn UDA. Roedd yn gas ganddynt y dillad a'r dawnsio pryfoclyd, y gamblo a'r hyn a oedd yn eu barn nhw yn ddirywiad cyffredinol mewn safonau moesol. Un o'r pregethwyr Ffwndamentalaidd enwocaf oedd Aimee Semple McPherson. Teithiodd o amgylch UDA ar ddechrau'r 1920au yn codi arian ar gyfer ei *Four Square Gospel Church*. Cododd dros $1.5 miliwn yn 1921 i adeiladu ei Theml Angelus.

Roedd y bwlch yn y credoau rhwng Americanwyr gwledig a threfol i'w weld yn glir yn y ddadl ynglŷn â damcaniaeth esblygiad. Roedd y rhan fwyaf o bobl yn nhrefi a dinasoedd UDA yn derbyn damcaniaeth esblygiad Charles Darwin. Yn ôl y ddamcaniaeth hon, roedd pobl wedi esblygu o greaduriaid tebyg i epaod dros filiynau o flynyddoedd. Fodd bynnag, roedd llawer o bobl mewn ardaloedd gwledig, yn enwedig yn nhaleithiau Ardal y Beibl, yn gwrthod y safbwyntiau hyn.

Ffynhonnell A Pregeth a draddodwyd gan Billy Sunday, pregethwr Ffwndamentalaidd enwog yn 1925

Gadewch i'r rhai sydd am addysgu'r ddamcaniaeth afiach, ffiaidd, ddiawledig honno ar esblygiad wneud hynny ... ond peidiwch â disgwyl i Gristnogion ein gwlad dalu cyflog athro pwdr, erchyll sy'n dysgu ein plant i gefnu ar Dduw gan lenwi ein hysgolion â'u gwleidyddiaeth fudr, afiach.

Y Prawf Mwnci

Yn 1924 yn nhalaith Tennessee, pasiwyd Deddf Butler. Roedd hyn yn golygu ei bod yn anghyfreithlon i ysgol gyhoeddus 'addysgu unrhyw ddamcaniaeth sy'n gwadu hanes Duw yn creu dyn yn y Beibl ac addysgu bod dyn yn tarddu o radd is neu o anifeiliaid'. Pasiodd pum talaith arall ddeddfau tebyg.

Penderfynodd athro Bioleg o'r enw John Scopes herio'r gwaharddiad hwn. Aeth ati'n fwriadol i addysgu esblygiad yn ei ystafell ddosbarth yn Tennessee er mwyn cael ei arestio a'i roi o flaen ei well.

Cyflogodd y ddwy ochr y cyfreithwyr gorau, a daeth yr achos i'r llys ym mis Gorffennaf 1925. Roedd gan y cyhoedd ddiddordeb mawr yn yr achos. Cafodd Scopes ei gefnogi gan Undeb Hawliau Sifil America a'i amddiffyn gan Clarence Darrow, cyfreithiwr troseddol enwog. Yr erlynydd oedd y Ffwndamentalydd William Jennings Bryan. Cafwyd Scopes yn euog o dorri'r gyfraith a chafodd ddirwy o $100. Fodd bynnag, roedd yr achos llys yn drychineb i ddelwedd gyhoeddus y Ffwndamentalwyr. Trodd yr achos yn ddadl rhwng gwyddoniaeth a chrefydd. Cafodd Bryan ei ddatgelu yn berson dryslyd ac anwybodus gyda'r cyfryngau yn gwneud hwyl am ben credoau'r rhai a oedd yn gwrthwynebu damcaniaeth esblygiad. Roedd llawer yn gweld safbwynt y Ffwndamentalwyr fel ymgais i atal rhyddid meddwl.

Ffynhonnell B Adroddiad ar yr achos llys yn y *Baltimore Evening Sun*, Gorffennaf 1925

Bu Mr Darrow yn pryfocio ei wrthwynebwr am bron ddwy awr. Gofynnodd i Mr Bryan a oedd wir yn credu bod y neidr yn gorfod ymlusgo ar ei bol am iddi demtio Efa, ac a oedd yn credu bod Efa wedi'i gwneud o asen Adda. Aeth wyneb Bryan yn goch wrth ymateb i gwestiynau craff Mr Darrow, a phan oedd yn methu ateb cwestiwn byddai'n troi at ei ffydd, gan wrthod ateb yn uniongyrchol neu ddweud: 'Dyna mae'r Beibl yn ei ddweud; mae'n rhaid ei fod yn wir.'

Ffynhonnell C Cartŵn a ymddangosodd mewn papur newydd cenedlaethol ym mis Gorffennaf 1925

CLASSROOM IN PROPOSED BRYAN UNIVERSITY OF TENNESSEE

TASGAU

1. Eglurwch pam y rhoddwyd John Scopes ar brawf yn 1925. (Am arweiniad ar sut i ateb y math hwn o gwestiwn, edrychwch ar dudalen 84.)
2. Pa mor ddefnyddiol yw Ffynhonnell A i hanesydd sy'n astudio credoau Ffwndamentalwyr crefyddol? (Am arweiniad ar sut i ateb y math hwn o gwestiwn, edrychwch ar dudalennau 49–50.)
3. I ba raddau y mae Ffynhonnell B yn cefnogi'r safbwynt mai dadl rhwng gwyddoniaeth a chrefydd oedd y Prawf Mwnci mewn gwirionedd? (Am arweiniad ar sut i ateb y math hwn o gwestiwn, edrychwch ar dudalennau 40–41.)
4. Astudiwch Ffynhonnell C. Pa neges y mae'r cartwnydd yn ceisio ei chyfleu am y Prawf Mwnci?

Beth oedd profiad Americanwyr du a lleiafrifoedd hiliol yn y 1920au?

Deddfau Jim Crow

Roedd pobl ddu wedi cael eu cludo i America fel caethweision yn yr ail ganrif ar bymtheg a'r ddeunawfed ganrif. Erbyn i gaethwasiaeth ddod i ben yn y 1860au roedd mwy o Americanwyr du na gwyn yn byw yn nhaleithiau'r de. Pobl wyn oedd yn llywodraethu'r taleithiau ac oherwydd eu bod yn pryderu am rym Americanwyr du, cyflwynwyd deddfau i reoli eu rhyddid. Cawsant eu disgrifio fel **Deddfau Jim Crow**, ar ôl sioe comedïwr o'r bedwaredd ganrif ar bymtheg a oedd yn gwawdio pobl ddu. Canlyniad y deddfau oedd gwahanu pobl ddu mewn ysgolion, parciau, ysbytai, pyllau nofio, llyfrgelloedd a lleoedd cyhoeddus eraill. Cafodd deddfau Jim Crow newydd eu pasio mewn rhai taleithiau fel bod tacsis, traciau rasio a gornestau bocsio gwahanol i bobl wyn a du.

Roedd yn anodd i bobl ddu gael eu trin yn deg. Nid oedd ganddynt hawl i bleidleisio, ac roedd yn amhosibl iddynt gael swyddi da ac addysg o safon. Roedd pobl wyn yn eu bygwth ac yn eu rheoli drwy ofn a thrais. Yn y Rhyfel Byd Cyntaf, gwasanaethodd 360,000 o Americanwyr du yn y lluoedd arfog. Ar ôl dychwelyd adref gwelsant fod hiliaeth yn rhan o fywyd bob dydd. Rhwng 1915 a 1922 cafodd dros 430 o Americanwyr du eu lynsio.

Ffynhonnell A Ffynnon ddŵr ar wahân

Ffynhonnell B Lige Daniels, Americanwr du, a gafodd ei lynsio ar 3 Awst 1920 yn Center, Texas

Y Mudo Mawr

Oherwydd yr hiliaeth a'r tlodi parhaol, symudodd miloedd o Americanwyr du i ddinasoedd y gogledd yn y blynyddoedd ar ôl 1910, gan obeithio dod o hyd i fywyd gwell. Yn y blynyddoedd rhwng 1916 a 1920, gadawodd bron 1 miliwn o Americanwyr du ardaloedd y de i chwilio am swyddi yn y gogledd. Yr enw a roddwyd ar hyn oedd '**y Mudo Mawr**'.

Ffynhonnell C Darn o erthygl mewn papur newydd ar gyfer Americanwyr du, 1921

Edrychwch o amgylch eich caban, ar y llawr pridd a'r ffenestri heb wydr. Wedyn gofynnwch i'ch teulu sydd eisoes wedi symud i'r Gogledd am yr ystafelloedd ymolchi gyda dŵr poeth ac oer. Pa obaith sydd gan y dyn du cyffredin o gael y pethau hyn gartref? Ac os yw'n llwyddo i'w cael nhw, sut y mae'n gallu bod yn siŵr na fydd rhyw ddyn gwyn tlawd yn dod gyda'i gang un noson a'i orfodi i adael?

Fodd bynnag, nid oedd yr amodau yn llawer gwell yn y gogledd. Swyddi gyda chyflog isel fyddai'r Americanwyr du yn eu cael, a nhw oedd y cyntaf i gael eu diswyddo ar adegau anodd. Fel arfer roeddent yn byw mewn getos tenement budr ac roedd hyd yn oed mwy o anoddefgarwch hiliol yn eu hwynebu. Yn Efrog Newydd a Chicago roedd cyflwr eu tai yn aml yn waeth na chyflwr tai pobl wyn, er eu bod yn talu mwy o rent. Roedd safon eu gwasanaethau addysg ac iechyd yn waeth na rhai'r gwynion. Gwellodd y sefyllfa'n raddol: er enghraifft, dim ond 50 o Americanwyr du oedd yn cael eu cyflogi gan Gwmni Moduron Ford yn 1916, ond erbyn 1926 roedd y cwmni'n cyflogi 10,000. Er hynny, nid oedd y rhan fwyaf o Americanwyr du wedi elwa ar **ffyniant** economaidd y 1920au. Roeddent yn dal i gael eu hystyried yn ddinasyddion eilradd ac yn cael eu cadw ar wahân, ac roeddent yn dioddef gwahaniaethu a gormes difrifol yn aml, yn enwedig yn nhaleithiau'r de.

Roedd Americanwyr gwyn yn y gogledd yn aml yn gwrthwynebu dyfodiad Americanwyr du o'r de ac yn poeni am y gystadleuaeth am swyddi a thai. Cynyddodd tensiwn hiliol ac yn 1919 roedd terfysgoedd hil mewn dros 20 o ddinasoedd UDA, gan arwain at 62 o farwolaethau a channoedd o anafiadau. Roedd y terfysgoedd gwaethaf yn Chicago a Washington DC lle bu'n rhaid defnyddio'r fyddin i adfer trefn. Yn Chicago, bu farw 38 o bobl, gan gynnwys 15 Americanwr gwyn a 23 Americanwr du, ac anafwyd 537 o bobl.

Gwelliannau

Er hynny, gwellodd ambell beth i bobl ddu America, yn enwedig yn nhaleithiau'r gogledd.

- Yn Chicago ac Efrog Newydd roedd dosbarth canol du yn dechrau tyfu. Yn Chicago yn 1930 penderfynodd pobl ddu foicotio siopau adrannol er mwyn eu perswadio i gyflogi pobl ddu.
- Daeth sawl canwr a cherddor jazz du yn enwog, gan gynnwys Louis Armstrong.
- Daeth cymdogaeth ddu o'r enw Harlem yn Efrog Newydd yn ganolfan Dadeni Harlem ar gyfer cantorion, cerddorion, arlunwyr, awduron a beirdd du.
- Denwyd cynulleidfaoedd mawr gan theatr pobl ddu a daeth perfformwyr du, gan gynnwys cantorion, comediwyr a dawnswyr, yn boblogaidd mewn clybiau a sioeau cerdd.
- Cynyddodd disgwyliad oes pobl ddu o 45 yn 1900 i 48 yn 1930.

Mae tudalen 22 yn cynnwys enghreifftiau o rai o Americanwyr du dylanwadol y 1920au.

TASGAU

1. Beth y mae Ffynhonnell A yn ei ddweud wrthych am y driniaeth a gafodd rhai Americanwyr du yn ystod y 1920au? (Am arweiniad ar sut i ateb y math hwn o gwestiwn, edrychwch ar dudalen 16.)
2. Eglurwch pam y cyflwynwyd arwahanu yn nhaleithiau'r de. (Am arweiniad ar sut i ateb y math hwn o gwestiwn, edrychwch ar dudalen 84.)
3. Defnyddiwch Ffynhonnell C a'ch gwybodaeth eich hun i egluro pam y mudodd Americanwyr du i'r gogledd. (Am arweiniad ar sut i ateb y math hwn o gwestiwn, edrychwch ar dudalennau 27–28.)
4. Disgrifiwch derfysgoedd hil 1920. (Am arweiniad ar sut i ateb y math hwn o gwestiwn, edrychwch ar dudalen 73.)
5. Beth y mae Ffynhonnell CH yn ei ddweud wrthych am Americanwyr du yn mudo yn y 1920au? (Am arweiniad ar sut i ateb y math hwn o gwestiwn, edrychwch ar dudalen 16.)

Ffynhonnell CH Poblogaeth ddu drefol, 1920–30

Dinas	1920	1930	Canran y cynnydd
Efrog Newydd	152,467	327,706	114.9
Chicago	109,458	233,903	113.7
Philadelphia	134,229	219,599	63.6
Detroit	40,838	120,066	194.0
Los Angeles	15,579	38,894	149.7

Bywgraffiad Paul Robeson 1898-1976

Roedd Paul Robeson wedi hyfforddi fel cyfreithiwr ond ni allai ddod o hyd i waith oherwydd ei fod yn ddu. Felly, trodd at actio a daeth yn enwog am ei ran yn y sioe gerdd boblogaidd *Showboat*. Daeth yn un o gantorion cyngerdd mwyaf poblogaidd ei gyfnod, ac roedd pawb wrth eu bodd gyda'i ganeuon fel 'Ol' Man River'. Ei bortread ef o *Othello* oedd y cyfnod hiraf i unrhyw ddrama Shakespearaidd gael ei llwyfannu ar Broadway erioed. Yn fwy nag unrhyw berfformiwr arall o'i gyfnod, roedd yn credu fod gan bobl enwog gyfrifoldeb i ymladd dros gyfiawnder a heddwch.

Bywgraffiad Countee Cullen 1903–46

Cafodd Countee Cullen addysg anarferol a oedd yn wahanol i ragfarnau'r cyfnod. Mynychodd Ysgol Uwchradd DeWitt Clinton, ysgol i fyfyrwyr gwyn, gwrywaidd yn bennaf, a daeth yn Is-lywydd ei ddosbarth yn ystod ei flwyddyn olaf. Aeth ymlaen i Brifysgol Efrog Newydd a graddio yn 1925. Daeth yn fardd enwog a chyhoeddwyd ei waith mewn cylchgronau llenyddol amrywiol. Roedd ei gerddi'n herio hiliaeth a thlodi ymhlith pobl ddu.

Bywgraffiad Marcus Garvey 1887–1940

Roedd Marcus Garvey yn credu na ddylai pobl ddu geisio bod yn rhan o gymdeithas pobl wyn. Mynnodd y dylent ddathlu lliw eu croen a'u gorffennol Affricanaidd. Yn 1914 sefydlodd yr ***Universal Negro Improvement Association*** (***UNIA***). Erbyn 1920 roedd gan yr *UNIA* 2000 o aelodau. Yn ei hanterth, roedd gan yr *UNIA* tua 250,000 o aelodau.

Roedd Garvey yn awyddus i ddatblygu cysylltiadau agos ag Affrica, a gofynnodd i Americanwyr du ddefnyddio eu sgiliau, eu haddysg a'u gwybodaeth i helpu Affrica i fod yn gryf ac yn bwerus yn y byd. Anogodd Americanwyr du i ddychwelyd i Affrica ('Yn ôl i Affrica' oedd ei slogan) er mwyn 'sefydlu eu gwlad a'u llywodraeth eu hunain'. Fodd bynnag, yn 1925 carcharwyd Garvey am dwyll trwy'r gwasanaeth post ac fe gafodd ei alltudio i Jamaica ar ôl cael ei ryddhau. Chwalodd yr *UNIA*.

Fodd bynnag, yn ystod y 1960au ail-gydiodd y **Mudiad Pŵer Du** yn syniad Garvey fod 'du yn hardd'.

Bywgraffiad W E B Du Bois 1868–1963

Sefydlodd William Du Bois y ***National Association for the Advancement of Colored People*** (***NAACP***) yn 1910. Roedd yn galw ar America i dderbyn pob unigolyn a rhoi cyfle cyfartal i bawb. Erbyn 1919 roedd gan y *NAACP* 90,000 o aelodau a 300 o ganghennau. Defnyddiodd Du Bois y *NAACP* i herio **goruchafiaeth y dyn gwyn**, yn enwedig y deddfau arwahanu. Roedd yn awyddus i sicrhau bod Americanwyr du yn llawer mwy ymwybodol o'u hawliau sifil, yn enwedig yr hawl i bleidleisio.

Ymgyrchodd y *NAACP* yn erbyn yr arfer o lynsio yn y de hefyd. Ymchwiliodd i nifer yr achosion o lynsio, gan dynnu sylw at yr hyn oedd yn digwydd. Er i'r *NAACP* fethu yn ei hymgais i gyflwyno deddf yn gwahardd lynsio, llwyddodd cyhoeddusrwydd yr ymgyrch i leihau nifer yr achosion yn sylweddol.

TASGAU

6 Disgrifiwch waith y *NAACP* a'r *UNIA* yn y 1920au. (Am arweiniad ar sut i ateb y math hwn o gwestiwn, edrychwch ar dudalen 73.)

7 Defnyddiwch y wybodaeth ar dudalennau 20–22 i lunio map meddwl yn dangos sut y cafodd Americanwyr du eu trin fel dinasyddion eilradd yn UDA yn ystod y 1920au.

8 A oedd amodau'n wael i bob Americanwr du yn ystod y 1920au? Eglurwch eich ateb yn llawn.

Dylech roi safbwyntiau'r ddwy ochr i'r cwestiwn hwn:

- trafodwch y driniaeth wael a ddioddefodd Americanwyr du yn ystod y 1920au
- trafodwch y gwelliannau a ddaeth i ran rhai Americanwyr du

a dod i benderfyniad.

(Am arweiniad ar sut i ateb y math hwn o gwestiwn, edrychwch ar dudalennau 91–92.)

9 Gweithiwch mewn grŵp i lunio deiseb i'w chyflwyno i Arlywydd UDA yn egluro pam y dylid gwella bywyd yr Americanwyr du.

Beth oedd y Ku Klux Klan (KKK)?

Gwreiddiau

Sefydlwyd y Ku Klux Klan (KKK) yn y 1860au gan filwyr a oedd wedi ymladd yn Rhyfel Cartref America. Nod y KKK oedd dychryn pobl ddu a oedd newydd eu rhyddhau o gaethwasiaeth. Fodd bynnag, daeth i ben yn raddol yn y blynyddoedd ar ôl 1870 pan ddyfarnodd Uchel Reithgor ffederal fod y Klan yn 'sefydliad terfysgol'. Ailsefydlwyd y Klan pan gafodd y ffilm *The Birth of a Nation* ei rhyddhau yn 1915. Lleolwyd y ffilm yn y de ar ôl y Rhyfel Cartref ac roedd yn dangos y Klan yn achub teuluoedd gwyn rhag gangiau o bobl ddu a oedd yn bwriadu eu treisio a dwyn eu heiddo. Denodd y ffilm gynulleidfaoedd enfawr ac roedd fel pe bai'n cadarnhau'r syniad o oruchafiaeth y dyn gwyn.

Ar ôl y Rhyfel Byd Cyntaf, cynyddodd y tensiwn yn y farchnad lafur wrth i gyn-filwyr geisio dod o hyd i swyddi. Cynyddodd aelodaeth y KKK wrth i grwpiau newydd o fewnfudwyr a mudwyr gyrraedd (gweler tudalennau 7–10).

Ffynhonnell A Hiram Wesley Evans, arweinydd y KKK, yn siarad yn 1924

Trefn y byd yw bod yn rhaid i bob hil ymladd am ei bywyd, gorchfygu neu dderbyn caethwasiaeth neu farw. Mae'r Klan eisiau i bob talaith wneud cyfathrach rywiol rhwng person gwyn a pherson du yn drosedd. Rhaid i Brotestaniaid gael y llaw uchaf. Ni chaiff Rhufain reoli America. Mae'r Eglwys Babyddol yn an-Americanaidd ac yn wrth-Americanaidd gan amlaf.

Credoau

Roedd aelodau'r Klan yn *WASPs*. Roeddent yn diffinio eu hunain fel Protestaniaid Eingl-Sacsonaidd Gwyn ac yn credu eu bod yn well na phob hil arall. Roeddent hefyd yn gwrthwynebu comiwnyddiaeth, pobl ddu, Iddewon, Pabyddion ac yn erbyn tramorwyr o bob math.

Ffynhonnell B Aelodau o'r Ku Klux Klan yn gorymdeithio trwy Washington DC, 18 Awst 1925

Trefniadaeth

Byddai aelodau'r Klan yn gwisgo cynfas a mygydau gwyn, er mwyn gwneud yn siŵr nad oedd yn bosibl adnabod yr aelodau. Byddent yn aml yn ymosod ar eu dioddefwyr yn y nos. Roedd y lliw gwyn yn symbol o oruchafiaeth y dyn gwyn. Byddai'r aelodau yn cario baneri America ac yn rhoi croesbren ar dân yn ystod eu cyfarfodydd nos. Cyfeiriwyd at eu harweinydd, deintydd o'r enw Hiram Wesley Evans, fel Dewin yr Ymerodraeth. Cyfeiriwyd at swyddogion y Klan fel Klaliffs, Kluds neu Klabees.

Aelodaeth

Roedd gan y Klan 100,000 o aelodau yn 1920. Erbyn 1925, roedd dros 5 miliwn o bobl wedi ymaelodi yn ôl y sôn. Denodd aelodau o bob rhan o America, yn enwedig o'r de. Roedd mwyafrif yr aelodau yn wyn, yn Brotestaniaid ac yn hiliol. Roedd llywodraethwyr taleithiau Oregon ac Oklahoma yn aelodau o'r Klan. Tyfodd y Klan ar ôl 1920 gan ymateb i'r canlynol:

- Roedd diwydiannau'n denu mwy a mwy o weithwyr i'r dinasoedd. Tyfodd y Klan yn gyflym iawn ym Memphis ac Atlanta, dinasoedd a ddatblygodd yn gyflym ar ôl 1910.
- Roedd llawer o'r gweithwyr hyn yn fewnfudwyr o Ddwyrain a De Ewrop, neu'n Americanwyr du yn mudo o daleithiau'r de i ardaloedd trefol y gogledd.
- Roedd gwynion y de yn gwrthwynebu'r ffaith fod milwyr du wedi cael arfau yn ystod y Rhyfel Byd Cyntaf.

Gweithgareddau

Cafodd pobl ddu eu lynsio gan aelodau'r Klan. Byddent hefyd yn curo ac anafu unrhyw un a oedd yn eu barn nhw yn eu gwrthwynebu, gan dynnu eu dillad a rhoi tar a phlu ar eu cyrff. Er enghraifft:

- Yn 1921 bu'n rhaid i Chris Lochan, perchennog tŷ bwyta, adael y dref ar ôl cael ei gyhuddo o fod yn dramorwr. Roedd ei rieni'n dod o Wlad Groeg.
- Roedd George Arnwood yn ddyn du â nam meddyliol. Ym mis Hydref 1933, cafodd ei gyhuddo o ymosod ar fenyw wyn 82 oed. Llusgodd aelodau o'r Klan y dyn o'r carchar a'i guro i farwolaeth. Cafodd ei gorff ei grogi ar goeden, ei lusgo drwy'r dref a'i roi ar dân. Gwyliodd yr heddlu y cyfan, heb wneud dim.

Ffynhonnell C Disgrifiad o weithgareddau'r Klan yn Alabama yn 1929

Cafodd bachgen ei chwipio â changhennau nes bod cnawd ei gefn yn gwaedu ... cafodd merch wyn, a oedd wedi cael ysgariad, ei churo nes ei bod hi'n anymwybodol yn ei chartref; cafodd tramorwr a oedd wedi'i dderbyn yn ddinesydd ei fflangellu nes bod ei gefn yn waed i gyd, am iddo briodi Americanes; cafodd negro ei chwipio nes iddo gytuno i werthu ei dir i ddyn gwyn am bris llawer llai na'i werth.

Ffynhonnell CH Adroddiad ar weithgareddau'r KKK gan y cylchgrawn *World* o Efrog Newydd yn 1921

5 achos o herwgipio
43 gorchymyn i negro adael y dref
27 achos o roi tar a phlu
41 achos o fflangellu
1 achos o frandio ag asid
1 achos o anafiad corfforol
4 llofruddiaeth

Dirywiad

Dirywiodd y Klan ar ôl 1925 pan gafodd un o'r arweinwyr, yr Archddewin David Stephenson, ei erlyn am dreisio ac anffurfio menyw ar drên yn Chicago. Dinistriodd y sgandal enw da Stephenson a phan wrthododd Llywodraethwr Indiana roi pardwn iddo, datgelodd dystiolaeth am weithgareddau anghyfreithlon y Klan. Roedd hyn yn niweidiol iawn i'r Klan ac arweiniodd at golli llawer iawn o aelodau.

TASGAU

1. Pa mor ddefnyddiol yw Ffynhonnell A (tudalen 23) i hanesydd sy'n astudio amcanion y Ku Klux Klan? (Am arweiniad ar sut i ateb y math hwn o gwestiwn, edrychwch ar dudalennau 49–50.)
2. Disgrifiwch weithgareddau'r Ku Klux Klan. (Am arweiniad ar sut i ateb y math hwn o gwestiwn, edrychwch ar dudalen 73.)
3. Defnyddiwch Ffynonellau B (tudalen 23), C ac CH i wneud poster ar gyfer pobl a oedd yn gwrthwynebu gweithgareddau'r KKK. Dylai'r poster godi braw ar bobl.

Pam nad oedd camau'n cael eu cymryd yn erbyn y Ku Klux Klan?

Roedd rhai taleithiau yn credu nad oedd hawl gan y **llywodraeth ffederal** i ymyrryd yn yr hyn oedd yn digwydd gyda'r Klan. Roedd llawer o wleidyddion yn y de hefyd yn gwybod y byddent yn colli pleidleisiau ac efallai'n colli eu seddi yn y Gyngres pe baent yn siarad yn erbyn y Klan. Wrth ymgyrchu i gael ei ailethol yn 1924, dywedodd un aelod o'r Gyngres 'Dywedwyd wrthyf, ymunwch â'r Klan neu ddioddefwch'.

Ffynhonnell A Cartŵn a gyhoeddwyd yn *Heroes of the Fiery Cross*, cylchgrawn Eglwys y Golofn Dân yn ystod ymgyrch arlywyddol 1928. Roedd ymgeisydd y Democratiaid, Alfred Smith, yn Babydd. Roedd Eglwys y Golofn Dân yn cael ei chysylltu'n agos â'r Ku Klux Klan yn y 1920au

Ffynhonnell B Rhan o *Konklave in Kokomo*, llyfr am y Ku Klux Klan gan yr hanesydd Robert Coughlan (1949). Cafodd Coughlan ei fagu yn Kokomo yn y 1920au

Pan oeddwn yn fachgen roedd hanner y dref (Kokomo) yn llythrennol yn perthyn i'r Klan. Yn ei hanterth, rhwng 1923 a 1925, roedd gan gangen Nathan Hale tua phum mil o aelodau, tra bod poblogaeth oedolion y dref yn ddeg mil. Gyda chefnogaeth mor gadarn gallai'r Klan reoli gwleidyddiaeth leol. Roedd rhengoedd yr heddlu a'r gwasanaeth tân yn llawn o aelodau'r Klan, ac ar nosweithiau parêd byddai'r dynion rheoli traffig yn diflannu a ffigurau tebyg iawn o ran maint a siâp yn cymryd eu lle yn eu cynfasau gwynion.

Ffynhonnell C Hanesydd yn ysgrifennu am y Ku Klux Klan yn 1992

Roedd y Ku Klux Klan yn credu bod pobl ddu, mewnfudwyr, Iddewon a Phabyddion yn fygythiad i America Wyn a Phrotestannaidd. Bydden nhw'n defnyddio trais eithafol yn erbyn pobl o'r holl grwpiau hyn, yn enwedig pobl ddu. Byddai aelodau'r Klan yn tyngu llw o deyrngarwch i UDA, gan addo amddiffyn UDA yn erbyn 'unrhyw achos, llywodraeth, pobl, sect neu reolwr sy'n estron i'r wlad'.

TASGAU

1. I ba raddau y mae Ffynhonnell A yn cefnogi'r safbwynt fod gan y Ku Klux Klan syniadau hiliol? (Am arweiniad ar sut i ateb y math hwn o gwestiwn, edrychwch ar dudalennau 40–41.)
2. Defnyddiwch Ffynhonnell B a'ch gwybodaeth eich hun i egluro pam yr oedd y Ku Klux Klan yn gallu gwneud fel y mynnai yn y 1920au. (Am arweiniad ar sut i ateb y math hwn o gwestiwn, edrychwch ar dudalen 28.)
3. Pa mor ddefnyddiol yw Ffynhonnell C i hanesydd sy'n astudio pam yr oedd y Ku Klux Klan yn gallu gwneud fel y mynnai yn y 1920au? (Am arweiniad ar sut i ateb y math hwn o gwestiwn, edrychwch ar dudalennau 49–50.)

Sut y cafodd Americanwyr Brodorol eu trin?

Ar ddechrau'r ugeinfed ganrif, roedd Americanwyr Brodorol wedi'u rhoi ar diriogaethau brodorol. Pasiwyd Deddf Dinasyddiaeth yr Indiaid yn 1924. Rhoddodd y ddeddf hon ddinasyddiaeth UDA lawn i bobloedd brodorol America (cyfeiriwyd atynt fel 'Indiaid' yn y Ddeddf).

Yr unig adeg y byddai Americanwyr Brodorol yn cael eu gweld oedd pan oeddent yn arddangos crefftau Indiaidd, yn siarad ieithoedd Indiaidd, neu'n perfformio mewn gwisgoedd Indiaidd traddodiadol. Yn nhaleithiau Vermont a New Hampshire, roedd rhaglen y Project Ewgeneg yn rheoli Americanwyr Brodorol a 'phobl annymunol' eraill drwy gynlluniau cymdeithasol, addysg, a rheoli cenhedlu. Roedd rhai diwygwyr gwyn yn dadlau mai dim ond trwy ymwrthod â'u diwylliant eu hunain a dod yn rhan gyflawn o gymdeithas pobl wyn y gallai Americanwyr Brodorol oroesi. Felly sefydlwyd ysgolion preswyl arbennig at y pwrpas hwn a gwahanwyd miloedd o blant Americanwyr Brodorol oddi wrth eu teuluoedd a'u diwylliannau. Roedd hyn yn tueddu i ddinistrio hunaniaeth llwythau ac roedd plant yn cael eu hannog i beidio â siarad eu hiaith eu hunain ac i droi at y ffydd Gristnogol. Dyma ymgais arall i Americaneiddio pobl nad oeddent yn fewnfudwyr gwreiddiol i UDA (gweler tudalennau 9–10).

Yn 1928 cafodd Adroddiad Meriam ei baratoi ar gyfer llywodraeth UDA. Nododd yr adroddiad nad oedd gan yr ysgolion preswyl ddigon o arian na staff a'u bod yn cael eu rhedeg yn rhy llym. Roedd yr ymgais i'w troi'n Americanwyr drwy gyfrwng addysg wedi methu. Argymhellodd yr Adroddiad y dylid dileu'r cwricwlwm, a oedd yn addysgu gwerthoedd diwylliannol Ewropeaidd-Americanaidd yn unig. Nododd yr adroddiad hefyd fod angen darparu sgiliau ac addysg bywyd i Frodorion America yn eu cymunedau gwledig traddodiadol eu hunain yn ogystal ag yn y gymdeithas drefol Americanaidd.

TASGAU

1. Beth y mae Ffynhonnell A yn ei ddangos i chi am ffordd o fyw Americanwyr Brodorol yn ystod y cyfnod hwn? (Am arweiniad ar sut i ateb y math hwn o gwestiwn, edrychwch ar dudalen 16.)
2. Eglurwch pam yr oedd llywodraeth UDA yn awyddus i 'Americaneiddio' Americanwyr Brodorol. (Am arweiniad ar sut i ateb y math hwn o gwestiwn, edrychwch ar dudalen 84.)
3. Ai Deddfau Jim Crow oedd yr enghraifft waethaf o anoddefgarwch yn UDA yn y 1920au? Eglurwch eich ateb yn llawn.

Dylech roi safbwyntiau'r ddwy ochr i'r cwestiwn hwn:

- trafodwch sut yr oedd Deddfau Jim Crow yn gorfodi anoddefgarwch
- trafodwch enghreifftiau eraill o anoddefgarwch hiliol a chrefyddol yng nghymdeithas America

a dod i benderfyniad.

(Am arweiniad ar sut i ateb y math hwn o gwestiwn, edrychwch ar dudalennau 91–92.)

Ffynhonnell A Coediwr Indiaidd a'i deulu y tu allan i'w cartref yn Nhalaith Washington, 1916

Arweiniad ar arholiadau

Mae'r adran hon yn rhoi arweiniad ar sut i ateb cwestiwn 1(b) yn Unedau 1 a 2. Mae'n gwestiwn deall ffynhonnell sy'n gysylltiedig â galw i gof eich gwybodaeth eich hun. Mae'n werth 4 marc.

Cwestiwn 1(b) – deall ffynhonnell a galw i gof eich gwybodaeth eich hun

Defnyddiwch y wybodaeth yn Ffynhonnell A a'ch gwybodaeth eich hun i egluro pam y cafodd Americanwyr du eu trin yn wahanol yn nhaleithiau'r de. (4 marc)

Rhoddir dau ateb enghreifftiol i'r cwestiwn hwn, un isod a'r llall ar dudalen 28.

Ffynhonnell A O werslyfr ysgol

Ceisiodd rhai o daleithiau'r de reoli pobl ddu drwy basio deddfau a oedd yn eu gwahanu oddi wrth bobl wyn. Roedd y deddfau'n sicrhau bod pobl ddu yn mynd i ysgolion ar wahân ac yn cael eu cadw mewn swyddi di-grefft ar gyflog isel heb fawr o hawliau ***undeb llafur****.*

Cyngor ar sut i ateb

- Darllenwch y ffynhonnell, gan danlinellu neu uwcholeuo'r pwyntiau allweddol.
- Yn eich ateb dylech geisio aralleirio ac egluro'r pwyntiau hyn yn eich geiriau eich hun.
- Dylech geisio defnyddio eich gwybodaeth gefndirol eich hun i ddatblygu'r pwyntiau hyn.
- Dylech feddwl am unrhyw ffactorau perthnasol eraill nad ydynt wedi'u cynnwys yn y ffynhonnell a'u cynnwys yn eich ateb.
- I gael marciau llawn mae'n rhaid i chi wneud dau beth – cyfeirio at wybodaeth o'r ffynhonnell a chynnwys eich gwybodaeth ychwanegol am y pwnc hwn.

Ymateb ymgeisydd un

Byddai Americanwyr du bob amser yn cael eu trin yn eilradd i bobl wyn ac roedd rhaid iddynt fynychu ysgolion ar wahân yn nhaleithiau'r de. Os oedd ganddynt swyddi, byddai'r cyflog yn isel. Roedd pobl wyn yn ceisio rheoli pobl ddu drwy'r amser.

Sylw'r arholwr

Nid oes digon o ddatblygiad yn yr ateb hwn. Mae'r ymgeisydd wedi aralleirio adrannau o'r ffynhonnell ond heb wneud fawr o ymdrech i egluro'r pwyntiau hyn neu gynnwys gwybodaeth ychwanegol. Ychydig iawn o ymdrech sydd i osod y ffynhonnell mewn cyd-destun hanesyddol. Ateb cyffredinol yw hwn na fyddai'n ennill mwy na hanner y marciau.

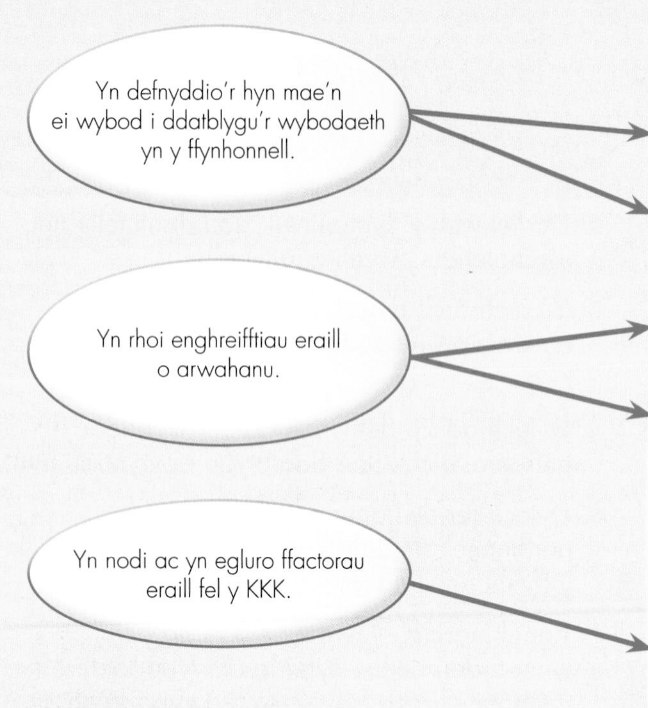

Ymateb ymgeisydd dau

Yn nhaleithiau'r de, sef y De Eithaf, cafodd Americanwyr du eu gwahanu oddi wrth y bobl wyn ac nid oedd ganddynt yr un cyfleusterau. Deddfau Jim Crow oedd yn gyfrifol am hyn, ac roeddent yn gorfodi pobl ddu i fyw mewn tai ar wahân a mynd i ysgolion ac ysbytai ar wahân. Cafodd priodasau cymysg eu gwahardd yn y taleithiau hyn hefyd. Y nod oedd cadw'r ddwy hil ar wahân a gwneud pobl ddu yn ddinasyddion eilradd. Roedd hyn yn golygu bod pobl ddu yn byw yn y tai gwaethaf, yn mynd i'r ysgolion gwaethaf, yn cael y swyddi gwaethaf ac yn ennill cyflogau isel. Cawsant eu trin yn wahanol hefyd oherwydd dylanwad a gweithgareddau'r KKK, grŵp hiliol o Americanwyr WASP.

Sylw'r arholwr

Mae'r ateb hwn wedi'i ddatblygu'n dda. Mae'r ymgeisydd yn dangos dealltwriaeth gadarn o'r pwnc hwn ac mae wedi defnyddio deunydd y ffynhonnell yn dda. Mae'r ymgeisydd yn defnyddio ei wybodaeth ei hun i egluro ac ymestyn gwybodaeth y ffynhonnell. Mae wedi gwneud ymdrech glir i roi rhesymau am y driniaeth hon. Mae'r ateb yn haeddu'r 4 marc llawn.

Rhowch gynnig arni

Defnyddiwch y wybodaeth yn Ffynhonnell B a'ch gwybodaeth eich hun i egluro agwedd ffwndamentalwyr crefyddol tuag at y newidiadau a oedd yn effeithio ar fywyd Americanwyr yn ystod y 1920au. (4 marc)

Ffynhonnell B O werslyfr ysgol

Roedd bywyd yn y dinasoedd yn wahanol iawn i fywyd yn nhrefi bach ac ardaloedd gwledig America. Roedd pobl yn yr ardaloedd hyn yn ddrwgdybus o'r newidiadau yn y dinasoedd ac nid oeddent yn eu hoffi. Yn ystod y 1920au lledodd diwygiad crefyddol drwy daleithiau canolbarth America gan greu canolfan ar gyfer ffwndamentaliaeth.

A oedd y 1920au yn ddegawd o droseddu cyfundrefnol a llygredd?

Ffynhonnell A O hunangofiant Alice Longworth, 1933. Roedd hi'n amlwg iawn ym mywyd cymdeithasol a gwleidyddol Washington DC yn y 1920au. Yn y darn isod mae hi'n disgrifio bywyd yn y Tŷ Gwyn pan oedd Harding yn arlywydd

Er bod yr arfer o dorri'r 18fed Diwygiad (Gwaharddiad) yn gyffredin iawn yn Washington DC, roedd gweld yr Arlywydd Harding yn anwybyddu'r Cyfansoddiad a'r deddfau yr oedd wedi tyngu llw o ffyddlondeb iddynt yn dipyn o sioc. Er na fyddai unrhyw ddiod alcohol yn cael ei gweini i lawr y grisiau, roedd coctels ar gael bob amser, o leiaf cyn y ciniawau answyddogol, yn y neuadd i fyny'r grisiau y tu allan i ystafell yr Arlywydd. Byddai gwesteion yn cael eu tywys i fyny yno yn hytrach nag aros i lawr y grisiau ... Un noson roedd y stydi yn drwm dan fwg tybaco, roedd hambyrddau'n llawn o boteli wisgi o bob math, roedd pobl â'u traed ar y ddesg, roedd yna lestr poeri ... Nid oedd Harding yn ddyn drwg. Hen fochyn oedd e.

TASG

Pa mor ddefnyddiol yw Ffynhonnell A i hanesydd sy'n astudio oes y gwaharddiad? (Am arweiniad ar sut i ateb y math hwn o gwestiwn, edrychwch ar dudalennau 49–50.)

Roedd y 1920au yn ddegawd o ansicrwydd i UDA a'i dinasyddion. Roedd yn ddegawd o ffyniant mawr i rai pobl a thlodi i eraill. Roedd tensiwn a rhagfarn hiliol yn amlwg, gan arwain at drais yn aml. Fodd bynnag, mae'r degawd yn cael ei gofio gan amlaf am gangsteriaid fel Al Capone a chyfnod y Gwaharddiad. Daeth y gangsteriaid hyn â llawer o lygredd a thrais i ddinasoedd UDA, gyda rhai dinasoedd cyfan yn cael eu rheoli ganddynt. Nid yn y dinasoedd yn unig y cafwyd achosion o lygredd chwaith; roedd achosion tebyg yn y llywodraeth ffederal o dan arlywyddiaeth Warren Harding rhwng 1919 a 1923. Cynyddodd y teimlad fod moesau yn dirywio yn UDA a bod llawer o bobl yn barod i dorri'r gyfraith.

Mae'r bennod hon yn ateb y cwestiynau canlynol:

- Pam y cyflwynwyd y Gwaharddiad?
- Beth oedd effeithiau'r Gwaharddiad ar gymdeithas UDA?
- Pam y daeth y Gwaharddiad i ben?
- Beth oedd cyfnod y gangster?
- I ba raddau yr oedd llygredd a sgandal yn effeithio ar y llywodraeth?

Arweiniad ar arholiadau

Drwy'r bennod hon byddwch yn cael cyfle i ymarfer cwestiynau arholiad o wahanol arddull a rhoddir arweiniad manwl ar sut i ateb cwestiwn 1(c) yn Unedau 1 a 2 y papur arholiad. Cwestiwn dadansoddi a gwerthuso ffynhonnell a galw i gof eich gwybodaeth eich hun yw hwn. Mae'n werth 5 marc.

Pam y cyflwynwyd y Gwaharddiad?

Ffynhonnell A Poster y Gynghrair Gwrth-Salŵn yn 1917 i dynnu sylw at ddrygioni alcohol

Daddy's in There---

And Our Shoes and Stockings and Clothes and Food Are in There, Too, and They'll Never Come Out.
—Chicago American

Yn ystod y bedwaredd ganrif ar bymtheg roedd llawer o grwpiau wedi bod yn cefnogi'r syniad o wahardd gwerthu alcohol yn UDA. Roedd Undeb Dirwest Cristnogol y Menywod (1873) a'r **Gynghrair Gwrth-Salŵn** (1895) yn bwerus iawn a llwyddodd y mudiadau hyn i wneud y syniad o Waharddiad yn fater gwleidyddol pwysig.

Roedd cefnogaeth i'r Gwaharddiad wedi bod yn cynyddu, a gwelwyd hyn yn ystod y blynyddoedd rhwng 1906 a 1919 oherwydd roedd 26 o daleithiau UDA wedi pasio deddfau i gyfyngu ar werthu alcohol. Roedd diwygwyr benywaidd wedi dadlau ers amser bod cysylltiadau clir rhwng yfed alcohol ac achosion o guro gwragedd a cham-drin plant. Roedd Henry Ford a **diwydianwyr** eraill yn poeni bod yfed alcohol yn niweidio effeithlonrwydd a chynnyrch yn y gweithle. Yn ôl llawer o grwpiau crefyddol, alcohol oedd achos pechod a drygioni ac roeddent yn awyddus i gefnogi'r Gwaharddiad. Teimlwyd y byddai'r Gwaharddiad yn cefnogi ac yn cryfhau gwerthoedd traddodiadol pobl America, sef pobl a oedd yn ofni Duw, yn gweithio'n galed, yn ystyried bywyd teuluol yn bwysig, ac yn ofalus. Byddai'n annog mewnfudwyr i ddilyn y gwerthoedd hyn hefyd.

Roedd y ffaith fod America wedi cymryd rhan yn y Rhyfel Byd Cyntaf wedi creu llawer o broblemau o safbwynt y Gwaharddiad. Roedd llawer o fragwyr yn dod o'r Almaen yn wreiddiol, a phan aeth UDA i ryfel yn erbyn yr Almaen, roedd y **Mudiad Dirwest** a'r Gynghrair Gwrth-Salŵn yn gweld gwahardd gwerthu alcohol fel gweithred wladgarol. Roedd eu dilynwyr yn ystyried gwerthu ac yfed alcohol fel gweithred o frad yn erbyn UDA. Wrth i deimladau gwrth-Almaenig dyfu yn UDA, rhoddwyd y llysenw 'diod y ***Kaiser***' (ymerawdwr yr Almaen oedd y *Kaiser*) ar gwrw.

Ffynhonnell B Rhan o gân a ysgrifennwyd yn 1903 o'r enw 'When the Prohibs Win the Day'

There'll be plenty of food for eating, There'll be plenty of clothes for wear, There'll be gladness in ev'ry meeting, There'll be praise to outmeasure prayer, There'll be toys each day for baby, And then papa at home will stay, And a heaven on earth will the bright home be, When the Prohibs win the day.

Ffynhonnell C Cartŵn a gyhoeddwyd mewn papur newydd yn UDA yn ystod y Rhyfel Byd Cyntaf

Ffynhonnell CH Darn o bamffled y Gynghrair Gwrth-Salŵn, 1918

Dyletswydd wladgarol yr Americanwr yw dileu'r fasnach alcohol sy'n an-Americanaidd, o blaid yr Almaen, yn arwain at droseddu, yn gwastraffu bwyd, yn llygru pobl ifanc, yn dinistrio cartrefi ac yn achos o frad.

Ym mis Medi 1918 penderfynodd yr Arlywydd Woodrow Wilson wahardd cynhyrchu cwrw tan ddiwedd y rhyfel. Prin oedd y gwrthwynebiad i'r penderfyniad hwn – nid oedd unrhyw gyrff wedi'u sefydlu i wrthwynebu dadleuon o blaid y Gwaharddiad hyd yn oed. Cymeradwywyd Diwygiad y Gwaharddiad gan y Gyngres ym mis Ionawr 1919, gan atal y broses o 'gynhyrchu, gwerthu neu gludo diodydd meddwol'. Y bwriad oedd dod â'r Gwaharddiad i rym flwyddyn yn ddiweddarach. Ni wnaeth y diwygiad wahardd prynu neu yfed alcohol na diffinio'r term 'diodydd meddwol'. Yn 1920, pasiodd y Gyngres Ddeddf Volstead lle y diffiniwyd 'diodydd meddwol' fel unrhyw beth yn cynnwys mwy na 0.5 y cant o alcohol. Y Gwasanaeth Ariannol Mewnol (*IRS: Internal Revenue Service*) oedd yn gyfrifol am weithredu'r Gwaharddiad.

Ffynhonnell D Menywod yn protestio o blaid y Gwaharddiad ym Madison, Minnesota, 1917

TASGAU

1. Beth y mae Ffynhonnell A yn ei ddweud wrthych am agweddau Americanwyr tuag at alcohol? (Am arweiniad ar sut i ateb y math hwn o gwestiwn, edrychwch ar dudalen 16.)
2. Defnyddiwch Ffynhonnell B a'ch gwybodaeth eich hun i egluro pam yr oedd gwrthwynebiad i alcohol yn UDA. (Am arweiniad ar sut i ateb y math hwn o gwestiwn, edrychwch ar dudalennau 27–28.)
3. I ba raddau y mae Ffynhonnell C yn cefnogi'r safbwynt fod yna ddadleuon cryf o blaid cyflwyno'r Gwaharddiad? (Am arweiniad ar sut i ateb y math hwn o gwestiwn, edrychwch ar dudalennau 40–41.)
4. Beth allwch chi ei ddysgu o Ffynonellau CH a D am gefnogwyr y Gwaharddiad?
5. Copïwch a chwblhewch y map meddwl i ddangos pam y cafodd y Gwaharddiad ei gyflwyno.

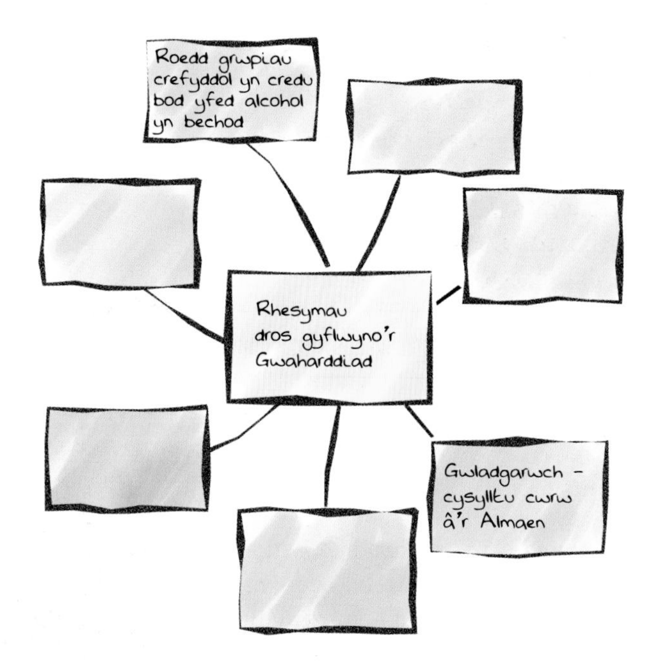

Beth oedd effeithiau'r Gwaharddiad ar gymdeithas UDA?

Ffynhonnell A Mae'r cartŵn hwn o'r 1920au yn dangos Wncl Sam a dyn o'r enw 'Gwladwriaeth' yn dadlau â'i gilydd, a'r ddau yn dweud 'Gwnewch chi e!" Yn y cefndir, mae '***Bootlegger***' bodlon yn sefyll gyda'i focsys o 'Jin', 'Cwrw', 'Gwirod Arbennig' a 'Gwirod Cartref'

O ganlyniad i'r Gwaharddiad, aeth yfed alcohol yn weithgaredd tanddaearol. Roedd yn amhosibl atal pobl rhag yfed alcohol – yn enwedig diodydd oedd yn cynnwys mwy na 0.5 y cant o alcohol. Roedd llawer iawn o bobl yn barod i dorri'r gyfraith, nid yn unig i gynhyrchu alcohol ond i fynd i far preifat i'w yfed. I lawer o bobl gyffredin, nid oedd yfed alcohol neu fynd i glwb yfed anghyfreithlon (***speakeasy***) yn teimlo fel torri'r gyfraith. Roedd y Gwaharddiad wedi creu sefyllfa lle roedd defnyddwyr yn awyddus i brynu rhywbeth nad oedd ar gael drwy ddulliau cyfreithlon. Er mwyn ateb y galw, daeth troseddu cyfundrefnol i'r amlwg. Fel hyn y dechreuodd cyfnod y gangster.

Termau'r Gwaharddiad

speakeasy	clwb yfed anghyfreithlon
bootlegger	rhywun sy'n cynhyrchu neu'n gwerthu alcohol yn anghyfreithlon
bathtub gin	jin cartref
still	dyfais i ddistyllu alcohol
moonshine	alcohol wedi'i ddistyllu neu ei smyglo'n anghyfreithlon
rum runner	rhywun sy'n cludo alcohol dros y ffin yn anghyfreithlon

Smyglo

Roedd hi'n ddigon hawdd cael gafael ar alcohol. Roedd llawer o bobl yn ei gynhyrchu'n anghyfreithlon a llawer yn ei smyglo o Ewrop, México, Canada a'r Caribî. Gan fod angen gwarchod dros 30,000 o gilometrau o arfordir a ffiniau tir yn UDA, roedd hi'n anodd atal smyglo. Roedd rhai meddygon hyd yn oed yn fodlon rhoi wisgi ar bresgripsiwn fel meddyginiaeth.

Clybiau yfed anghyfreithlon (*Speakeasies*)

Yn fuan ar ôl cyflwyno'r Gwaharddiad, roedd mwy o *speakeasies* ar gael na chlybiau yfed cyfreithlon yn yr hen ddyddiau. Yn Efrog Newydd yn unig roedd dros 30,000 o *speakeasies* erbyn 1930. Roedd gan berchennog y clwb lawer o gostau. Yn ogystal â phrynu'r alcohol anghyfreithlon, byddai'n rhaid iddo roi llwgrwobrwyon i'r asiantiaid ffederal, uwch swyddogion yr heddlu, swyddogion y ddinas (a'r heddlu oedd ar ddyletswydd pan fyddai'r cyflenwad alcohol yn cyrraedd.) Roedd yr un sefyllfa'n bodoli ar draws UDA.

Iechyd

Roedd effaith y Gwaharddiad ar iechyd Americanwyr yn amrywiol. Roedd nifer y rhai a fu farw o alcoholiaeth wedi gostwng 80 y cant erbyn 1921, ond erbyn 1926 roedd tua 50,000 o bobl wedi marw o alcohol gwenwynig. Roedd nifer y dynion a fu farw o sirosis yr iau/afu wedi gostwng o 29.5 ymhob 100,000 yn 1911 i 10.7 ymhob 100,000 yn 1929, ond nododd y meddygon fod cynnydd wedi bod yn nifer yr achosion o ddallineb a pharlys – eto o ganlyniad i yfed alcohol gwenwynig.

Nododd llawer o bobl fod y Gwaharddiad wedi lleihau nifer y marwolaethau ar y ffyrdd, ac roedd llai o ddamweiniau yn y gweithle yn gysylltiedig ag yfed alcohol. Roedd y gwariant y pen ar alcohol hefyd wedi lleihau yn ystod y Gwaharddiad.

Y diwydiant bragu

Cafodd y Gwaharddiad effaith barhaol ar ddiwydiant bragu'r wlad. Roedd 22 bragdy yn St Louis cyn y Gwaharddiad. Dim ond naw a wnaeth lwyddo i ailagor pan ddaeth y Gwaharddiad i ben yn 1933. Roedd yn rhaid i gwmni Anheuser-Busch newid a gwneud diodydd ysgafn, datblygu diwydiant potelu a hyd yn oed gynhyrchu rannau ar gyfer ceir a lorïau er mwyn goroesi. Yn 1915 roedd 1345 o fragdai yn UDA; erbyn 1934 dim ond 756 oedd ar ôl.

Ffynhonnell B Araith gan Pauline Sabin yn 1929 yn galw am ddileu'r Gwaharddiad. Sabin oedd sefydlydd Sefydliad y Menywod ar gyfer Diwygio'r Gwaharddiad Cenedlaethol yn Chicago yn 1929

Yn y dyddiau cyn y Gwaharddiad, nid oedd angen i famau boeni llawer am eu plant yn mynychu tafarnau. Byddai unrhyw dafarnwr yn colli ei drwydded pe bai'n cael ei ddal yn gwerthu alcohol i blant dan oed. Heddiw mewn unrhyw speakeasy yn yr Unol Daleithiau fe welwch fechgyn a merched yn eu harddegau yn yfed alcohol, ac mae'r sefyllfa hon wedi gwaethygu cymaint nes bod mamau'r wlad yn teimlo bod rhaid gwneud rhywbeth i amddiffyn eu plant.

TASGAU

1. Beth y mae Ffynhonnell A yn ei ddangos i chi am y Gwaharddiad? (Am arweiniad ar sut i ateb y math hwn o gwestiwn, edrychwch ar dudalen 16.)
2. Eglurwch pam yr oedd hi'n anodd atal smyglwyr rhag dod ag alcohol i mewn i UDA. (Am arweiniad ar sut i ateb y math hwn o gwestiwn, edrychwch ar dudalen 84.)
3. Pa mor ddefnyddiol yw Ffynhonnell B i hanesydd sy'n astudio'r gwrthwynebiad i'r Gwaharddiad? (Am arweiniad ar sut i ateb y math hwn o gwestiwn, edrychwch ar dudalennau 49–50.)
4. Lluniwch boster yn dangos sut roedd y Gwaharddiad wedi helpu i greu diweithdra yn UDA.

Pam y daeth y Gwaharddiad i ben?

Gweithredu'r Gwaharddiad

Roedd yn amhosibl gweithredu'r Gwaharddiad. Dim ond 2500 o asiantiaid oedd yn gweithio i'r Gwasanaeth Ariannol Mewnol (*IRS*) ar unrhyw adeg, ac roedd rhai ohonynt yn gynorthwywyr cyflogedig i arweinwyr y gangiau. Yr asiant *IRS* enwocaf oedd Eliot Ness, y dyn a arestiodd Al Capone yn y diwedd (gweler tudalen 35). Roedd y rhan fwyaf o Americanwyr yn barod i dorri deddf y Gwaharddiad, felly dechreuodd oes newydd o droseddu. Roedd cynhyrchu a gwerthu alcohol yn gwneud elw. Roedd yr heddlu a swyddogion y dinasoedd yn ymwybodol bod nifer y *speakeasies* a'r smyglwyr yn cynyddu, ond roedd y troseddwyr yn gwybod y byddai llwgrwobrwyon yn cadw pobl yn ddistaw. Yn ôl un gwleidydd o Efrog Newydd, byddai angen 250,000 o asiantiaid ffederal i weithredu'r Gwaharddiad a channoedd o rai eraill i gadw llygad ar yr heddlu. O ganlyniad, yn y 1920au cafwyd twf mewn llygredd cyhoeddus ar raddfa uwch nag erioed yn UDA.

Ffynhonnell A Cartŵn yn dangos Wncl Sam wedi blino'n lân gan lif y diafol o alcohol anghyfreithlon

Diwedd y Gwaharddiad

Erbyn dechrau'r 1930au roedd gwrthwynebiad clir a chynyddol i'r Gwaharddiad. Fodd bynnag, ers Deddf Volstead (gweler tudalen 31), roedd pobl yn canolbwyntio ar ochr foesol y diwylliant yfed. Er mai menywod oedd wedi gwrthwynebu gwerthu alcohol cyn y Gwaharddiad, roeddent yn awr yn sefydlu grwpiau i gyhoeddi problemau newydd alcohol a gafodd eu creu gan y Gwaharddiad.

Roedd llawer o bobl yn credu y byddai dileu'r Gwaharddiad yn creu swyddi yn y diwydiant bragu cyfreithlon. Byddai pobl yn talu mwy o drethi a thollau, gan helpu i oresgyn y **Dirwasgiad** yn UDA. Galwodd Franklin Roosevelt am ddileu'r Gwaharddiad yn ei ymgyrch arlywyddol. Cadwodd at ei addewid pan ddaeth yn arlywydd ym mis Rhagfyr 1933.

Ffynhonnell B Pobl yn Efrog Newydd yn dathlu diwedd y Gwaharddiad, Rhagfyr 1933

TASGAU

1. Beth y mae Ffynhonnell A yn ei ddweud wrthych am effaith y Gwaharddiad ar UDA? (Am arweiniad ar sut i ateb y math hwn o gwestiwn, edrychwch ar dudalen 16.)
2. Eglurwch pam yr oedd yn anodd gweithredu'r Gwaharddiad. (Am arweiniad ar sut i ateb y math hwn o gwestiwn, edrychwch ar dudalen 84.)
3. Beth y mae Ffynhonnell B yn ei ddangos i chi am ddiwedd y Gwaharddiad? (Am arweiniad ar sut i ateb y math hwn o gwestiwn, edrychwch ar dudalen 16.)

Beth oedd cyfnod y gangster?

Roedd gangiau troseddol yn UDA cyn y Gwaharddiad, ond tyfodd eu grym yn gyflym yn y 1920au. Rhoddodd y Gwaharddiad gyfle i droseddwyr gymryd mwy a mwy o ran mewn meysydd fel smyglo. Prynodd y gangiau gannoedd o fragdai, gan gludo cwrw anghyfreithlon mewn loriau arfog. Roedd arweinwyr y gangiau'n ystyried eu hunain yn ddynion busnes a byddent yn cymryd drosodd pob bragdy a fyddai'n cystadlu yn eu herbyn. Fodd bynnag, byddent yn defnyddio dulliau treisgar yn aml ar adegau o'r fath, a llofruddio llawer o'r gwrthwynebwyr. Roedd y gwn peiriant Thompson yn boblogaidd iawn gyda'r gangiau, a byddent yn ei alw yn 'Chicago Piano' a'r 'Chicago Typewriter'.

Roedd gangiau'n cymryd rhan mewn **cynlluniau anghyfreithlon** eraill – er enghraifft, amddiffyn, puteindra, 'rhifau' (loteri anghyfreithlon).

Al Capone

Bywgraffiad Al Capone 1899–1947

1899	Ganwyd yn Efrog Newydd
1917	Ymunodd â'r 'Five Points Gang' dan arweiniad Johnny Torrio
1921	Symudodd i Chicago i weithio gyda Torrio
1922	Partner yn salwnau, tai gamblo a phuteindai Torrio
1925	Yn mynd yn gyfrifol ar ôl i Torrio adael Chicago
1929	Yn gyfrifol am Gyflafan Dydd San Ffolant
1931	Yn cael ei gyhuddo o osgoi talu **treth incwm** a'i gael yn euog
1939	Yn cael ei ryddhau o'r carchar
1947	Bu farw ar Palm Island, Florida

Mae Al Capone yn enghraifft berffaith o'r gangster yng nghyfnod y Gwaharddiad. Roedd yn fab i fewnfudwyr o'r Eidal, ac ar ôl gadael yr ysgol yn ifanc dechreuodd gyflawni mân droseddau. Cafodd Capone y llysenw 'Scarface' ar ôl digwyddiad treisgar pan oedd yn gweithio fel bownsar mewn clwb nos yn Efrog Newydd. Symudodd i Chicago oherwydd ei gysylltiadau â'r troseddwr Johnny Torrio, a datblygodd ei rym yn raddol nes ei fod yn cymryd drosodd oddi wrth Torrio. Sefydlodd Capone enw fel un o brif gangsteriaid Chicago drwy lwgrwobrwyo swyddogion lleol. Cyn hir, roedd hanner gweithwyr cyflogedig y ddinas yn gweithio iddo ef.

Ffynhonnell A Gohebydd, E Mandeville, yn siarad am lygredd yn Detroit yn 1925 yn *Outlook Magazine*

Ddeng mlynedd yn ôl roedd plismon anonest yn greadur prin ... Erbyn hyn y plismyn onest yw'r rhai prin ... Mae eu perthynas gyda'r bootleggers yn gwbl gyfeillgar. Mae'n rhaid iddyn nhw erlyn dau o bob pump bob hyn a hyn, ond maen nhw'n dewis y rhai sy'n lleiaf parod i dalu'r llwgrwobrwyon.

Llwyddodd Capone i reoli uwch-swyddogion yr heddlu a'r maer 'Big Bill' Thompson, a threfnu canlyniadau'r etholiadau lleol. Yn Chicago, roedd yn rheoli *speakeasies*, siopau betio, tai gamblo, puteindai, traciau rasio a rasio ceffylau, clybiau nos, distyllfeydd a bragdai. Roedd ganddo Cadillac gwrth-fwledi, gyda'i warchodwyr arfog â'u gynau peiriant bob amser wrth ei ochr. Er mwyn rheoli Chicago'n llwyr, trefnodd Capone i dros 200 o'i elynion gael eu lladd rhwng 1925 a 1929. Ni chafwyd neb yn euog am yr un o'r llofruddiaethau hyn.

Ffynhonnell B Disgrifiad o etholiad yn Cicero, un o faestrefi Chicago, mewn papur newydd lleol, 1924

Roedd dynion arfog yn crwydro'r strydoedd mewn ceir yn saethu ac yn herwgipio gweithwyr yr etholiad. Llifodd troseddwyr â gynnau i mewn i orsafoedd pleidleisio, gan fygwth pleidleiswyr a dwyn eu papurau wrth iddynt aros i'w rhoi yn y bocs. Cafodd pleidleiswyr a gweithwyr eu herwgipio, eu cludo i Chicago a'u carcharu nes i'r gorsafoedd pleidleisio gau.

TASGAU

1. Disgrifiwch sut y daeth Al Capone yn brif gangster Chicago. (Am arweiniad ar sut i ateb y math hwn o gwestiwn, edrychwch ar dudalen 73.)
2. Defnyddiwch Ffynhonnell B a'ch gwybodaeth eich hun i egluro sut y ceisiodd gangsteriaid reoli gwleidyddiaeth leol. (Am arweiniad ar sut i ateb y math hwn o gwestiwn, edrychwch ar dudalennau 27–28.)

Ffynhonnell C *'Big Al's soup kitchen'* Chicago 1930. Sefydlwyd y gegin gawl gan Al Capone ar gyfer gweithwyr di-waith

Er gwaethaf ei holl droseddu, roedd llawer o Americanwyr yn ystyried Capone yn berson lliwgar a deniadol. Roedd yn rhan o'r cylchoedd cymdeithasol uchaf a 'rhoddodd Chicago ar y map'. Capone oedd y cyntaf i agor ceginau cawl yn dilyn **Cwymp Wall Street** 1929, a thalodd am ddillad a bwyd i'r rhai mewn angen.

TASG

3 a) Astudiwch Ffynhonnell C. Ysgrifennwch bennawd papur newydd ar gyfer y ffynhonnell.

b) Awgrymwch resymau pam yr aeth Capone ati i agor ceginau cawl i'r di-waith.

Cyflafan Dydd San Ffolant

Yn ei ymgais i reoli'r gangiau i gyd, roedd Capone yn rhan o'r gyflafan warthus a ddigwyddodd ar Ddydd San Ffolant. Bu bron iawn i Bugs Moran, arweinydd gang arall o Chicago, gael ei ladd, ond saethodd dynion Capone, a oedd wedi'u gwisgo fel plismyn, saith o ddynion Moran mewn garej gan ddefnyddio gynau peiriant ar ôl iddynt fynd i mewn i'r adeilad. Roedd Capone ei hun yn Florida ar y pryd, felly roedd yn amhosibl ei gysylltu â'r gyflafan. Yn sgil y digwyddiad hwn, sylweddolodd llawer o Americanwyr nad oedd gangsteriaid, yn enwedig Capone, yn gymeriadau lliwgar a deniadol wedi'r cwbl.

Ffynhonnell CH Tudalen flaen papur newydd *The Chicago Daily News* yn adrodd hanes cyflafan Dydd San Ffolant

THREE CENTS THE CHICAGO DAILY NEWS BLUE STREAK

THURSDAY, FEBRUARY 14, 1929. – FORTY-EIGHT PAGES. FINAL EDITION

MASSACRE 7 OF MORAN GANG

HAFFA CHANGES HIS MIND: WILL FIGHT PRISON

Owes It to Friends, He Says; Makes Bond, Prepares Appeal

MAY STAY IN COUNCIL

TWO OF VICTIMS AND SCENE OF LATEST GANGSTER OUTBREAK

KILLING SCENE TOO GRUESOME FOR ONLOOKERS

View of Carnage Proves a Strain on Their Nerves.

IS LIKE A SHAMBLES

VICTIMS ARE LINED AGAINST WALL; ONE VOLLEY KILLS ALL

Assassins Pose as Policemen; Flee in "Squad Car" After Fusillade; Capone Revenge for Murder of Lombardo, Officers Believe

STAYS GIVEN 2 OF 3 KILLERS DUE TO DIE TONIGHT

Shanks Faces the Electric Chair Alone; Seeks Sanity Test.

1929 FLAPPERS JUST EAT UP VALENTINES

Modern Greetings Take Line of Sandwich; Swains Spend $250,000 Here.

DECIDE TO CUT COOK ADRIFT IN TAX TANGLE

Solons to Rush Laws to Avert Downstate Tieup; Aid County Later.

War to Finish Russell's Plan

Ffynhonnell D Poster yn hysbysebu ffilm *Scarface*, 1932

Arestio Capone

Yn 1931 cafodd Capone ei erlyn am osgoi talu treth incwm rhwng 1925 a 1929. Honnwyd ei fod wedi osgoi talu dros $200,000 mewn trethi o'i enillion gamblo. Cafwyd ef yn euog a daeth ei gyfnod fel arweinydd gang i ben. Roedd diwedd Capone fel pe bai'n cyhoeddi terfyn oes y gangster. Wrth i'r Dirwasgiad waethygu, roedd pobl America yn wynebu digon o broblemau eraill.

TASGAU

4 I ba raddau y mae Ffynhonnell CH yn cefnogi'r safbwynt mai gangsteriaid oedd yn gyfrifol am y cynnydd mewn troseddau treisgar yn ystod y 1920au? (Am arweiniad ar sut i ateb y math hwn o gwestiwn, edrychwch ar dudalennau 40–41.)

5 I ba raddau y mae Ffynhonnell D yn cefnogi'r safbwynt bod oes y gangster yn adeg o drais? (Am arweiniad ar sut i ateb y math hwn o gwestiwn, edrychwch ar dudalennau 40–41.)

6 Gweithiwch gyda phartner i gynllunio eich poster eich hun am ffilm sy'n rhamanteiddio oes y gangster.

I ba raddau yr oedd llygredd a sgandal yn effeithio ar y llywodraeth?

Yr Arlywydd Harding a 'Gang Ohio'

Yn ogystal â'r llygredd a gafwyd mewn trefi a dinasoedd UDA yn ystod y Gwaharddiad, roedd hefyd enghreifftiau hefyd o lygredd yn y llywodraeth yn Washington DC.

Yn 1919, addawodd yr arlywydd newydd, Warren Harding, y byddai UDA yn dychwelyd i '**normalrwydd**' yn dilyn y caledi a achoswyd gan y Rhyfel Byd Cyntaf. Gwahoddodd Harding lawer o'i ffrindiau a'i gydweithwyr o Ohio i ymuno â'i gabinet, a chyfeiriwyd atynt fel y 'Gang Ohio' (gweler y bywgraffiadau isod). Ond defnyddiodd rhai o ffrindiau Harding eu swyddi i wneud elw personol. Cafodd Pennaeth Swyddfa'r Cyn-filwyr ddirwy a chyfnod yn y carchar am werthu cyflenwadau ysbyty cyn-filwyr i wneud elw ariannol ei hun. Ymddiswyddodd cydweithiwr arall o dan gwmwl a chyflawnodd dau arall hunanladdiad yn hytrach na wynebu gwarth cyhoeddus oherwydd y sgandal.

Bywgraffiad Harry Daugherty 1860–1941	
1881	Dod yn gyfreithiwr
1890–94	Aelod Gweriniaethol yn Senedd Ohio
1920	Arweinydd Plaid y Gweriniaethwyr yn Ohio
1921–24	Twrnai Cyffredinol
1924	Ymddiswyddodd fel Twrnai Cyffredinol

Bywgraffiad yr Arlywydd Warren Harding 1865–1923	
1900–04	Aelod Gweriniaethol yn Senedd Ohio
1904–06	Dirprwy Lywodraethwr Ohio
1915–21	Seneddwr dros Ohio
1921–23	Arlywydd

Bywgraffiad Albert Fall 1861–1944	
1891	Dod yn gyfreithiwr
1893	Penodwyd yn farnwr yn New México
1912	Seneddwr Gweriniaethol dros New México
1921	Penodwyd fel Ysgrifennydd Mewnol gan Harding
1923	Ymddiswyddodd
1929	Carcharwyd am flwyddyn oherwydd Sgandal Cromen y Tebot

Sgandal Cromen y Tebot

Daeth gwarth pellach ar Harding a'i lywodraeth yn dilyn Sgandal Cromen y Tebot. Rhoddodd Albert Fall, Ysgrifennydd Mewnol Harding, feysydd olew'r llywodraeth ar brydles i ffrindiau cyfoethog yn gyfnewid am lwgrwobrwyon gwerth cannoedd o filoedd o ddoleri. Yn dilyn penderfyniad y Gyngres yn 1920, dim ond gan lynges UDA yr oedd y meysydd olew i gael eu defnyddio er mwyn sicrhau y byddai digon o olew wrth gefn ar gael ar adegau o argyfwng cenedlaethol. Rhoddwyd caniatâd i Harry Sinclair (Pennaeth Cwmni Olew Mammoth) ddrilio am olew yng Nghromen y Tebot, Wyoming, a phrydles i Edward Doheny (perchennog Cwmni Petroliwm a Chludiant America Gyfan) ar gyfer cyflenwadau yn Elk Hills, California. Derbyniodd Fall gwerth tua $400,000 mewn arian ac anrhegion gan Doheny a Sinclair. Roedd y trefniadau wedi'u gwneud yn gyfrinachol, ond codwyd amheuon pan ddechreuodd Fall wario llawer o arian. Erbyn iddo orffen prydlesu cronfeydd olew wrth gefn y llynges, roedd Fall wedi rhoi meysydd olew gwerth tua $100 miliwn i Sinclair a Doheny. Roedd Fall ei hun wedi derbyn arian parod a bondiau gwerth $409,000 ganddynt.

Cyhoeddwyd rhai o fanylion y bargeinion mewn papurau newydd ym mis Ebrill 1922, ac aeth yr Arlywydd Harding ati i amddiffyn Fall gan ddweud ei fod

TASGAU

1. Disgrifiwch y llygredd o fewn y llywodraeth o dan yr Arlywydd Harding. (Am arweiniad ar sut i ateb y math hwn o gwestiwn, edrychwch ar dudalen 73.)
2. I ba raddau y mae Ffynhonnell A yn cefnogi'r safbwynt fod llygredd yn y llywodraeth yn ystod arlywyddiaeth Warren Harding? (Am arweiniad ar sut i ateb y math hwn o gwestiwn, edrychwch ar dudalennau 40–41.)

Ffynhonnell A Cartŵn o Sgandal Cromen y Tebot a ymddangosodd mewn papur newydd yn America yn 1922. Albert Fall yw un o'r ffigurau sy'n rhedeg i ffwrdd

yn cymeradwyo pob un o'i weithredoedd. Ar y dechrau, nid oedd y ffaith fod Fall wedi prydlesu'r meysydd olew yn ymddangos yn bwysig. Wrth ateb cwestiynau am gyfrinachedd y trefniadau, dywedodd Fall mai diogelwch cenedlaethol oedd yn gyfrifol am hynny. Honnodd Doheny mai gwladgarwch a diogelwch oedd wrth wraidd ei weithredoedd ef hefyd. Fodd bynnag, cafwyd cwynion mawr gan lawer o brif gwmnïau olew UDA nad oeddent wedi cael cyfle i gyflwyno cais agored am y prydlesi. Mynnodd y Senedd ymchwilio i'r mater a bu Harding yn poeni cymaint nes iddo fynd yn sâl gyda niwmonia. Pan oedd yr argyfwng ar ei waethaf, dywedodd yr Arlywydd Harding: 'Dw i ddim yn poeni am fy ngelynion. Gallaf ymdopi â nhw. Fy ffrindiau sy'n achosi problemau i mi.' Bu farw Harding ym mis Awst 1923. Cafodd ei olynu gan Calvin Coolidge, ac fe lwyddodd ef i adennill ffydd y cyhoedd yn y llywodraeth.

Y Seneddwr Thomas Walsh, Democrat o Montana, arweiniodd ymchwiliad y Senedd. Cafodd ei feirniadu gan lawer o bapurau newydd a gan y Gweriniaethwyr am orliwio'r digwyddiadau. Cafodd ei boeni hefyd gan yr FBI, a oedd yn gwrando ar ei sgyrsiau ffôn yn gyfrinachol, yn agor ei bost a bygwth ei ladd. Llusgodd ymchwiliad y Senedd ymlaen am sawl blwyddyn ac yn y diwedd, yn 1927, dyfarnodd y **Llys Goruchaf** fod y prydlesi olew wedi'u cael mewn ffordd lygredig a'u bod yn annilys. Daeth meysydd olew Cromen y Tebot ac Elk Hills yn eiddo i'r llynges eto. Cafwyd Albert Fall yn euog o lwgrwobrwyo yn 1929, ac fe gafodd ddirwy o $100,000 a dedfryd o flwyddyn yn y carchar. Fall oedd y swyddog llywodraeth cyntaf erioed i gael ei garcharu yn UDA. Gwrthododd Harry Sinclair â chydweithredu ag ymchwilwyr y llywodraeth, ac fe gafodd ei gyhuddo o ddirmyg llys a'i ddedfrydu i gyfnod byr yn y carchar am ymyrryd â'r rheithgor. Cafwyd Edward Doheny yn ddieuog o geisio llwgrwobrwyo Fall yn 1930.

Yn ystod yr ymchwiliad, cafodd Harry Daugherty, y Twrnai Cyffredinol, ei gyhuddo o rwystro'r ymchwiliadau a bu'n rhaid iddo ymddiswyddo yn 1924.

TASGAU

3 Allwch chi feddwl am resymau pam y cafodd y Seneddwr Walsh ei boeni yn ystod ymchwiliad Cromen y Tebot?

4 Ysgrifennwch bennawd papur newydd ar gyfer Sgandal Cromen y Tebot.

5 Ai gelyniaeth y gangiau oedd yr elfen bwysicaf o droseddu yn UDA yn y 1920au? Eglurwch eich ateb yn llawn.

Dylech roi safbwyntiau'r ddwy ochr i'r cwestiwn hwn:
- trafodwch gelyniaeth y gangiau a'i heffaith
- trafodwch ffactorau eraill a arweiniodd at y cynnydd mewn troseddu yn y 1920au

a dod i benderfyniad.

(Am arweiniad ar sut i ateb y math hwn o gwestiwn, edrychwch ar dudalennau 91–92.)

Arweiniad ar arholiadau

Mae'r adran hon yn rhoi arweiniad ar sut i ateb cwestiwn 1(c) yn Unedau 1 a 2. Cwestiwn dadansoddi a gwerthuso ffynhonnell yw hwn sy'n gysylltiedig â'ch gallu i alw i gof eich gwybodaeth eich hun. Mae'n werth 5 marc.

Cwestiwn 1(c) – dadansoddi a gwerthuso ffynhonnell a galw i gof eich gwybodaeth eich hun

I ba raddau y mae Ffynhonnell A yn cefnogi'r safbwynt fod y Gwaharddiad wedi arwain at gynnydd mewn llygredd a throseddu? (5 marc)

Rhoddir ateb enghreifftiol ar gyfer y cwestiwn hwn ar dudalen 41.

Ffynhonnell A Mae'r llun hwn yn dangos lefel y llygredd oedd ar waith yn ystod adeg y Gwaharddiad. Pennawd y cartŵn oedd Ystum Cenedlaethol ('National Gesture') ac ymddangosodd mewn cylchgrawn o'r enw *Judge* ym mis Mehefin 1926

Cyngor ar sut i ateb

- Gall y cwestiwn hwn gyfeirio at ffynhonnell weledol neu ysgrifenedig.
- Os yw'n ffynhonnell weledol, dylech chwilio am fanylion perthnasol o'r hyn sydd yn y llun, ac o'r pennawd sy'n cyd-fynd â'r ffynhonnell, sydd yr un mor bwysig. Mae'n ddefnyddiol ysgrifennu nodiadau o amgylch y ffynhonnell.
- Os yw'n ffynhonnell ysgrifenedig dylech danlinellu neu uwcholeuo'r pwyntiau allweddol.
- Dylech ddefnyddio'r manylion hyn yn eich ateb, gan eu hegluro yn eich geiriau eich hun a'u cysylltu'n uniongyrchol â'r cwestiwn.
- Dylech ddefnyddio eich gwybodaeth eich hun am y pwnc hwn er mwyn datblygu'r pwyntiau hyn a chynnwys deunydd ychwanegol nad yw ar gael yn y ffynhonnell.
- I gael marciau llawn mae'n rhaid i chi gynnwys casgliad rhesymegol sy'n berthnasol i'r cwestiwn. Er enghraifft, 'Mae'r ffynhonnell hon/Nid yw'r ffynhonnell hon yn cefnogi'r safbwynt fod … oherwydd…'

Ffynhonnell B Canlyniad gwaedlyd cyflafan Dydd San Ffolant 1929, yr enghraifft waethaf o drais gan gangsteriaid yn ystod cyfnod y Gwaharddiad

Rhowch gynnig arni

I ba raddau y mae Ffynhonnell B yn cefnogi'r safbwynt mai'r 1920au oedd oes aur y gangster yn America? (5 marc)

Yn cadarnhau bod y ffynhonnell yn cefnogi'r safbwynt ac yn dechrau trafod y cynnwys.

Yn defnyddio'r hyn mae'n ei wybod i egluro gwybodaeth a gafodd o'r ffynhonnell.

Yn defnyddio'r hyn mae'n ei wybod i ddatblygu'r wybodaeth yn y ffynhonnell.

Yn dod i benderfyniad gan gyfeirio at y cwestiwn.

Ymateb yr ymgeisydd

Mae'r ffynhonnell yn cefnogi'r safbwynt fod y Gwaharddiad wedi arwain at gynnydd mewn llygredd a throseddu oherwydd ei bod hi'n dangos pobl bwysig a ddylai fod yn gweithredu'r Gwaharddiad yn derbyn llwgrwobrwyon. Bwriad y Gwaharddiad oedd gwahardd alcohol yn America yn ystod y 1920au ac arweiniodd at gangsteriaid yn ennill cyfoeth a grym oherwydd eu bod yn gallu darparu'r alcohol anghyfreithlon. Roeddent yn llwyddo i osgoi cael eu harestio a'u cosbi drwy lwgrwobrwyo swyddogion y gyfraith a swyddogion pwysig eraill, fel y rhai yn y cartŵn. Roedd y rhain yn cynnwys asiant y Gwaharddiad; ei brif waith oedd dal y bootleggers, plismon, ynad heddwch, a gwleidydd, a dylai pob un o'r rhain fod wedi helpu gweithredu'r Gwaharddiad. Mae'r cartŵn hwn yn awgrymu bod modd eu llwgrwobrwyo i gyd a'u bod yn derbyn arian gan y gangsteriaid. Rwy'n gwybod bod Al Capone wedi llwgrwobrwyo maer Chicago, Big Bill Thompson. Ymddangosodd y cartŵn yn un o gylchgronau'r gyfraith o'r enw Judge ac mae'r pennawd 'National Gesture' yn awgrymu bod yr unigolion hyn yn llwgr. Felly mae'r ffynhonnell yn cadarnhau'r safbwynt fod y Gwaharddiad wedi arwain at gynnydd mewn troseddu a llygredd. Hon oedd oes y gangster.

Sylw'r arholwr

Ateb cyflawn sy'n gwneud defnydd da o'r cartŵn a'r pennawd. Mae'r ymgeisydd yn datblygu cynnwys y ffynhonnell, gan egluro manylion allweddol ac yn darparu gwybodaeth gefndirol i'w hegluro, er enghraifft, trwy gyfeirio at Capone yn llwgrwobrwyo Big Bill Thompson. Mae wedi gwneud ymdrech glir i ddefnyddio'r wybodaeth yn y pennawd. Dyma werthusiad da a chytbwys sy'n dod i benderfyniad ar sail tystiolaeth sy'n cysylltu'n uniongyrchol â'r cwestiwn. Mae'n haeddu'r 5 marc llawn.

Adran B
Cynnydd a chwymp economi America

Ffynhonnell A Rhan o araith gan wleidydd o'r Blaid Weriniaethol yn 1928

Car ym mhob garej a chyw iâr ar bob bwrdd? Na, DAU gar ym mhob garej a DAU gyw iâr ar bob bwrdd.

Mae'r adran hon yn edrych ar hanes economi UDA yn y blynyddoedd 1910–29, gan gynnwys y rhesymau am y ffyniant economaidd, y rhesymau tymor hir a thymor byr am ddiwedd y ffyniant, ac effeithiau uniongyrchol **Cwymp Wall Street**.

Dyma adeg o ffyniant a dirywiad economaidd i UDA. Ar y dechrau roedd pobl yn credu y byddai'r wlad yn ffynnu ac yn creu cyfoeth i'w holl ddinasyddion (gweler Ffynhonnell A). Ond, erbyn diwedd y cyfnod, roedd Cwymp Wall Street wedi arwain at ddirwasgiad gyda dros 16 miliwn o bobl yn ddi-waith a'r wlad yn wynebu methiant economaidd.

Mae pob pennod yn egluro pwnc allweddol ac yn dilyn sawl trywydd ymholi pwysig fel yr amlinellir isod:

Pennod 4: Beth oedd achosion y ffyniant economaidd?

- Sut y gwnaeth asedau a datblygiad America gyfrannu at y ffyniant economaidd?
- Sut y gwnaeth agwedd a pholisïau arlywyddion y Blaid Weriniaethol gyfrannu at y ffyniant economaidd?

Pennod 5: Pa effaith a gafodd y ffyniant hwn ar y gymdeithas yn America?

- Beth oedd nodweddion y gymdeithas draul newydd?
- Beth oedd dylanwad y diwydiant ceir?
- Pa ddiwydiannau eraill oedd yn ffynnu?
- Pa grwpiau a sectorau nad oeddent wedi ffynnu?

Pennod 6: Pam y gwnaeth y ffyniant hwn orffen mor sydyn yn 1929?

- Beth oedd y rhesymau tymor hir dros ddiwedd y ffyniant?
- Beth oedd y rhesymau tymor byr dros ddiwedd y ffyniant?
- Beth oedd y digwyddiadau yn ystod Cwymp Wall Street?
- Beth oedd effeithiau uniongyrchol Cwymp Wall Street?

Beth oedd achosion y ffyniant economaidd?

Ffynhonnell A Graff yn cymharu cynhyrchu diwydiannol UDA â gweddill y byd

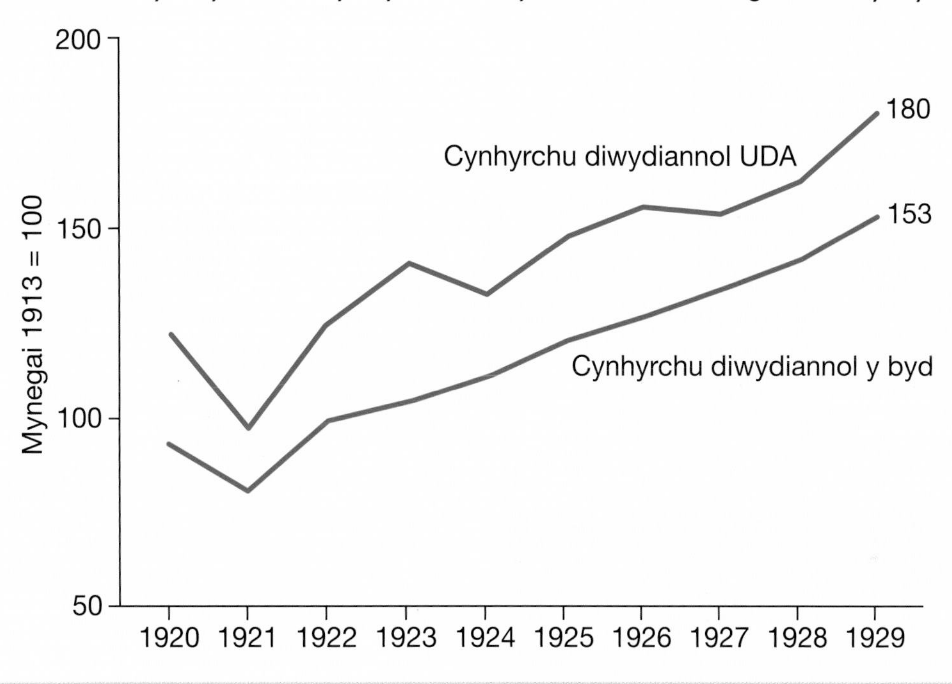

TASG

Beth y mae Ffynhonnell A yn ei ddweud wrthych am gynhyrchu diwydiannol UDA yn y 1920au? (Am arweiniad ar sut i ateb y math hwn o gwestiwn, edrychwch ar dudalen 16.)

Fe wnaeth UDA elwa'n fawr yn economaidd ar y Rhyfel Byd Cyntaf, ac yn y 1920au cafwyd **ffyniant** economaidd a hybwyd gan bolisïau arlywyddion y **Blaid Weriniaethol** ac o ganlyniad i ddulliau cynhyrchu gwell y diwydiant ceir. Tyfodd diwydiannau newydd yn gyflym ac roedd cynnydd sylweddol yng ngwerth **stociau a chyfranddaliadau** ar **farchnad stoc** UDA.

Mae'r bennod hon yn ateb y cwestiynau canlynol:

- Sut y gwnaeth asedau a datblygiad America gyfrannu at y ffyniant economaidd?
- Sut y gwnaeth agwedd a pholisïau arlywyddion y Blaid Weriniaethol gyfrannu at y ffyniant economaidd?

Arweiniad ar arholiadau

Drwy'r bennod hon byddwch yn cael cyfle i ymarfer cwestiynau arholiad o wahanol arddull a rhoddir arweiniad manwl ar sut i ateb cwestiwn 1(ch) yn Unedau 1 a 2 y papur arholiad. Cwestiwn dadansoddi a gwerthuso defnyddioldeb ffynhonnell yw hwn. Mae'n werth 6 marc.

Sut y gwnaeth asedau a datblygiad America gyfrannu at y ffyniant economaidd?

Mae ffyniant yn digwydd pan mae economi gwlad yn datblygu'n gyflym. Mae ffatrïoedd yn cynhyrchu ac yn gwerthu llawer o nwyddau sydd, yn eu tro, yn gwneud arian i'w ailfuddsoddi yn y ffatrïoedd, gan gynhyrchu a gwerthu mwy o nwyddau a gwneud hyd yn oed mwy o arian. Mewn geiriau eraill, mae economi yn profi'r effaith luosydd, wrth i dwf un diwydiant hybu ac ysgogi twf un arall. Er enghraifft, yn UDA yn y cyfnod hwn:

- Roedd twf y diwydiant ceir o fudd i'r diwydiannau rwber a gwydr.
- Roedd datblygiad trydan yn ysgogi twf diwydiannau newydd a oedd yn cynhyrchu nwyddau trydanol fel sugnwyr llwch ac oergelloedd.

Roedd sawl ffactor tymor hir yn gyfrifol am ffyniant UDA, fel digonedd o adnoddau naturiol, gweithwyr rhad ac effaith y Rhyfel Byd Cyntaf. Ymysg y ffactorau mwy uniongyrchol yr oedd newidiadau technolegol, **prynwriaeth**, y ffaith fod **credyd** ar gael a hyder a pholisïau'r llywodraethau Gweriniaethol.

Ffynhonnell A Mae'r cartŵn hwn o 1880 yn dangos rhywun yn cynrychioli UDA a mewnfudwyr yn cyrraedd UDA

Adnoddau naturiol

Roedd gan UDA gyflenwad digonol o ddeunyddiau crai gan gynnwys olew, glo, coed a haearn. Yr adnoddau hyn oedd sylfaen twf economaidd UDA yn y blynyddoedd cyn y Rhyfel Byd Cyntaf, gan ysgogi twf pellach yn y 1920au.

Gweithwyr rhad

Roedd mewnfudo mawr o Ewrop i UDA yn y blynyddoedd cyn y Rhyfel Byd Cyntaf. Roedd hyn yn sicrhau cyflenwad digonol o weithwyr rhad, di-grefft o'r Almaen, Llychlyn, yr Eidal, Gwlad Pwyl, Rwsia, Iwerddon, China a Japan.

Effaith y Rhyfel Byd Cyntaf

Ni wnaeth UDA ymuno â'r Rhyfel Byd Cyntaf tan 1917. Fe wnaeth economi'r wlad elwa'n fawr ar y rhyfel. Yn wir, erbyn 1918 economi UDA oedd y mwyaf yn y byd.

- Bu'r brwydro ar dir Ewrop adeg y rhyfel ac effeithiodd yn wael ar economi gwledydd mawr fel Prydain, Ffrainc a'r Almaen, a oedd yn gorfod defnyddio eu hadnoddau i ymladd y rhyfel.
- Prynodd y gwledydd hyn gyflenwadau angenrheidiol oddi wrth UDA. Roedd arian yn llifo i mewn i UDA am fwyd, deunyddiau crai ac **arfau rhyfel**. Arweiniodd hyn at dwf mewn diwydiant ac amaethyddiaeth yn UDA.
- Bu'n rhaid i lawer o wledydd eraill fenthyg arian mawr gan UDA. Buddsoddodd bancwyr a dynion busnes America fwy o arian yn Ewrop, gan wneud elw pan wnaeth economïau'r gwledydd hyn wella yn y 1920au.
- Ni allai gwledydd Ewrop allforio cymaint o nwyddau yn ystod y rhyfel. Llwyddodd cynhyrchwyr a ffermwyr UDA i ennill marchnadoedd tramor Ewropeaidd, gan ehangu ymhellach. Er enghraifft, cymerodd UDA le yr Almaen fel prif gynhyrchydd gwrteithiau a chemegau'r byd.
- Cafwyd gwelliannau technolegol yn sgil y rhyfel, yn enwedig ym maes **mecaneiddio**, yn ogystal â datblygu deunyddiau crai newydd fel deunyddiau plastig. UDA oedd yn arwain y byd o ran technoleg newydd.

Ffynhonnell B Allforion UDA, 1914–17

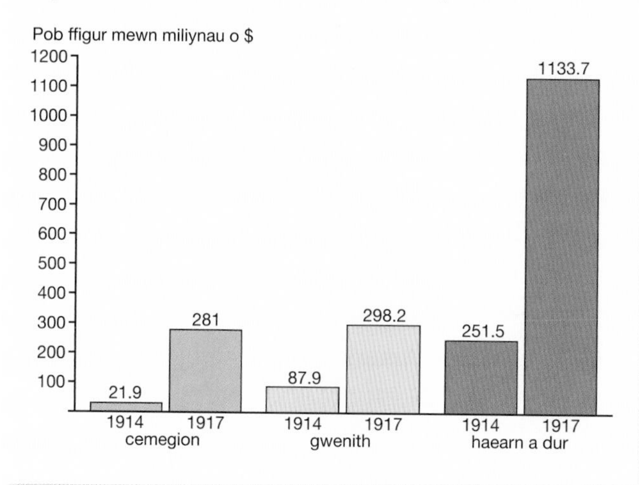

Lledaeniad trydan

Roedd trydan wedi datblygu'n araf cyn y rhyfel, ond yn y 1920au gwelodd y diwydiant trydan ffyniant gwirioneddol.

- Erbyn 1929 roedd trydan yn y rhan fwyaf o gartrefi'r dinasoedd.
- Roedd gan bron 70 y cant o boblogaeth America oleuadau trydan.
- Roedd mwy a mwy o ffatrïoedd yn defnyddio trydan.
- Defnyddiwyd dros ddwywaith yn fwy o drydan yn ystod y 1920au.

O ganlyniad i drydaneiddio, datblygodd UDA amrywiaeth o nwyddau ar gyfer y cartref gan gynnwys radio, ffôn, peiriant golchi, sugnwr llwch, popty ac oergell. Tyfodd economi America ymhellach yn sgil y diwydiannau newydd hyn.

Newid technolegol

Roedd UDA yn arwain y byd gyda'i newidiadau technolegol. Roedd datblygu trydan yn hanfodol o ran datblygiadau mewn technoleg gan ddarparu pŵer rhatach, mwy dibynadwy a hyblyg ar gyfer ffatrïoedd a diwydiannau eraill. Arweiniodd hefyd at ddatblygu diwydiannau cynhyrchu nwyddau trydanol fel yr oergell, y sugnwr llwch a'r radio.

Roedd datblygiadau allweddol eraill yn cynnwys y llinell gynhyrchu a **masgynhyrchu** a ddefnyddiwyd gan y diwydiant ceir (gweler tudalennau 54–56) a oedd yn cyflymu'r broses gynhyrchu, yn cynyddu cynhyrchedd ac yn arwain at fwy o elw. Roedd y dulliau hyn eisoes ar waith mewn rhai diwydiannau, er enghraifft, wrth gynhyrchu arfau, peiriannau gwnïo ac injans trên. Cawsant eu defnyddio yn ddiweddarach i gynhyrchu clociau, teipiaduron a beiciau.

Cafodd plastig o'r enw Bakelite ei ddatblygu a'i ddefnyddio ar gyfer nwyddau'r tŷ. Nwyddau eraill a ddyfeisiwyd oedd y tiwb gwydr, switsfwrdd awtomatig a chymysgwr concrit. Roedd deunyddiau newydd yn galluogi cynllunwyr i adeiladu mathau newydd o adeiladau. Newidiwyd golwg y dinasoedd mawr gan y nendyrrau.

Ffynhonnell C Ffotograff o Efrog Newydd yn 1924

TASGAU

1. Beth y mae Ffynhonnell A yn ei ddangos i chi am fewnfudo i UDA? (Am arweiniad ar sut i ateb y math hwn o gwestiwn, edrychwch ar dudalen 16.)
2. Defnyddiwch y wybodaeth yn Ffynhonnell B a'ch gwybodaeth eich hun i egluro pam y gwnaeth economi UDA elwa ar y Rhyfel Byd Cyntaf. (Am arweiniad ar sut i ateb y math hwn o gwestiwn, edrychwch ar dudalennau 27–28.)
3. Beth y mae Ffynhonnell C yn ei ddangos i chi am ddatblygiad Efrog Newydd erbyn canol y 1920au? (Am arweiniad ar sut i ateb y math hwn o gwestiwn, edrychwch ar dudalen 16.)

Prynwriaeth

Cododd cyflogau gweithwyr wrth i gwmnïau wneud mwy o elw (er nid ar yr un raddfa). Rhwng 1923 a 1929 cododd cyflogau wyth y cant ar gyfartaledd. Er nad oedd yn gynnydd enfawr, roedd hyn yn ddigon i alluogi rhai gweithwyr i brynu – ar gredyd yn aml (**hurbwrcasu**) – y nwyddau moethus newydd a welir yn Ffynhonnell CH. Cafodd pobl eu hannog i brynu'r nwyddau newydd hyn gan hysbysebion cyffredinol a hysbysebion radio yn y 1920au, fel yr hysbyseb yn Ffynhonnell D.

Ar ddechrau'r 1920au, gwelwyd chwyldro diwydiannol arall yn UDA. Un rheswm dros hyn oedd y defnydd cyffredinol o bŵer trydanol. Yn 1912 dim ond 16 y cant o Americanwyr oedd yn byw mewn cartrefi â goleuadau trydan. Erbyn 1927 roedd y nifer wedi codi i 63 y cant. Arweiniodd y twf mewn pŵer trydan at ddefnydd llawer ehangach o nwyddau trydanol. Yn ystod y cyfnod hwn, tyfodd y defnydd o ffynonellau egni eraill hefyd; er enghraifft, defnyddiwyd dwywaith yn fwy o olew a phedair gwaith yn fwy o nwy.

Ffynhonnell CH Mwy o werthiant ar nwyddau traul

1919	Ceir	1929
9 miliwn		26 miliwn
1920	Setiau radio	1929
60,000		10 miliwn
1915	Ffonau	1930
10 miliwn		20 miliwn
1921	Oergelloedd	1929
Am bob un ...		... roedd 167

Ffynhonnell D Hysbyseb ar gyfer sugnwr llwch yn y 1920au

Credyd

Oherwydd bod mwy o gredyd ar gael, roedd yn llawer haws i bobl brynu nwyddau, hyd yn oed pan nad oedd ganddynt ddigon o arian parod i dalu amdanynt ar unwaith. O dan y drefn hon o hurbwrcasu, byddai'r cwsmer yn talu am ei nwyddau fesul tipyn. Roedd tua hanner y nwyddau a werthwyd yn y 1920au wedi'u prynu drwy'r system hurbwrcasu.

Hyder

Roedd gan lawer o Americanwyr hyder yn economi'r wlad ac roeddent yn barod i brynu nwyddau, buddsoddi mewn cwmnïau ac arbrofi gyda syniadau newydd. Yn wir, roedd y rhan fwyaf o Americanwyr yn credu bod ganddynt hawl i 'ffyniant'. I lawer, y prif nod oedd byw mewn tŷ hyfryd yn llawn o **nwyddau traul**. Yn y gorffennol roedd pobl wedi'u hannog i gynilo arian a chymryd gofal ohono, ond yn y 1920au roeddent yn cael eu hannog i 'wario, gwario, gwario'.

Twf y farchnad stoc

Yn y 1920au, i bob golwg y farchnad stoc oedd yr allwedd i ffyniant UDA. Cynyddodd gwerth stociau a chyfranddaliadau yn raddol drwy gydol y degawd gan godi'n sydyn yn 1928 a 1929. Roedd mwy a mwy o bobl yn prynu a gwerthu cyfranddaliadau hefyd, gyda hyd yn oed y gweithwyr cyffredin yn rhan ohono. Y ddelwedd gyffredin o'r 1920au yw bod 'hyd yn oed y glanhawyr esgidiau' yn prynu a gwerthu cyfranddaliadau.

Ffynhonnell DD John J Raskob, un o brif wleidyddion y Blaid Ddemocrataidd yn siarad am fanteision prynu cyfranddaliadau yn 1928

Os yw dyn yn cynilo $15 yr wythnos ac yn buddsoddi mewn cyfranddaliadau da … ar ôl ugain mlynedd bydd ganddo o leiaf $80,000 ac incwm o'i fuddsoddiadau gwerth tua $400 y mis.

Gan fod cyfranddaliadau'r rhan fwyaf o gwmnïau fel pe baent yn cynyddu, roedd pobl yn barod i fentro prynu cyfranddaliadau – wedi'r cwbl, roedd eu gwerth yn debygol o godi i bob golwg. Dechreuodd UDA hapfasnachu. Hyd yn oed os nad oedd gan bobl ddigon o arian i dalu am y cyfranddaliadau yn llawn, byddent yn talu blaendal, yn benthyg arian i dalu am y gweddill ac yn gwerthu'r cyfranddaliadau mewn ychydig wythnosau pan oedd eu gwerth wedi cynyddu a'u bod wedi gwneud elw. Byddai'r hapfasnachwr yn talu ei ddyled wedyn, gan wneud elw ar y fargen. (Enw'r broses hon oedd '**prynu ag arian benthyg**'.)

Ffynhonnell E Yr hanesydd J Rublowsky yn disgrifio prysurdeb gwyllt prynu cyfranddaliadau yn *After the Crash*

Cafodd pob math o gyfranddaliadau eu prynu'n syth yn y gobaith o ennill elw mawr, ond roedd llawer ohonynt yn ddiwerth. Rheilffordd heb unrhyw gysylltiad â hedfan oedd Cwmni Hedfan Seaboard mewn gwirionedd, ond llwyddodd i ddenu miloedd o fuddsoddwyr oherwydd bod cyfranddaliadau hedfan mor boblogaidd yn y cyfnod hwnnw.

Prynwyd a gwerthwyd tua 451 miliwn o gyfranddaliadau yn 1926. Cynyddodd y ffigur i 577 miliwn y flwyddyn ganlynol. Erbyn 1928, oherwydd bod prisiau cyfranddaliadau yn codi'n gyflym roedd **marchnad esgynnol** (*bull market*) ar **Gyfnewidfa Stoc Wall Street**. Yn 1929 gwerthwyd dros 1.1 biliwn o gyfranddaliadau. Roedd hyd at 25 miliwn o Americanwyr wrthi'n prynu a gwerthu cyfranddaliadau ym mlynyddoedd olaf y degawd. Mae'r tabl isod yn dangos pa mor gyflym yr oedd gwerthiant cyfranddaliadau wedi tyfu – a disgyn yr un mor sydyn.

Hapfasnachu

Roedd cyngor tebyg i'r hyn a welir yn Ffynhonnell DD yn annog llawer o bobl i fuddsoddi yn y farchnad stoc. Fel rheol roedd banciau ar y pryd yn talu cyfradd llog flynyddol o saith y cant ar gyfrifon cynilo. Roedd y gwahaniaeth rhwng yr elw trwy gynilo a hapfasnachu yn golygu bod y farchnad stoc yn fenter ddeniadol i lawer. Os oeddech chi'n barod i hapfasnachu roedd modd gwneud llawer o arian. Roedd prynu cyfranddaliadau 'ag arian benthyg' yn gwthio ffiniau hapfasnachu ymhellach.

Yn aml, byddai buddsoddwyr yn benthyg arian i brynu cyfranddaliadau, ond tra oedd prisiau cyfranddaliadau yn dal i gynyddu, nid oedd problem. Roedd pobl mor hyderus nes bod buddsoddwyr, erbyn haf 1929, wedi benthyg $8.5 biliwn i brynu ag arian benthyg – ffigur oedd wedi cynyddu o $3.2 biliwn yn 1926. Mae Ffynhonnell F yn dangos sut y cynyddodd hyder defnyddwyr werth cyfranddaliadau rhwng 1928 a 1929.

TASGAU

4 Defnyddiwch y wybodaeth yn Ffynhonnell F a'ch gwybodaeth eich hun i egluro pam yr oedd y farchnad stoc yn ffynnu yn y 1920au. (Am arweiniad ar sut i ateb y math hwn o gwestiwn, edrychwch ar dudalennau 27–28.)

5 Beth y mae Ffynhonnell D yn ei ddweud wrthych am hysbysebion yn UDA yn y 1920au? (Am arweiniad ar sut i ateb y math hwn o gwestiwn, edrychwch ar dudalen 16.)

6 Pam y mae Ffynonellau DD ac E yn mynegi safbwyntiau gwahanol am y farchnad stoc yn y 1920au? (Am arweiniad ar sut i ateb y math hwn o gwestiwn, edrychwch ar dudalennau 63–64.)

7 Mae'r map meddwl isod yn dangos y rhesymau dros y cynnydd mewn gwerthu/prynu cyfranddaliadau.

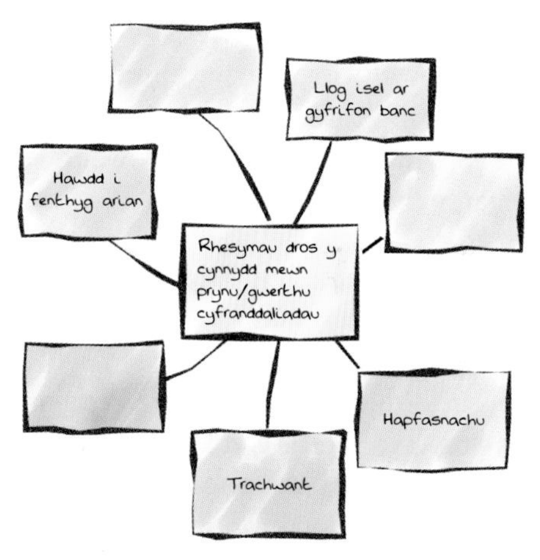

- Copïwch y map meddwl a chwblhewch y blychau gwag gyda rhesymau eraill.
- Nodwch fwy o resymau mewn blychau newydd neu flychau sy'n gysylltiedig â'r rhai sydd yno'n barod.

Ffynhonnell F Enghreifftiau o brisiau cyfranddaliadau, 1927–29

Cwmni	31 Awst 1928	3 Medi 1929	29 Hydref 1929
American and Foreign Power	$38.00	$167.75	$73.00
AT&T	$182.00	$304.00	$230.00
Hershey Chocolate	$53.25	$128.00	$108.00
IBM	$130.86	$241.75	–
People's Gas, Chicago	$182.86	$182.86	–
Detroit Edison	$205.00	$230.00	–

Sut y gwnaeth agwedd a pholisïau arlywyddion y Blaid Weriniaethol gyfrannu at y ffyniant economaidd?

Yn y 1920au roedd pob un o arlywyddion UDA yn Weriniaethwyr, sy'n golygu bod ganddynt safbwyntiau gwleidyddol ac economaidd tebyg. Yr arlywyddion oedd:

- Warren Harding, 1921–23
- Calvin Coolidge, 1923–29
- Herbert Hoover, 1929–33

Pan etholwyd Harding yn arlywydd, addawodd y byddai UDA yn '**dychwelyd i normalrwydd**'. Fodd bynnag, dim ond am ddwy flynedd y bu'n arlywydd; bu farw'n sydyn yn 1923. Yn syth ar ôl ei farwolaeth, datgelwyd bod Harding wedi bod yn gysylltiedig â sgandalau ariannol. Coolidge oedd ei olynydd, a pharhaodd â'r polisi o gyfyngu ar y cysylltiad rhwng y llywodraeth â'r economi a gostwng trethi ar bobl gyfoethog. Yn ystod cyfnod Coolidge fel arlywydd, tyfodd economi UDA yn gynt nag erioed o'r blaen. Hoover oedd olynydd Coolidge fel arlywydd, dyn a oedd wedi dod yn filiwnydd drwy ei waith ei hun. Hoover oedd enghraifft orau'r Gweriniaethwyr o'r hyn y gellid ei gyflawni yn UDA drwy waith caled heb ymyrraeth gan y llywodraeth.

Laissez-faire

Yn 1924 gwnaeth yr Arlywydd Coolidge y sylw canlynol: 'Busnes America yw busnes.' Credai na ddylai'r llywodraeth ymyrryd bron o gwbl yn yr economi o ddydd i ddydd, ac roedd llawer o Americanwyr yn rhannu'r un safbwynt. Pe bai dynion busnes yn cael eu gadael i wneud eu penderfyniadau eu hunain, credai y byddai elw yn cynyddu, gan greu mwy o swyddi a chyflogau da. Dyma oedd y polisi ***laissez-faire*** – unig swyddogaeth y llywodraeth oedd helpu busnesau yn ôl y gofyn.

O dan Harding a Coolidge cyfrannodd *laissez-faire* at ffyniant UDA. Diolch i'r trethi isel a'r rheoliadau prin, roedd dynion busnes yn gallu canolbwyntio ar wneud elw heb ofn ymyrraeth.

Unigolyddiaeth rymus

Roedd yr arlywyddion Gweriniaethol i gyd hefyd yn credu mewn '**unigolyddiaeth rymus**'. Defnyddiwyd y term hwn gan arlywyddion Gweriniaethol fel Hoover a oedd yn credu mai trwy weithio'n galed yr oedd pobl yn llwyddo. Mae'r syniad hwn yn perthyn i'r Americanwyr cynnar a symudodd i'r Gorllewin gan wneud bywyd newydd iddynt eu hunain drwy eu hymdrechion eu hunain.

Diffynnaeth

Yn y blynyddoedd ar ôl 1919 dychwelodd UDA at bolisi o **ynysiaeth**, gan wrthod cymryd rhan mewn digwyddiadau tramor, yn enwedig yn Ewrop. Penderfynodd llywodraethau Gweriniaethol roi **tollau** (*tariffs*) ar nwyddau a fewnforiwyd hefyd er mwyn cael llai o gystadleuaeth gan nwyddau tramor. Aeth mewnforion yn dipyn drutach na nwyddau Americanaidd. Roedd hyn yn annog pobl i brynu nwyddau Americanaidd ac yn helpu cynhyrchwyr UDA.

Fodd bynnag, penderfynodd y llywodraeth ymyrryd ddwywaith yn yr economi yn y cyfnod hwn:

- Effaith Toll Fordney-McCumber (1922) oedd codi **tollau mewnforio** ar nwyddau a oedd yn dod i mewn i UDA i'r lefel uchaf erioed, gan amddiffyn diwydiant America ac annog Americanwyr i brynu nwyddau cartref.
- Wrth i'r cyfraddau **treth incwm** ostwng, roedd gan rai pobl fwy o arian parod i'w wario ar nwyddau traul. Felly, roedd mwy o arian parod ar gael i brynu nwyddau cartref.

TASGAU

1 Disgrifiwch bolisïau economaidd llywodraethau Gweriniaethol y 1920au. (Am arweiniad ar sut i ateb y math hwn o gwestiwn, edrychwch ar dudalen 73.)

2 Ai polisïau llywodraethau Gweriniaethol y 1920au oedd y rheswm pwysicaf dros ffyniant economaidd UDA? Eglurwch eich ateb yn llawn.

Dylech roi safbwyntiau'r ddwy ochr i'r cwestiwn hwn:
- trafodwch bwysigrwydd polisïau'r llywodraethau Gweriniaethol fel un o'r rhesymau dros y ffyniant economaidd
- trafodwch ffactorau eraill a gyfrannodd at y ffyniant economaidd

a dod i benderfyniad.

(Am arweiniad ar sut i ateb y math hwn o gwestiwn, edrychwch ar dudalennau 91–92.)

Arweiniad ar arholiadau

Mae'r adran hon yn rhoi arweiniad ar sut i ateb cwestiwn 1(ch) yn Unedau 1 a 2. Cwestiwn dadansoddi a gwerthuso defnyddioldeb ffynhonnell ydyw. Mae'n werth 6 marc.

Cwestiwn 1(ch) – dadansoddi a gwerthuso defnyddioldeb ffynhonnell

Pa mor ddefnyddiol yw Ffynhonnell A i hanesydd sy'n astudio'r newidiadau mewn dulliau gweithgynhyrchu yn America yn ystod y 1920au? Eglurwch eich ateb drwy ddefnyddio'r ffynhonnell a'ch gwybodaeth eich hun. (6 marc)

Rhoddir dau ateb enghreifftiol i'r cwestiwn hwn, un isod a'r llall ar dudalen 50.

Ffynhonnell A Geiriau Henry Ford a recordiwyd yn ystod cyfweliad ar gyfer erthygl papur newydd yn America yn 1926

Mae'n well gwerthu nifer mawr o geir am elw bach na gwerthu llai o geir am elw mwy. Rwy'n credu hyn oherwydd ei fod yn galluogi mwy o bobl i brynu a mwynhau defnyddio car ac am fod hyn yn creu swyddi i fwy o ddynion ar gyflog da.

Cyngor ar sut i ateb

Bydd y cwestiwn hwn yn gofyn i chi ddadansoddi a gwerthuso ffynhonnell wreiddiol neu eilaidd.

- Yn eich ateb bydd rhaid i chi werthuso defnyddioldeb y ffynhonnell hon mewn perthynas â'i **chynnwys**, ei **tharddiad** a'i **phwrpas**.

Cynnwys	**Tarddiad**	**Pwrpas**
Beth y mae'r ffynhonnell yn ei ddweud?	Pwy ddywedodd hynny? Pryd y dywedwyd hynny?	Pam y dywedwyd hynny? Wrth bwy a pham y dywedwyd hynny? A yw'n dangos tuedd?

- Dylech geisio ysgrifennu tua dwy neu dair brawddeg am gynnwys y ffynhonnell, gan gyflwyno'r wybodaeth yn eich geiriau eich hun a'i chefnogi gyda'ch gwybodaeth eich hun am y pwnc hwn.
- Wedyn dylech sôn am awdur y ffynhonnell, gan nodi pryd y cafodd y ffynhonnell ei hysgrifennu ac o dan ba amodau.
- Dylech ystyried pam y cafodd y ffynhonnell ei hysgrifennu ac a yw hyn yn golygu bod y ffynhonnell yn dangos tuedd. Cofiwch fod ffynhonnell unochrog yn gallu bod yn ddefnyddiol iawn i'r hanesydd ac ni ddylech ei diystyru.
- I gael marciau llawn mae'n rhaid i'ch ateb gynnwys sylwadau rhesymegol ar bob un o'r tair elfen. Os byddwch yn ysgrifennu am gynnwys y ffynhonnell yn unig, peidiwch â disgwyl cael mwy na hanner y marciau.

Yn aralleirio'r priodoliad. Yn honni y bydd Ford yn unochrog heb egluro pam.

Yn dechrau trafod y cynnwys ond heb ei ddatblygu'n ddigonol. Mae'n cynnwys rhywfaint o'i wybodaeth ei hun ond mae'n gyfyngedig.

Sylw heb gefnogaeth.

Ymateb ymgeisydd un

Mae'r ffynhonnell hon yn dod o gyfweliad papur newydd â Henry Ford yn 1926. Mae Henry Ford yn debygol o fod yn unochrog yn yr hyn y mae'n ei ddweud. Mae'n dweud ei bod yn well gwerthu nifer mawr o geir am elw bach na gwerthu llai o geir am elw mwy. Rwy'n gwybod bod Henry Ford wedi gostwng pris ei geir yn ystod y 1920au. Oherwydd mai sylwadau Henry Ford yw'r rhain, maent yn ddefnyddiol iawn i haneswyr.

Sylw'r arholwr: Mae'r ymgeisydd wedi ceisio ateb dwy agwedd – y **cynnwys**, ac i raddau llai, y **tarddiad**. Mae llawer o'r cyfeiriadau at y cynnwys wedi'u haralleirio ac ychydig iawn o ymdrech sydd i ddatblygu neu egluro'r deunydd. Nid yw'r tarddiad wedi'i ddatblygu ac mae'n aralleirio'r priodoliad yn unig. Nid oes unrhyw ymdrech i ystyried y pwrpas heblaw am ddweud ei fod yn safbwynt unochrog. Mae'r ateb yn cyrraedd yr ystod lefel ganolig ac yn sgorio hanner y marciau, 3 allan o 6.

Yn cyfeirio at **darddiad** y ffynhonnell. Yn enwi'r awdur ac yn dechrau cynnwys rhywfaint o gyd-destun.

Yn datblygu **cynnwys** y ffynhonnell ac yn darparu rhywfaint o **gyd-destun** drwy gynnwys yr hyn mae'n ei wybod.

Yn cyfeirio at **bwrpas** y ffynhonnell ac yn cwestiynu ei defnyddioldeb i'r hanesydd.

Ymateb ymgeisydd dau

Mae Ffynhonnell A yn ddefnyddiol iawn i haneswyr oherwydd ei bod yn gyfweliad â Henry Ford, arloeswr ym maes masgynhyrchu a'r llinell gynhyrchu yn ei ffatrïoedd yn Detroit. Mae'r ffynhonnell yn cofnodi ei farn ar y dulliau cynhyrchu newydd hyn. Mae Ford yn siarad am fanteision masgynhyrchu ceir, a thrwy gynhyrchu mwy o geir, gallai fforddio eu gwerthu'n rhatach. Byddai hyn yn annog mwy o bobl i'w prynu, gan gynyddu lefelau cynhyrchu a hyrwyddo diwydiannau eraill. O ganlyniad, roedd Ford yn gallu cyflogi mwy o ddynion a thalu cyflogau da iddynt, $5 y dydd. Cafodd dulliau masgynhyrchu Ford eu copïo mewn diwydiannau eraill, gan gynnwys gwneud nwyddau trydanol fel peiriannau golchi.

Gwnaeth Henry Ford y sylwadau hyn yn 1926 pan oedd ei ffatrïoedd yn llwyddo a'i elw yn uchel. Gan fod Ford yn cael ei holi am ei ddulliau, mae'n debygol o fod yn unochrog, gan ddweud pethau da amdanynt. Bydd angen i haneswyr gofio hynny wrth ystyried defnyddioldeb y wybodaeth. Fodd bynnag, mae'n dal i fod yn ddefnyddiol oherwydd dyma farn un o brif ddiwydianwyr America. Er mwyn sicrhau cydbwysedd, dylai haneswyr ystyried diwydiannau eraill a'r gweithwyr a gyflogwyd ynddynt.

Sylw'r arholwr

Dyma ateb gwybodus lle mae'r ymgeisydd yn dangos gwybodaeth a dealltwriaeth dda. Mae wedi egluro cynnwys y ffynhonnell yn dda, gan ddarparu cyd-destun ar ei gyfer drwy gynnwys ei wybodaeth ei hun. Mae wedi cyfeirio at ddefnydd Ford o'r llinell gynhyrchu i fasgynhyrchu ceir. Mae tarddiad y ffynhonnell wedi'i nodi'n glir, ac mae wedi gwneud ymdrech dda i ystyried y pwrpas. Roedd yr erthygl papur newydd hon wedi galluogi Ford i werthu ei lwyddiant, ac mae'r ymgeisydd wedi gwneud y pwynt y gallai'r safbwynt fod yn unochrog gan effeithio ar ddefnyddioldeb y ffynhonnell. Dyma werthusiad cynhwysfawr a gyrhaeddodd y lefel uchaf ac mae'n haeddu'r 6 marc llawn.

Rhowch gynnig arni

Pa mor ddefnyddiol yw Ffynhonnell B i hanesydd sy'n astudio effaith hysbysebu o ran helpu i greu ffyniant economaidd America yn ystod y 1920au? Eglurwch eich ateb drwy ddefnyddio'r ffynhonnell a'ch gwybodaeth eich hun. (6 marc)

Ffynhonnell B Yr Arlywydd Calvin Coolidge yn siarad am rym hysbysebu mewn araith i arweinwyr busnes UDA yn 1927

Mae hysbysebu yn creu meddyliau, dymuniadau a gweithredoedd newydd. Dyma'r dylanwad pwysicaf ar addasu a newid arferion a ffordd o fyw. Mae'n effeithio ar yr hyn rydym yn ei fwyta a'i wisgo ac ar waith a hamdden cenedl gyfan.

Pa effaith a gafodd y ffyniant hwn ar y gymdeithas yn America?

Ffynhonnell A Hysbyseb ar gyfer car Lincoln yn y cylchgrawn *Vogue* 1928

Roedd twf y diwydiant ceir, yn enwedig Cwmni Moduron Ford, wedi dylanwadu'n fawr ar ffyniant economaidd y 1920au. Crëwyd cymdeithas draul yn UDA, diolch i ddyfeisiau newydd ar gyfer y cartref a dylanwad hysbysebu. Ond, nid oedd pob grŵp a sector y gymdeithas yn rhannu'r ffyniant cynyddol hwn. Ni wnaeth ffermwyr, Americanwyr du, mewnfudwyr a diwydiannau hŷn fwynhau'r un llwyddiant yn UDA yn y 1920au.

Mae'r bennod hon yn ateb y cwestiynau canlynol:

- Beth oedd nodweddion y gymdeithas draul newydd?
- Beth oedd dylanwad y diwydiant ceir?
- Pa ddiwydiannau eraill oedd yn ffynnu?
- Pa grwpiau a sectorau nad oeddent wedi ffynnu?

Arweiniad ar arholiadau

Drwy'r bennod hon, byddwch yn cael cyfle i ymarfer cwestiynau arholiad o wahanol arddull a rhoddir arweiniad manwl ar sut i ateb cwestiwn 1(d) yn Unedau 1 a 2 y papur arholiad. Cwestiwn dehongli hanes drwy ddadansoddi, gwerthuso a chroesgyfeirio dwy ffynhonnell yw hwn. Mae'n werth 8 marc.

TASG

Beth y mae Ffynhonnell A yn ei ddangos i chi am fywyd yn America yn 1928?
(Am arweiniad ar sut i ateb y math hwn o gwestiwn, edrychwch ar dudalen 16.)

Beth oedd nodweddion y gymdeithas draul newydd?

Wrth i fwy o fenywod gael eu cyflogi (gweler tudalen 87), roedd mwy o alw am ddyfeisiau arbed llafur fel peiriannau golchi a sugnwyr llwch.

Roedd yn haws prynu nwyddau ar gredyd trwy gynlluniau hurbwrcasu (gweler tudalen 46).

Daeth adloniant yn boblogaidd ac roedd mwy a mwy o Americanwyr yn prynu setiau radio a gramoffonau.

Erbyn 1927 roedd trydan mewn dwy ran o dair o gartrefi UDA, a chynyddodd y galw am nwyddau trydanol.

Cododd cyflogau'r rhan fwyaf o weithwyr mewn diwydiant. Rhwng 1923 a 1929, cododd y cyflog cyfartalog wyth y cant. Mewn geiriau eraill, roedd gan weithwyr fwy o arian dros ben i wario ar nwyddau traul.

Roedd ffyniant economaidd y 1920au i raddau wedi'i achosi gan dwf prynwriaeth, hynny yw, y galw cynyddol ymysg Americanwyr am nwyddau pob dydd, neu nwyddau i'r cartref yn aml.

Rhesymau dros brynwriaeth

Roedd sawl ffactor yn gyfrifol am y galw cynyddol am nwyddau traul, fel y gwelir yn y diagram uchod.

Ffynhonnell A Hysbyseb ar gyfer oergell, 1929

Hysbysebu

Tyfodd y diwydiant hysbysebu yn gyflym hefyd wrth i fwy a mwy o gwmnïau ddeall manteision hysbysebu er mwyn cynyddu gwerthiant ac elw. Defnyddiodd y diwydiant ddulliau eithaf soffistigedig gan ddefnyddio hysbysebion mwy lliwgar ac arwyddeiriau. Er mai hysbysebion mewn cylchgronau a phapurau newydd oedd y rhai mwyaf poblogaidd o hyd, roedd y radio a'r sinema yn cynnig amrywiaeth eang o gyfleoedd newydd.

Wrth greu'r hysbysebion, roedd y cynllunwyr wedi astudio seicoleg y defnyddiwr, gan ddyfeisio dulliau a fyddai, yn eu barn nhw, yn annog pobl i brynu eu nwyddau. Yn ogystal â defnyddio menywod i hysbysebu llawer o nwyddau, roedd yr hysbysebwyr yn targedu menywod hefyd.

Ffynhonnell B Eglurodd rheolwr cwmni hysbysebu sut i apelio at fenywod. Gwnaeth y sylwadau hyn yn 1926

Menywod sy'n prynu naw rhan o ddeg o'r holl nwyddau a gaiff eu gwerthu bob blwyddyn. Mae menywod yn llawn dychymyg, ac mae hyn yn air o ganmoliaeth gan fod dychymyg yn dod o deimladau a theimladau'n dod o'r galon. Felly, er mwyn cyrraedd menywod, rhaid i hysbysebwyr gofio un o briodweddau mawr y galon, sef cariad. Nid oes llawer o hysbysebwyr yn anwybyddu pwysigrwydd cariad. Mae cyfeiriad ar ffurf gair neu lun ym mhob hysbyseb bron at gariad mam, at y cartref, at y plant, neu at deimladau.

Offer cartref a nwyddau trydanol

Datblygodd y defnydd o drydan yn araf cyn y rhyfel ond tyfodd yn gyflym yn y 1920au. Erbyn 1929 roedd gan y rhan fwyaf o gartrefi yn ninasoedd UDA gyflenwad trydan. Ysgogodd hyn dwf diwydiannol gan fod trydan yn ddull pŵer llawer mwy hyblyg ac effeithlon ar gyfer ffatrïoedd a gweithdai. Bu hefyd yn hwb ar gyfer datblygu amrywiaeth eang o nwyddau trydanol, gan gynnwys y sugnwr llwch, y radio, y **gramoffon**, y ffôn, y peiriant golchi a'r oergell. Er enghraifft:

- Yn 1926 lansiodd Hoover y sugnwr llwch enwog *'beats-as-it-sweeps-as-it-cleans'*, a oedd yn cynnwys y tri dull arferol o lanhau carpedi: curo, ysgubo a sugno. Hon oedd y safon ar gyfer gweddill y farchnad.
- Erbyn 1900 roedd hanner cartrefi America yn defnyddio bocs iâ i gadw bwyd yn oer. Roedd yr iâ a ddefnyddiwyd ar gyfer storio yn ddrud, felly nid oedd gan y cartrefi eraill fawr ddim i gadw bwyd yn oer. Newidiodd hynny'n llwyr pan ddatblygodd cwmni General Electric yr uned Moniter-Top cyntaf yn 1927. Dyma'r oergell gyntaf i'w defnyddio yn eang.

Ffynhonnell C Tabl yn dangos twf nwyddau trydanol yn y 1920au

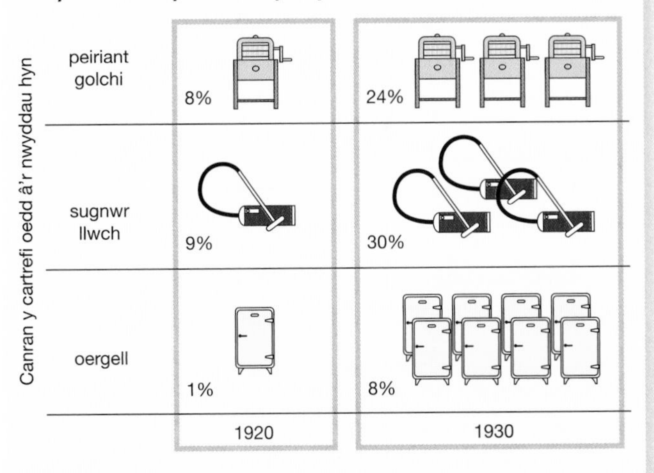

Siopau adrannol

Cynyddodd nifer y siopau adrannol yn y 1920au hefyd wrth i fwy a mwy o bobl brynu nwyddau traul, yn enwedig offer trydanol. Yn y dinasoedd, roedd siopau cadwyn yn gwerthu'r nwyddau newydd oedd nawr ar gael. UDA oedd y wlad gyntaf i gael uwchfarchnad hefyd. Agorodd JC Penney gadwyn o uwchfarchnadoedd o'r enw Piggly Wiggly. Agorodd y cyntaf ym Memphis, Tennessee yn 1916. Roedd y cwsmeriaid yn dewis eu nwyddau eu hunain, oedd â label yn dangos y pris, gan dalu amdanynt wrth y ddesg dalu yn hytrach nag aros am wasanaeth wrth gownter y siop.

Ffynhonnell CH Tu mewn i uwchfarchnad gyntaf Piggly Wiggly

TASGAU

1. Eglurwch pam yr oedd twf mewn prynwriaeth yn UDA yn y 1920au. (Am arweiniad ar sut i ateb y math hwn o gwestiwn, edrychwch ar dudalen 84.)
2. Beth y mae Ffynhonnell A yn ei ddangos i chi am hysbysebu yn y 1920au? (Am arweiniad ar sut i ateb y math hwn o gwestiwn, edrychwch ar dudalen 16.)
3. Pa mor ddefnyddiol yw Ffynhonnell B i hanesydd sy'n astudio'r dulliau a ddefnyddiwyd gan hysbysebwyr yn y 1920au? (Am arweiniad ar sut i ateb y math hwn o gwestiwn, edrychwch ar dudalennau 49–50.)
4. Disgrifiwch y twf mewn perchenogaeth nwyddau trydanol yn y 1920au. (Am arweiniad ar sut i ateb y math hwn o gwestiwn, edrychwch ar dudalen 73.)
5. Meddyliwch am bennawd addas i hysbysebu siop Piggly Wiggly yn Ffynhonnell CH.
6. Gweithiwch gyda phartner i greu slogan neu hysbyseb addas ar gyfer sugnwr llwch Hoover.

Beth oedd dylanwad y diwydiant ceir?

Cafodd y diwydiant ceir ddylanwad pwysig iawn ar ffyniant y 1920au. Roedd wedi arwain y ffordd ym maes newidiadau technolegol ac wedi cyfrannu at dwf diwydiannau eraill.

Henry Ford

Peiriannydd trydanol oedd Henry Ford. Adeiladodd ei gar cyntaf mewn sied frics a oedd ar rent ganddo. Sefydlodd Gwmni Moduron Ford yn Detroit yn 1903. Yn 1908 lansiodd y Ford Model T neu'r 'tin lizzie'. Yr adeg honno, roedd y cynhyrchwyr ceir yn adeiladu sawl model gwahanol mewn amrywiaeth o liwiau. Dangosodd Ford fod yna fanteision (a chostau llai) o gynhyrchu un model safonol mewn 'unrhyw liw cyn belled â'i fod yn ddu'.

Y Gweithlu

Roedd Ford yn credu mewn gwaith caled a byddai'n cerdded o amgylch ei ffatri bob dydd yn annog ei weithwyr i wneud eu gwaith yn gywir. Fodd bynnag, roedd y llinell gydosod yn lle diflas ac undonog i lawer o'r gweithwyr, ac roedd gweithwyr yn gadael yn gyson. O ganlyniad, yn 1914 cyhoeddodd Ford y byddai'n dyblu'r cyflog i $5 y dydd, a oedd yn uwch o lawer na chyflog swyddi tebyg. Rhuthrodd llawer o weithwyr i Detroit i weithio iddo. Lleihaodd hyd y diwrnod gwaith i wyth awr a chyflwynodd drydedd shifft hefyd, fel bod y ffatri yn gweithredu system tair shifft ac yn gweithio 24 awr y dydd.

Y llinell gydosod

Yn 1913 cyflwynodd Ford ddull cynhyrchu ceir llawer mwy effeithlon, sef y llinell gydosod neu'r 'belt hudol'. Roedd wedi gweld pa mor effeithlon oedd y dull hwn mewn ffatrïoedd pacio cig a lladd-dai. Wrth i'r car gael ei roi at ei gilydd, byddai cludfelt trydan yn ei gario'n araf ar hyd y llinell a'r gweithwyr yn sefyll yn eu hunfan yn gwneud tasg benodol, fel gosod yr olwynion neu'r drysau. Roedd hyn yn arbed amser gan fod yr offer a'r cyfarpar yn dod at y gweithiwr yn hytrach na'r gweithiwr yn gwastraffu amser yn mynd i'w nôl. Yn 1913 roedd ffatri Ford yn Detroit yn cynhyrchu un car pob tri munud. Erbyn 1920 roedd yr un ffatri yn cynhyrchu'r un car bob deg eiliad.

Ffynhonnell A Henry Ford yn disgrifio llinell gydosod yng nghanol y 1920au

Mae 45 gweithred wahanol yn y llinell sy'n cynhyrchu'r siasi. Bydd rhai dynion yn gyfrifol am ddwy weithred fach yn unig, ac eraill yn gyfrifol am fwy. Nid yw'r dyn sy'n gosod y rhan yn ei thynhau. Nid yw'r dyn sy'n gosod y follt yn gosod y nyten ac nid yw'r dyn sy'n gosod y nyten yn ei thynhau. Mae gweithred 34 yn rhoi petrol yn y modur, a gweithred 44 yn rhoi dŵr yn y rheiddiadur. Gweithred 45 yw'r olaf ac mae'r car yn cyrraedd y ffordd.

Hysbysebu

Roedd Ford hefyd yn barod i ddefnyddio dulliau hysbysebu modern i werthu ei geir. Er enghraifft, roedd yn deall pa mor bwysig oedd defnyddio menywod deniadol mewn hysbysebion, nid dim ond i annog dynion i brynu'r ceir, ond hefyd i ddangos y gallai menywod eu gyrru!

Ffynhonnell B Hysbyseb ar gyfer car Ford yn 1923

Ceir fforddiadwy

Roedd dulliau busnes a thechnoleg newydd Ford wedi ei alluogi i werthu'r ceir am bris rhatach a gallai llawer o Americanwyr eu fforddio. Yn 1914 roedd Model T yn costio $850. Erbyn 1926 roedd y pris wedi gostwng i $295. Ford hefyd oedd un o'r cyntaf i gyflwyno hurbwrcasu fel dull credyd.

Ffynhonnell C Henry Ford yn siarad yn 1921

Mae'n well gwerthu nifer mawr o geir am elw cymharol fach na gwerthu llai o geir am elw mwy. Rwy'n credu hyn oherwydd ei fod yn galluogi mwy o bobl i brynu a mwynhau defnyddio car ac oherwydd ei fod yn creu swyddi i fwy o ddynion ar gyflog da.

TASGAU

1. Pa mor ddefnyddiol yw Ffynhonnell A i hanesydd sy'n astudio proses y llinell gydosod? (Am arweiniad ar sut i ateb y math hwn o gwestiwn, edrychwch ar dudalennau 49–50.)
2. I ba raddau y mae Ffynhonnell B yn cefnogi'r safbwynt fod hysbysebu wedi cyfrannu'n fawr at werthu ceir Ford? (Am arweiniad ar sut i ateb y math hwn o gwestiwn, edrychwch ar dudalennau 40–41.)
3. Disgrifiwch sut y trefnwyd y gweithlu mewn ffatri Ford. (Am arweiniad ar sut i ateb y math hwn o gwestiwn, edrychwch ar dudalen 73.)
4. Defnyddiwch y wybodaeth yn Ffynhonnell C a'ch gwybodaeth eich hun i egluro pam y gwerthodd Ford gymaint o geir yn y 1920au. (Am arweiniad ar sut i ateb y math hwn o gwestiwn, edrychwch ar dudalennau 27–28.)

Dylanwad y Model T

Ford, yn fwy na neb arall, oedd yn gyfrifol am y twf enfawr mewn perchenogaeth ceir. Erbyn 1925 roedd hanner ceir y byd yn foduron Model T. Yn 1927 adeiladwyd ffatri Ford newydd yn Dearborn, Michigan. Safle River Rouge oedd y ffatri fwyaf yn y byd, yn cyflogi tua 80,000 o weithwyr. Erbyn diwedd y 1920au roedd ffatrïoedd Ford wedi'u sefydlu yn Asia, Awstralia, Canada, De Affrica a De America. Roedd ei ddulliau mor effeithiol nes iddynt gael eu mabwysiadu gan gwmnïau ceir eraill yn UDA, yn ogystal â chwmnïau Citroën a Renault yn Ffrainc a Morris ac Austin yn Lloegr.

Manteision eraill y diwydiant ceir

Achosodd y diwydiant ceir chwyldro yn niwydiannau America – a chafwyd chwyldro cymdeithasol yn ei sgil:

- Gan fod cymaint o ddur, coed, petrol, rwber a lledr yn cael eu defnyddio, creodd y diwydiant ceir swyddi ar gyfer dros 5 miliwn o bobl. Erbyn diwedd y 1920au, roedd ceir a'r diwydiant ceir yn defnyddio 90 y cant o'r petrol, 80 y cant o'r rwber a 75 y cant o'r gwydr a gynhyrchwyd yn UDA.
- Bu newid mawr mewn arferion prynu. Daeth hurbwrcasu yn ffordd o fyw i'r rhan fwyaf o Americanwyr, gan alluogi teulu cyffredin i brynu car.
- Adeiladwyd ffyrdd newydd gan hwyluso trefniadau teithio ac arweiniodd hyn at adeiladu motelau a thai bwyta mewn lleoedd a oedd gynt yn anghysbell.
- Datblygwyd y maestrefi oherwydd yr oedd y bobl yn gallu defnyddio eu ceir i deithio yn bellach i'r gwaith.
- Roedd car yn fanteisiol i bobl yn yr ardaloedd gwledig hefyd oherwydd yr oedd y ffermwr yn gallu cyrraedd y dref leol mewn llai na hanner awr, ac nad oedd ei wraig yn teimlo'n unig yn y ffermdy.
- Nid dim ond pobl gyfoethog oedd yn gallu fforddio cael car, fel oedd yn wir yn Ewrop yng nghanol y 1920au. Roedd un car am bob pum person yn UDA, o gymharu ag un am bob 43 ym Mhrydain ac un am bob 7000 yn yr Undeb Sofietaidd.

Cynyddodd nifer y moduron a gynhyrchwyd yn gyflym iawn, o 1.9 miliwn yn 1920, i 4.5 miliwn yn 1929. Y tri phrif wneuthurwr oedd cwmnïau mawr Ford, Chrysler a General Motors.

TASGAU

5 Beth y mae Ffynhonnell CH yn ei ddangos i chi am effaith y Model T? (Am arweiniad ar sut i ateb y math hwn o gwestiwn, edrychwch ar dudalen 16.)

6 Eglurwch pam yr oedd cymaint mwy o bobl yn berchen ar geir yn America yn ystod y 1920au. (Am arweiniad ar sut i ateb y math hwn o gwestiwn, edrychwch ar dudalen 84.)

7 Lluniwch eich map meddwl eich hun i ddangos sut yr oedd y diwydiant ceir o fudd i sectorau eraill o economi UDA.

Ffynhonnell CH Ceir Model T ar stryd fawr yn UDA yng nghanol y 1920au

Pa ddiwydiannau eraill oedd yn ffynnu?

Cludiant a'r diwydiant adeiladu

Er mai'r diwydiant ceir oedd yn arwain y ffordd, roedd sawl diwydiant arall yn llwyddiannus yn y 1920au. Gwellodd system gludiant UDA yn sylweddol yn ystod y cyfnod hwn. Roedd angen mwy a mwy o ffyrdd wrth i werthiant ceir gynyddu'n gyflym. Roedd teithio mewn bysiau yn boblogaidd hefyd. Erbyn 1930 roedd cyfanswm hyd y ffyrdd wedi dyblu ac erbyn 1929 roedd tair gwaith yn fwy o lorïau ar y ffordd, sef cyfanswm o 3.5 miliwn.

Dechreuodd teithiau awyren am y tro cyntaf yn y 1920au hefyd. Erbyn 1929 roedd 162,000 o deithiau hedfan domestig a masnachol. Lindbergh oedd y person cyntaf i hedfan yn unigol heb stopio ar draws yr Iwerydd, a defnyddiodd ei enwogrwydd i hybu datblygiad cyflym **hedfan masnachol** UDA.

Arweiniodd y twf economaidd at fwy o alw am adeiladau o bob math, o siopau adrannol, ffatrïoedd a thai yn y maestrefi, i swyddfeydd, ysbytai ac adeiladau'r llywodraeth. Adeiladwyd llawer o swyddfeydd yn sgil y cynnydd mawr yn nifer y banciau, cwmnïau yswiriant a hysbysebu, a safleoedd arddangos ar gyfer ceir a nwyddau trydanol newydd. Datblygwyd deunyddiau newydd ac yn eu sgil codwyd mathau newydd o adeiladau, gan gynnwys nendyrau. Roedd yr adeiladau uchel hyn yn creu mwy o le ac yn gweddnewid gorwel dinasoedd mawr fel Efrog Newydd.

Y 1920au oedd oes newydd y nendwr a byddai'r cwmnïau mawr yn cystadlu yn erbyn ei gilydd i godi'r swyddfeydd mwyaf crand. Gwelwyd y twf mwyaf syfrdanol yn Efrog Newydd, gydag adeilad Woolworth yn 1913 yn arwain y ffordd. Cafodd adeilad yr Empire State gyda 102 o loriau ei gwblhau yn 1931, gan gymryd lle'r adeilad uchaf diweddaraf sef pencadlys newydd Chrysler â'i gynllun Art Deco trawiadol. Roeddent i gyd yn arwydd o **gyfalafiaeth** a llwyddiant America.

Roedd diwydiant adeiladu UDA yn fwy prysur nag erioed o'r blaen yn y 1920au. Roedd hefyd yn hybu twf diwydiannau dibynnol fel cwmnïau brics, teils, gwydr, dodrefn a nwyddau trydanol.

Ffynhonnell A Gweithwyr adeiladu Efrog Newydd yn bwyta eu cinio ar ben trawst dur 250 metr uwchben y ddaear, Medi 1932

TASGAU

1 Beth y mae Ffynhonnell A yn ei ddangos i chi am ddatblygiadau yn y diwydiant adeiladu? (Am arweiniad ar sut i ateb y math hwn o gwestiwn, edrychwch ar dudalen 16.)

2 Eglurwch pam y daeth hi'n haws teithio yn America yn ystod y 1920au. (Am arweiniad ar sut i ateb y math hwn o gwestiwn, edrychwch ar dudalen 84.)

3 I ba raddau yr oedd datblygiadau yn y diwydiant ceir yn gyfrifol am ffyniant economaidd y 1920au?

Dylech roi safbwyntiau'r ddwy ochr i'r cwestiwn hwn:

- trafodwch y newidiadau yn y dulliau o gynhyrchu ceir
- trafodwch ddulliau a newidiadau eraill a gyfrannodd at dwf ffyniant economaidd

a dod i benderfyniad.

(Am arweiniad ar sut i ateb y math hwn o gwestiwn, edrychwch ar dudalennau 91–92.)

Pa grwpiau a sectorau nad oeddent wedi ffynnu?

Nid oedd pob diwydiant yn ffynnu yn y 1920au. Yn wir, gwelodd rhai ohonynt eu marchnadoedd yn lleihau a bu'n rhaid wynebu heriau newydd. Nid oedd ffordd o fyw llawer o bobl ddu America a mewnfudwyr wedi gwella llawer chwaith.

Ffermwyr

Roedd tua 30 miliwn o bobl yn ennill bywoliaeth drwy ffermio, ac roedd hanner poblogaeth America yn byw mewn ardaloedd gwledig, gan wneud bywoliaeth yn aml o werthu peiriannau neu ddarparu gwasanaethau i ffermwyr. Roedd ffermio UDA wedi elwa ar y Rhyfel Byd Cyntaf. Diolch i beiriannau newydd fel y dyrnwr medi, diwydiant ffermio America oedd y mwyaf effeithlon yn y byd.

Ond roedd y ffermwyr yn cynhyrchu llawer mwy o fwyd na'r hyn oedd ei angen ar bobl America. Yn ystod y rhyfel, roedd y ffermwyr wedi gallu gwerthu gweddill eu cynnyrch i Ewrop. Newidiodd y sefyllfa ar ôl y rhyfel:

- Roedd ffermwyr Ewropeaidd yn gallu tyfu digon o fwyd i fodloni eu hanghenion eu hunain.
- Daeth cystadleuaeth gref oddi wrth ffermwyr Canada, Awstralia a'r Ariannin, a oedd yn cyflenwi llawer o rawn ar gyfer marchnad y byd.

Ond ni allai ffermwyr America wneud fawr ddim arall heblaw parhau i gynhyrchu mwy o fwyd, gyda chymorth peiriannau gwell. O ganlyniad, aeth llawer o ffermwyr bach i'r wal am eu bod yn cael llai o bris am eu cynnyrch.

Gyda llai o incwm, roedd hi'n anodd i ffermwyr dalu eu morgeisi. Cafodd rhai eu troi allan a bu'n rhaid i eraill werthu eu tir i glirio eu dyledion. Aeth rhai ohonynt yn **gyfran-gnydwyr** (*sharecroppers*) (tenant fferm a oedd yn rhoi cyfran o'i gnwd fel rhent). Yn 1924 yn unig, roedd dros 600,000 o ffermwyr yn fethdalwyr.

Yn y 1920au am y tro cyntaf yn hanes UDA, roedd llai o weithwyr fferm. Benthycodd ffermwyr dros $2 filiwn er mwyn cadw eu tir, ond roedd hi'n anodd benthyg arian yn aml gan nad oedd y banciau yn ystyried ffermwyr yn risg da. Yn 1919 roedd cyfanswm incwm y ffermydd yn $22 biliwn. Erbyn 1928 roedd wedi gostwng i $13 biliwn.

Ffynhonnell B Tractor Fordson a werthwyd gan Parkway Motor Co., Washington DC, tua 1921

Ffynhonnell A Detholiad o brisiau fferm UDA, 1919–25

Blwyddyn	Gwartheg y pen ($)	Cotwm fesul 500 gram (sent)	Gwenith fesul bwysel ($)
1919	54.65	35.34	2.16
1920	52.64	15.89	1.83
1921	39.07	17.00	1.03
1922	30.09	22.88	0.97
1923	31.66	28.69	0.93
1924	32.11	22.91	1.25
1925	31.72	19.61	1.44

Ffynhonnell C Cyfran-gnydwyr yn y 1920au

TASGAU

1 Defnyddiwch y wybodaeth o Ffynhonnell A a'ch gwybodaeth eich hun i egluro pam yr oedd ffermwyr yn wynebu problemau yn y 1920au. (Am arweiniad ar sut i ateb y math hwn o gwestiwn, edrychwch ar dudalennau 27–28.)

2 Beth y mae Ffynhonnell B yn ei ddangos i chi am ffermio ar ddechrau'r 1920au? (Am arweiniad ar sut i ateb y math hwn o gwestiwn, edrychwch ar dudalen 16.)

3 Astudiwch y map meddwl isod. Awgrymwch resymau pam yr oedd pob un o'r problemau'n niweidiol i ffermwyr yn y 1920au.

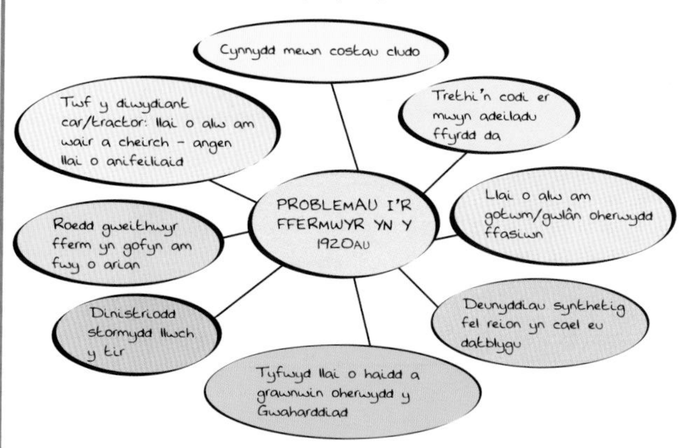

4 Beth y mae Ffynhonnell C yn ei ddangos i chi am gyfran-gnydwyr du? (Am arweiniad ar sut i ateb y math hwn o gwestiwn, edrychwch ar dudalen 16.)

5 Disgrifiwch ffordd o fyw Americanwyr du yn UDA yn y 1920au. (Am arweiniad ar sut i ateb y math hwn o gwestiwn, edrychwch ar dudalen 73.)

Americanwyr du

Roedd bywyd yn galed i Americanwyr du yn ystod y cyfnod hwn. Roedd deg y cant o boblogaeth UDA yn bobl ddu ac roedd 85 y cant ohonynt yn parhau i fyw yn y de ac yn gweithio fel labrwyr neu gyfran-gnydwyr. Collodd tri chwarter miliwn o weithwyr fferm du eu swyddi yn ystod y 1920au.

Symudodd llawer o Americanwyr du i'r gogledd i chwilio am waith yn ystod y Rhyfel Byd Cyntaf. Fodd bynnag, yn ninas Milwaukee yn y gogledd roedd 60 y cant o fenywod du yn gweithio fel morwynion yng nghartrefi'r gwynion, gan ennill cyflog isel. Dim ond nifer bach o bobl ddu roedd y ffatrïoedd ceir yn ei gyflogi, ac roedd rhai â pholisi o gyflogi gwynion yn unig. Gweithwyr du yn nhrefi'r gogledd oedd yn ennill y cyflogau isaf; yr unig waith oedd ar gael iddynt oedd swyddi gwael gyda chyflog isel.

Roedd Harlem yn Efrog Newydd yn gartref i lawer o bobl ddu. Roedd hi'n ardal orlawn, ar wahân gyda dros 250,000 o ddinasyddion wedi'u gwasgu i mewn i ardal 50 bloc o hyd ac wyth bloc o led. Roedd yn rhaid i lawer o'r bobl hyn gymryd eu tro i gysgu gan fynd i'r gwely pan oedd eraill yn mynd i'r gwaith. Roedd 'parti rhent' yn gyffredin ar nos Sadwrn i godi arian i dalu'r landlord ar ddydd Sul.

Mewnfudwyr

Roedd mewnfudwyr newydd yn wynebu gwahaniaethu hefyd. Roedd llawer ohonynt yn gweithio yn y diwydiant adeiladu a oedd yn ffynnu, ond roedd cyflogau'n isel oherwydd y cyflenwad cyson o lafur rhad y mewnfudwyr. Roedd y gyfradd diweithdra ymysg mewnfudwyr newydd yn uchel drwy gydol y degawd. Pasiwyd Deddf Cwota Brys yn 1921, ac yn 1924 pasiwyd y Ddeddf Tarddiad Cenedlaethol er mwyn lleihau'r cwota ar gyfer grwpiau newydd o fewnfudwyr, yn enwedig y rhai o Ddwyrain Ewrop (gweler tudalennau 9–10).

Undebau llafur

Roedd y 1920au yn gyfnod o ddirywiad i'r **undebau llafur**. Yn 1919 roedd dros 4 miliwn o weithwyr (neu 21 y cant o'r gweithlu) wedi cymryd rhan mewn tua 3600 o streiciau. Fodd bynnag, yn ystod 1929 cymerodd tua 289,000 o weithwyr (neu 1.2 y cant o'r gweithlu) ran mewn 900 o streiciau yn unig. Ymunodd llai o aelodau â'r undebau a chynhaliwyd llai o weithgareddau oherwydd y rhesymau canlynol:

- Roedd ffyniant economaidd y degawd wedi arwain at brisiau sefydlog, gan ddileu un o'r prif resymau dros ymuno ag undeb.
- Arweiniodd cyflogwyr ar draws y wlad ymgyrch lwyddiannus yn erbyn yr undebau, sef y 'Cynllun Americanaidd'. Nod y cynllun oedd portreadu'r undebau fel rhywbeth 'estron' i syniad o bwysigrwydd yr unigolyn. Defnyddiodd rhai cyflogwyr, fel Cymdeithas Genedlaethol y Gwneuthurwyr, dactegau **Bygythiad Coch** i danseilio undebaeth drwy eu cysylltu â gweithgareddau comiwnyddol.
- Roedd y llywodraethau Gweriniaethol, fel y dynion busnes, yn erbyn undebau llafur.
- Roedd cyflogwyr yn gallu defnyddio trais i dorri streiciau a gwrthod cyflogi aelodau'r undebau llafur.
- Cafodd undebau eu gwahardd yn gyfan gwbl o'r diwydiant ceir.
- Roedd cyflogwyr yn gallu cadw cyflogau'n isel ac oriau gwaith yn hir ar adeg pan oedd elw yn codi'n gyflym.

Ffynhonnell CH Gorymdaith newyn gan weithwyr yn Washington yn y 1920au

Diwydiannau hŷn

Dirywiodd diwydiannau traddodiadol America yn ystod y 1920au.

Y diwydiant glo

Roedd tua 12,000 o byllau glo a 700,000 o lowyr yn UDA ar ddechrau'r 1920au. Ond roedd llai o alw am lo yn y 1920au am sawl rheswm:

- Roedd olew a'i sgil-gynnyrch ar gael yn fwy eang.
- Roedd nwy a thrydan yn cael eu defnyddio'n fwy eang.
- Roedd mwy o gystadleuaeth o wledydd tramor, yn enwedig glo rhad o Wlad Pwyl.

Caeodd nifer mawr o byllau glo, gan wneud llawer o lowyr yn ddi-waith. Ond ni wnaeth pob un o'r cyflogwyr ddiswyddo eu glowyr. Un ateb oedd eu cyflogi i weithio llai o oriau. Roedd llawer o streiciau ar draws yr ardaloedd glofaol er mwyn ceisio sicrhau cyflogau derbyniol ac amodau gwaith gwell. Anaml iawn yr oedd y streiciau hyn yn llwyddo, ac mewn rhai achosion, cafodd swyddogion yr heddlu a milwyr y wlad eu defnyddio yn erbyn y streicwyr. Er enghraifft, yn 1922 aeth 600,000 o lowyr ar streic am bedwar mis i geisio sicrhau amodau gwell. Methodd y streic. Erbyn 1929, roedd y glowyr yn ennill cyflog o $100 y mis ar gyfartaledd, tra bod briciwr yn Efrog Newydd yn gallu ennill dros $300 y mis.

TASGAU

6 Eglurwch pam y dirywiodd undebau llafur yn y 1920au. (Am arweiniad ar sut i ateb y math hwn o gwestiwn, edrychwch ar dudalen 84.)

7 Beth y mae Ffynhonnell CH yn ei ddangos i chi am UDA yn y 1920au? (Am arweiniad ar sut i ateb y math hwn o gwestiwn, edrychwch ar dudalen 16.)

8 Defnyddiwch y wybodaeth o Ffynhonnell D a'ch gwybodaeth eich hun i egluro problemau'r diwydiant glo yn y 1920au. (Am arweiniad ar sut i ateb y math hwn o gwestiwn, edrychwch ar dudalennau 27–28.)

Ffynhonnell D Dau streiciwr o Pennsylvania yn chwilio am gefnogaeth a chyfraniadau ariannol yn Efrog Newydd ym mis Rhagfyr 1927

Y diwydiant rheilffordd

Dirywiodd y diwydiant rheilffordd oherwydd y twf enfawr yn nifer y perchenogion ceir yn y 1920au. Arweiniodd hyn at ostyngiad yn nifer y bobl oedd yn teithio ar y rheilffordd. Roedd y rhwydwaith ffordd cenedlaethol yn datblygu'n gyflym ac roedd ceir a phetrol ar gael yn rhad. O ganlyniad, roedd y cwmnïau rheilffordd yn wynebu her ddifrifol iawn. Roedd yr her yn ormod iddynt. Roedd pethau'n arbennig o anodd i'r cwmnïau rheilffordd mewn rhai o'r dinasoedd mawr, lle'r oedd rheilffyrdd trydan wedi'u hadeiladu cyn 1914.

Roedd y cwmnïau rheilffordd yn cludo deg y cant yn fwy o nwyddau yn y 1920au, ond byddai'r cynnydd hwn wedi bod yn fwy o lawer oni bai am y cynnydd yn y traffig ar y ffordd. Ychydig iawn o gwmnïau rheilffordd oedd yn gwneud elw mawr yn ystod y cyfnod hwn.

Y diwydiant tecstilau

Roedd y diwydiant tecstilau'n wynebu problemau am sawl rheswm:

- Pan gafodd y tollau ar wlân a chotwm eu gostwng yn 1913 roedd diwydiant tecstilau UDA yn wynebu cystadleuaeth gref o dramor.
- Roedd cynnyrch newydd wedi cyrraedd y farchnad hefyd, sef reion. Roedd y ffibr gwneud hwn yn rhatach o lawer i'w gynhyrchu na gwlân, cotwm a sidan. Roedd angen llai o weithwyr a llai o brosesu i gynhyrchu reion o gymharu â ffibrau naturiol. Cynhyrchwyd 4.5 miliwn kg o reion yn 1920, ond cynyddodd i 50 miliwn kg erbyn diwedd y 1920au.
- Newidiadau ffasiwn dramatig i fenywod. Erbyn diwedd y Rhyfel Byd Cyntaf roedd gwisgoedd menywod yn fyrrach o lawer o gymharu ag 1914. Roedd ffasiwn cyfnod y 1920au hyd yn oed yn fwy cwta, ac ar gyfartaledd gellid cynhyrchu tair gwisg allan o'r deunydd a ddefnyddiwyd i wneud un ffrog yn 1914.

Ymatebodd perchenogion melinau mewn sawl ffordd. Yn ardaloedd y gogledd fel Massachusetts, caeodd y melinau tecstil neu fe'u symudwyd i'r de lle'r oedd llafur yn rhad. Yn nhaleithiau'r de, llwyddodd perchenogion y melinau i gadw cyflogau'n isel drwy gyflogi menywod neu blant. Tua diwedd y 1920au, roedd gweithiwr mewn melin yn y de yn ennill $13 am wythnos 60 awr ar gyfartaledd. O ganlyniad i'r cyflogau isel, bu cynnydd yn nifer y streiciau yn y diwydiant yn ystod y 1920au.

Ffynhonnell DD Darn o'r gân 'Cotton Mill Colic' gan Dave McCarn (1905–64), gweithiwr yn y felin a chanwr gwerin o Ogledd Carolina. Ysgrifennwyd y gân yn 1926.

When you go to work you work like the devil,
At the end of the week you're not on the level
Payday comes, you pay your rent,
When you get through you've not got a cent
To buy fat-back meat, pinto beans,
Now and then you get turnip greens.
No use to colic, we're all that way,
Can't get the money to move away.
I'm a-gonna starve, and everybody will,
'Cause you can't make a living at a cotton mill.
Twelve dollars a week is all we get,
How in the heck can we live on that?
I've got a wife and fourteen kids,
We all have to sleep on two bedsteads.
Patches on my britches, holes in my hat,
Ain't had a shave, my wife got fat.
No use to colic, everyday at noon,
The kids get to crying in a different tune.
I'm a-gonna starve, and everybody will,
'Cause you can't make a living at a cotton mill.

TASGAU

9 Eglurwch pam nad oedd y rheilffyrdd yn ffynnu yn y 1920au. (Am arweiniad ar sut i ateb y math hwn o gwestiwn, edrychwch ar dudalen 84.)

10 Pa mor ddefnyddiol yw Ffynhonnell DD i hanesydd sy'n astudio problemau'r diwydiannau tecstilau yn y 1920au? (Am arweiniad ar sut i ateb y math hwn o gwestiwn, edrychwch ar dudalennau 49–50.)

11 Copïwch a chwblhewch y tabl isod. Rhowch y broblem bwysicaf yn gyntaf.

Problemau ar gyfer y diwydiant glo	Problemau ar gyfer y diwydiant tecstilau	Problemau ar gyfer y diwydiant rheilffordd

12 Gweithiwch mewn grwpiau o dri neu bedwar i ysgrifennu cân yn nodi problemau gweithwyr yn yr 'hen' ddiwydiannau yn ystod y 1920au.

Arweiniad ar arholiadau

Mae'r adran hon yn rhoi arweiniad ar sut i ateb cwestiwn 1(d) yn Unedau 1 a 2. Mae'r cwestiwn yn ymwneud â dehongli hanesyddol drwy ddadansoddi, gwerthuso a chroesgyfeirio dwy ffynhonnell.

Cwestiwn 1(d) – safbwyntiau gwahanol

Pam y mae Ffynonellau A a B yn mynegi safbwyntiau gwahanol am sut yr effeithiodd ffyniant economaidd ar y gymdeithas yn America? Dylech gyfeirio at gynnwys y ffynonellau a'r awduron yn eich ateb. (8 marc)

Mae'r ffynonellau hyn yn dweud pethau gwahanol am effaith ffyniant economaidd yn America yn ystod y 1920au. Mae'r ymgeisydd wedi tanlinellu'r pwyntiau pwysicaf. I weld ymateb yr ymgeisydd, ewch i dudalen 64.

Ffynhonnell A Herbert Hoover, ymgeisydd Arlywyddol y Gweriniaethwyr, yn cyfarch cyfarfod etholiad yn 1928

Mae America yn gwybod bod y wlad wedi mwynhau bodlonrwydd perffaith a ffyniant parhaol dros y deg mlynedd diwethaf o dan y Gweriniaethwyr. Mae byd busnes yn hapus, felly hefyd pob person da sy'n cefnogi America.

Ffynhonnell B O werslyfr ysgol gan John Traynor, *The USA 1918–1941* (1997)

Os digwyddodd y 'Dauddegau Gwyllt' o gwbl, yn y dinasoedd oedd hynny yn bennaf. Roedd y sefyllfa yn wahanol iawn yng nghefn gwlad. I'r rhan fwyaf o ffermwyr America, roedd y 1920au yn ddegawd o dlodi a chaledi. Roedd y rhan fwyaf o ffermwyr yn byw mewn cabanau bach to sinc, heb drydan, dŵr na thoiled yn aml. Fel y tyfodd eu dyledion, bu'n rhaid i lawer o ffermwyr bach ildio eu tir.

Cyngor ar sut i ateb

Mae'n rhaid i chi gyfeirio at gynnwys y ddwy ffynhonnell, ei gysylltu â'ch gwybodaeth eich hun am y cyfnod hwn ac ystyried priodoliad y ddwy ffynhonnell. I wneud hyn, bydd angen i chi ddadansoddi'r ddwy ffynhonnell yn drylwyr.

- Mae'n rhaid i chi ddarllen y ddwy ffynhonnell yn ofalus a thanlinellu neu uwcholeuo'r manylion pwysicaf. Gallwch hefyd ysgrifennu nodiadau wrth ymyl y ffynhonnell am sut y mae'n cysylltu â'ch gwybodaeth am y cyfnod hwn.
  - A yw'n cadarnhau eich gwybodaeth?
  - A yw'n cyfeirio at ran o'r ateb yn unig ac a oes rhai pwyntiau pwysig ar goll?
  - A yw'n cytuno neu'n anghytuno â'r hyn sy'n cael ei ddweud yn y ffynhonnell arall?

  Bydd hyn yn eich galluogi i gymharu a chyferbynnu'r ddwy ffynhonnell o safbwynt gwerth eu cynnwys.
- Yn awr mae'n rhaid i chi ystyried tarddiad pob ffynhonnell, gan nodi pwy yw'r awduron a phryd y gwnaed y sylwadau hyn. Er enghraifft, a ydynt yn ffynonellau gwreiddiol neu eilaidd?
- Wedyn dylech ystyried pwrpas pob ffynhonnell, gan nodi o dan ba amgylchiadau y cawsant eu hysgrifennu. Er enghraifft, ai hanesydd modern neu rywun o'r cyfnod sydd wedi ysgrifennu'r ffynhonnell? A yw'r awdur yn mynegi safbwynt unochrog, ac os ydyw, pam?

I gael marciau llawn mae'n rhaid i chi roi ateb cytbwys sy'n cael ei gefnogi'n dda gan y ddwy ffynhonnell a'ch gwybodaeth eich hun. Mae angen ystyried priodoliadau'r ddwy ffynhonnell yn fanwl hefyd.

Wedi ystyried **tarddiad** Ffynhonnell A ac archwilio'r **cynnwys** a'r **pwrpas**.

Wedi ystyried **tarddiad** Ffynhonnell B ac archwilio'r **cynnwys** a'r **pwrpas**.

Wedi cymharu pa mor ddibynadwy a defnyddiol yw'r ddwy ffynhonnell. Wedi cyfeirio yn ôl at y cwestiwn i gloi.

Ymateb yr ymgeisydd

Ffynhonnell wreiddiol yw Ffynhonnell A. Mae'n rhan o araith Herbert Hoover yn 1928 pan oedd yn ymgyrchu i gael ei ethol yn Arlywydd nesaf America. Roedd Hoover yn Weriniaethwr ac roedd arlywyddion Gweriniaethol wedi rheoli America trwy gydol y 1920au. Mae'n nodi sut yr oedd ei ragflaenwyr wedi creu economi lwyddiannus yn UDA lle'r oedd pobl wedi ffynnu. Roedd polisïau Gweriniaethol wedi arwain at 'fodlonrwydd perffaith a ffyniant parhaol'. Roedd pobl wedi elwa ar bolisïau o'r fath, yn enwedig busnesau UDA. Fodd bynnag, mae'r ffynhonnell hon yn debyg o fod yn unochrog iawn gan fod Hoover yn ymgyrchu i gael ei ethol ac mae eisiau osgoi dweud unrhyw beth negyddol am gyfraniad arlywyddion Gweriniaethol blaenorol at yr economi. Mae eisiau argyhoeddi'r etholwyr y byddai'n parhau â pholisïau o'r fath.

Ffynhonnell eilaidd yw Ffynhonnell B sy'n dod o werslyfr hanes ar gyfer ysgolion a ysgrifennwyd yn 1997. Awdur y llyfr yw hanesydd o'r enw John Traynor a fyddai wedi ymchwilio i'r pwnc hwn. Mae'n ysgrifennu flynyddoedd ar ôl y digwyddiadau a byddai wedi cael digon o amser i ddefnyddio amrywiaeth o ffynonellau gwreiddiol ac eilaidd i ysgrifennu darn cytbwys. Mae Traynor yn credu nad oedd pawb yn America yn gallu mwynhau amseroedd da'r 'Dauddegau Gwyllt', yn enwedig y ffermwyr tlawd. Roedd ffordd o fyw'r ffermwyr yn dlawd ac yn gyntefig gan eu bod yn 'byw mewn cabanau bach, heb drydan na dŵr'. Bu'n rhaid i lawer ohonynt werthu eu ffermydd a gadael y tir. Mae hyn yn wahanol iawn i'r hyn a nodir yn Ffynhonnell A.

Mae'r ddwy ffynhonnell yn dweud pethau cyferbyniol am effaith y ffyniant economaidd oherwydd iddynt gael eu hysgrifennu o dan amgylchiadau gwahanol. Roedd Hoover yn ceisio ennill pleidleisiau i gael ei ethol yn Arlywydd Gweriniaethol nesaf America. Mae'n siŵr felly y byddai'n cyfeirio at y manteision da ac yn anwybyddu'r rhai drwg. Mae ei ddehongliad yn unochrog iawn. Hanesydd yw Traynor sydd wedi gallu ystyried y digwyddiadau sawl degawd yn ddiweddarach. Fodd bynnag, mae ei safbwynt yn gul iawn oherwydd mae'n ystyried yr effaith ar un grŵp o Americanwyr yn unig. Mae'r ddau safbwynt yn methu cyfleu'r darlun cyfan ac nid ydynt yn ddigon cytbwys. Am y rhesymau hyn maent yn dehongli ffyniant economaidd y 1920au mewn ffordd wahanol.

Sylw'r arholwr: Mae'r ateb hwn wedi'i ddatblygu'n dda. Mae'r ymgeisydd wedi gwerthuso pob ffynhonnell yn drylwyr, gan gyfeirio'n glir at gynnwys, tarddiad a phwrpas. Mae wedi egluro'r cynnwys a darparu cyd-destun ar ei gyfer, gan gysylltu'r deunydd â'r darlun ehangach. Mae wedi ystyried y ddau briodoliad yn dda, gan gyfeirio at darddiad a phwrpas pob ffynhonnell ac mae'n nodi'r rhesymau am safbwynt unochrog posibl a/neu faterion dibynadwyedd. Mae'r paragraff olaf yn cymharu ac yn cyferbynnu'r ddwy ffynhonnell ac yn cyfeirio'n ôl yn uniongyrchol at y cwestiwn i gloi. Mae'r ateb yn cyrraedd y lefel uchaf ac yn haeddu'r 8 marc llawn.

6 Pam y gwnaeth y ffyniant hwn orffen mor sydyn yn 1929?

Ffynhonnell A Brocer stoc yn ceisio gwerthu ei gar ddiwedd mis Hydref 1929 ar ôl digwyddiadau Cwymp Wall Street

TASG

Beth y mae Ffynhonnell A yn ei ddangos i chi am gyflwr economi UDA erbyn diwedd 1929? (Am arweiniad ar sut i ateb y math hwn o gwestiwn, edrychwch ar dudalen 16.)

Ym mis Hydref 1929 cwympodd marchnad stoc Wall Street yn America. Problemau tymor hir gydag economi UDA oedd yn gyfrifol am hyn, yn enwedig gorgynhyrchu a hapfasnachu gwyllt ar y farchnad stoc. Roedd effeithiau uniongyrchol Cwymp Wall Street yn drychinebus i UDA ac i lawer o wledydd eraill yn Ewrop, yn enwedig Prydain a'r Almaen. Yn America, aeth llawer o fanciau'n fethdalwyr, gan arwain at ddirwasgiad a diweithdra uchel iawn. Daeth y Dauddegau Gwyllt i ben yn sydyn iawn gyda chanlyniadau gwael i lawer o bobl.

Mae'r bennod hon yn ateb y cwestiynau canlynol:

- Beth oedd y rhesymau tymor hir dros ddiwedd y ffyniant?
- Beth oedd y rhesymau tymor byr dros ddiwedd y ffyniant?
- Beth oedd y digwyddiadau yn ystod Cwymp Wall Street?
- Beth oedd effeithiau uniongyrchol Cwymp Wall Street?

Arweiniad ar arholiadau

Drwy'r bennod hon, byddwch yn cael cyfle i ymarfer cwestiynau arholiad o wahanol arddull a rhoddir arweiniad manwl ar sut i ateb cwestiynau 2(b) a 3(b) yn Unedau 1 a 2 y papur arholiad. Cwestiwn disgrifio yw hwn sy'n werth 5 marc.

Beth oedd y rhesymau tymor hir dros ddiwedd y ffyniant?

Yn ystod hydref 1929 cwympodd prisiau cyfranddaliadau ar farchnad stoc UDA, gan ddileu cyfoeth llawer o Americanwyr. Arweiniodd y Cwymp at Ddirwasgiad Mawr y 1930au – y dirywiad economaidd gwaethaf yn hanes UDA. Roedd miliynau o Americanwyr yn ddi-waith yn ystod y cyfnod hwn, collodd miloedd eu cartrefi, ac roedd llawer yn crwydro'r wlad mewn wagenni rheilffordd. Aeth banciau'n fethdalwyr a chollodd pobl yr arian a gynilwyd ganddynt.

Roedd sawl rheswm tymor hir dros y Cwymp yn 1929, gan gynnwys:

- gorgynhyrchu
- cwymp yn y galw am nwyddau traul
- y cynnydd mewn gwerth tir ac eiddo.

Ffynhonnell A Datganiad gan un o brif economegwyr UDA yn 1928, yn egluro pryder rhai economegwyr ynglŷn â'r cynnydd sydyn mewn prisiau cyfranddaliadau

Mae cwymp yn dod, yn hwyr neu'n hwyrach. Efallai y bydd yn ddifrifol iawn gyda ffatrïoedd yn cau, dynion yn colli eu swyddi a byd busnes yn dioddef dirwasgiad ofnadwy.

Gorgynhyrchu

Mae'r diagram isod yn dangos y problemau a ddaeth yn sgil gorgynhyrchu.

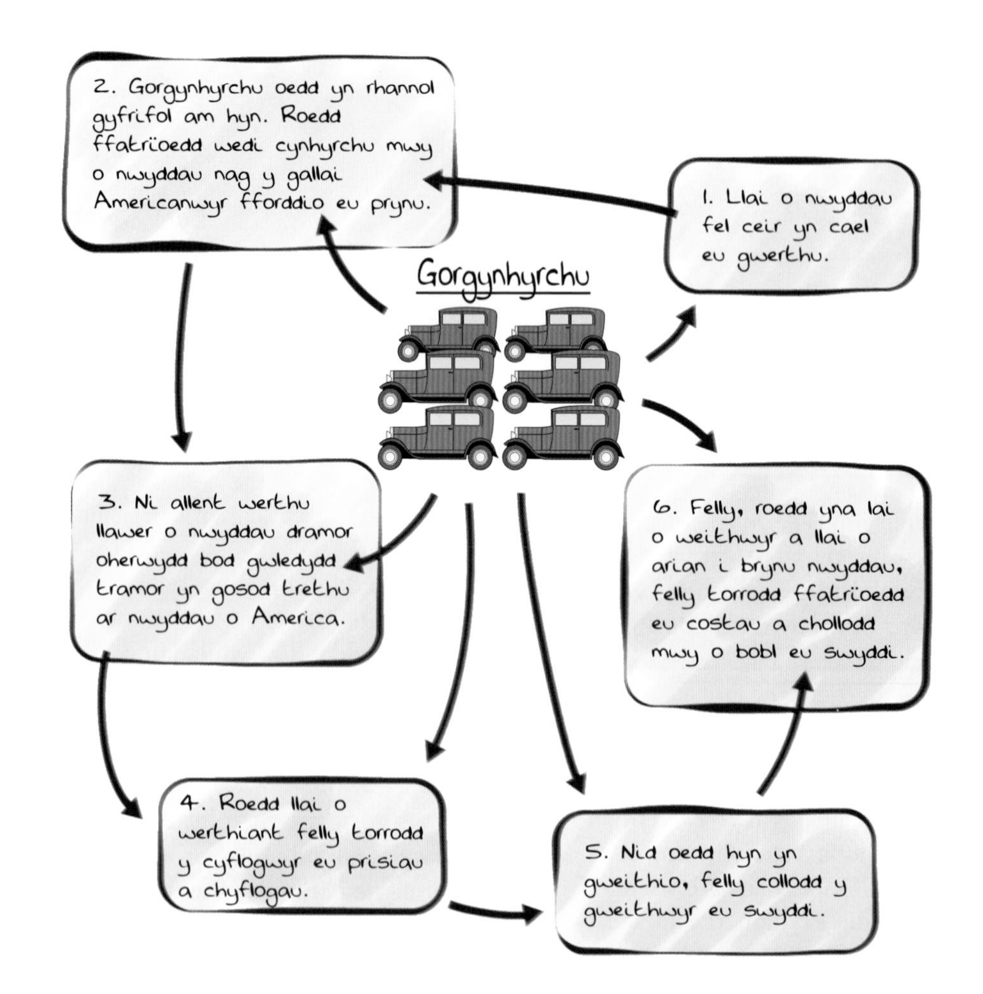

Cwymp yn y galw am nwyddau traul

Mae sawl rheswm wedi cael eu cysylltu â'r cwymp hwn.

- Dosbarthiad cyfoeth anghyfartal. Nid oedd pawb yn rhannu cyfoeth newydd y 1920au. Roedd gan bron 50 y cant o deuluoedd America incwm o lai na $2000 y flwyddyn, sef y lleiafswm oedd ei angen i oroesi. Ni allent fforddio prynu'r nwyddau traul newydd. Nid oedd rhai cynhyrchwyr wedi sylweddoli bod yna derfyn ar yr hyn y gallai pobl ei brynu, felly roeddent yn parhau i gynhyrchu mwy o nwyddau. Canlyniad hyn oedd gorgynhyrchu.
- Ni allai UDA werthu gweddill ei nwyddau i wledydd eraill, yn enwedig gwledydd Ewrop. Roedd rhai gwledydd Ewropeaidd mewn dyled enfawr i UDA ac yn ei chael hi'n anodd ad-dalu'r arian. Roedd llywodraeth UDA wedi rhoi tollau uchel ar nwyddau tramor yn y 1920au (gweler tudalen 48). Penderfynodd llawer o lywodraethau tramor wneud yr un peth i nwyddau America, ac roedd yn anodd i ddynion busnes UDA werthu eu nwyddau dramor. Felly, roedd un farchnad ddelfrydol ar gyfer y nwyddau hyn ar gau.
- Yn ystod y Rhyfel Byd Cyntaf roedd banciau UDA wedi benthyg arian i sawl gwlad Ewropeaidd. Roedd yn anodd iawn i'r gwledydd hyn ad-dalu'r benthyciadau yn y 1920au.

Y cynnydd mewn gwerth tir ac eiddo

Un o ganlyniadau ffyniant mawr y 1920au oedd cynnydd sylweddol mewn gwerth tir ac eiddo. Gwelodd talaith Florida gynnydd sylweddol mewn gwerth tir gyda llawer o hapfasnachwyr yn ceisio manteisio ar y sefyllfa drwy brynu eiddo neu dir. Roedd rhai pobl wedi benthyg llawer o arian i wneud hyn, gan gredu y gallent gadw'r eiddo am gyfnod byr a'i werthu wedyn ar ôl i'w werth gynyddu. Fodd bynnag, yn 1926 dechreuodd prisiau eiddo ddisgyn yn sylweddol yn Florida, gan adael llawer o berchenogion tai gydag ecwiti negyddol. Roedd hyn yn golygu bod eu tir neu eiddo yn werth llawer llai na'r pris gwreiddiol. Roedd hyn yn rhybudd bod economi UDA yn y broses o ail-addasu, ond anwybyddodd llawer o fuddsoddwyr y rhybudd hwn.

TASGAU

1. Pa mor ddefnyddiol yw Ffynhonnell A i hanesydd sy'n astudio'r rhesymau tymor hir dros Gwymp Wall Street? (Am arweiniad ar sut i ateb y math hwn o gwestiwn, edrychwch ar dudalennau 49–50.)
2. Beth y mae Ffynhonnell B yn ei ddangos i chi am broblemau gorgynhyrchu? (Am arweiniad ar sut i ateb y math hwn o gwestiwn, edrychwch ar dudalen 16.)
3. Disgrifiwch y rhesymau tymor hir dros Gwymp Wall Street. (Am arweiniad ar sut i ateb y math hwn o gwestiwn, edrychwch ar dudalen 73.)

Ffynhonnell B Cartŵn yn dangos problemau masgynhyrchu 1927

Beth oedd y rhesymau tymor byr dros ddiwedd y ffyniant?

Roedd y rhesymau tymor byr dros ddiwedd y ffyniant yn cynnwys:

- hapfasnachu gormodol ar y farchnad stoc
- y ffaith fod credyd ar gael yn hawdd.

Hapfasnachu gwyllt ar y farchnad stoc

Yn ystod y 1920au, prynodd mwy a mwy o Americanwyr gyfranddaliadau ar y gyfnewidfa stoc ac roedd prisiau'n parhau i godi. Fodd bynnag, yn 1928, ni wnaeth prisiau cyfranddaliadau godi cymaint ag yn y blynyddoedd blaenorol. Y rheswm dros hyn oedd bod llawer o gwmnïau yn gwerthu llai o nwyddau ac yn gwneud llai o elw. Roedd llai o bobl yn barod i brynu eu cyfranddaliadau ac roedd llai o hyder yn y farchnad. Roedd hyn yn rhybudd, ond pan ddechreuodd prisiau cyfranddaliadau godi eto, aeth pobl yn farus ac ailddechrau hapfasnachu.

Ffynhonnell A Rhybudd dyn busnes yn 1928 am beryglon hapfasnachu gwyllt

Mae llawer o ddynion wedi ymuno â'r hapfasnachwyr dibrofiad ar ôl darllen storïau papur newydd. Mae'r storïau hyn yn sôn am yr elw mawr, hawdd sydd ar gael drwy fentro ar y farchnad stoc. Nid yw'r amaturiaid hyn wedi dysgu bod marchnadoedd yn mynd i banig weithiau a bod prisiau'n gallu gostwng yn sylweddol. Mae'r ffyliaid hyn yn hapfasnachu ar sail cyngor a syniadau byrbwyll. Maen nhw'n prynu neu'n gwerthu yn gwbl ddirybudd.

Ffynhonnell B Graff yn dangos newid pris cyfranddaliadau yn UDA rhwng 1925 a 1933

Roedd y ffaith nad oedd y llywodraeth neu unrhyw asiantaeth arall yn rheoli'r farchnad stoc mewn unrhyw ffordd yn annog mwy o hapfasnachu. Parhaodd un arlywydd Gweriniaethol ar ôl y llall gyda'u syniadau *laissez-faire*. Yn 1925 roedd gwerth stociau ar y farchnad stoc yn $27 biliwn, ond erbyn mis Hydref 1929 roedd wedi codi i $87 biliwn. Erbyn haf 1929 roedd 20 miliwn o gyfranddalwyr yn UDA a'r prisiau'n parhau i godi.

Y ffaith fod credyd ar gael yn hawdd

Oherwydd twf credyd roedd yn haws o lawer i bobl brynu nwyddau er nad oedd ganddynt ddigon o arian i dalu amdanynt ar unwaith. Trefnodd cwmnïau i gwsmeriaid dalu fesul tipyn o dan drefniant hurbwrcasu. Roedd hyn yn cynnwys yr arfer o brynu cyfranddaliadau ar gredyd, 'ag arian benthyg' (gweler tudalen 47). Anogwyd yr arfer hwn ymhellach gan bolisïau credyd hawdd y ***Federal Reserve Board***.

Gweithiodd hyn yn dda tra'r oedd y prisiau'n codi. Ond pan ddechreuodd prisiau arafu neu ostwng, roedd problemau'n codi. Roedd saith deg pump y cant o bris prynu cyfranddaliadau yn arian benthyg. Roedd hyn, wedyn, yn creu prisiau uchel camarweiniol.

TASGAU

1. Defnyddiwch y wybodaeth yn Ffynhonnell A a'ch gwybodaeth eich hun i egluro pam yr oedd problemau yn y farchnad stoc tua diwedd y 1920au. (Am arweiniad ar sut i ateb y math hwn o gwestiwn, edrychwch ar dudalennau 27–28.)
2. Beth y mae Ffynhonnell B yn ei ddweud wrthych am bris cyfranddaliadau yn UDA rhwng 1925 a 1933? (Am arweiniad ar sut i ateb y math hwn o gwestiwn, edrychwch ar dudalen 16.)

Beth oedd y digwyddiadau yn ystod Cwymp Wall Street?

Daeth ffyniant y 1920au i ben yn sydyn ac mewn ffordd ddramatig gyda Chwymp Wall Street ym mis Hydref 1929.

Colli hyder

Yn ystod hydref 1929 pan ddechreuodd rhai arbenigwyr werthu llawer o'u cyfranddaliadau cyn iddynt golli mwy o'u gwerth aeth buddsoddwyr bach i banig. Wrth weld prisiau'n gostwng, aethant ati ar unwaith i werthu eu cyfranddaliadau – fel y gwelir yn y siart bar isod. O ganlyniad, bu cwymp yn holl brisiau'r farchnad, a chollodd miloedd o fuddsoddwyr filiynau o ddoleri.

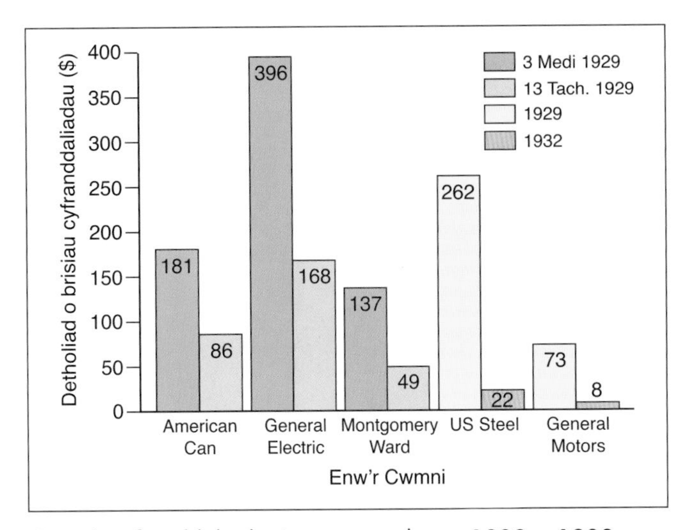

Gwerth cyfranddaliadau'n gostwng rhwng 1929 a 1932.

Mae'r penawdau canlynol yn cyfeirio at ddigwyddiadau mis Hydref 1929.

Dydd Sadwrn 19 Hydref 1929

Cyfranddalwyr yn mynd i banig

Cafodd bron i 3.5 miliwn o gyfranddaliadau eu prynu a'u gwerthu heddiw. Mae prisiau'n dechrau gostwng.

Dydd Llun 21 Hydref 1929

Y farchnad stoc yn brysur iawn

Cafodd dros 6 miliwn o gyfranddaliadau eu prynu a'u gwerthu heddiw. Roedd y prisiau'n amrywio'n fawr.

Dydd Mawrth 22 Hydref 1929

Y farchnad stoc yn gwella

Mae'r farchnad yn gwella ac mae prisiau ar i fyny.

Dydd Mercher 23 Hydref 1929

Wall Street yn mynd i banig eto

Cafodd dros 2.5 miliwn o gyfranddaliadau eu gwerthu yn ystod yr awr olaf heddiw. Mae mwy a mwy o bobl yn ceisio gwerthu eu cyfranddaliadau a gadael y farchnad stoc.

Dydd Iau 24 Hydref 1929

'Dydd Iau Du'

Roedd heddiw'n ddiwrnod ofnadwy ar Wall Street. Syrthiodd y prisiau mor gyflym fel bod pawb yn rhuthro i geisio gwerthu eu cyfranddaliadau. Mae bron 13 miliwn o gyfranddaliadau wedi'u prynu a'u gwerthu.

Dydd Gwener 25 Hydref 1929

Bancwyr yn achub y dydd

Gwnaeth bancwyr gyfarfod ganol dydd i gefnogi'r farchnad stoc. Mae'n ymddangos bod hyn wedi gweithio ac mae prisiau wedi sefydlogi.

Dydd Sadwrn 26 Hydref 1929

Hoover yn siarad

Mae'r Arlywydd Hoover wedi sicrhau pob Americanwr bod y panig drosodd ac y bydd pethau'n well yn y byd busnes a bancio cyn bo hir.

Dydd Llun 28 Hydref 1929

Panig unwaith eto

Y farchnad stoc yn brysur iawn unwaith eto. Gwerthwyd bron 3 miliwn o gyfranddaliadau yn ystod yr awr olaf. Gostyngodd y prisiau'n sylweddol.

Dydd Mawrth 29 Hydref 1929

'Dydd Mawrth Du'

Y diwrnod gwaethaf erioed ar y farchnad stoc. Mae bron 16.5 miliwn o gyfranddaliadau wedi'u prynu a'u gwerthu. Mae cyfranddaliadau wedi colli eu holl werth, a llawer o gyfranddalwyr wedi colli popeth. Cafwyd adroddiadau am bobl yn cyflawni hunanladdiad.

Ffynhonnell A Pobl y tu allan i fanc yn New Jersey, yn ceisio mynd i mewn i godi eu harian, Dydd Mawrth Du, 29 Hydref 1929

Ffynhonnell B Ysgrifennodd Cecil Roberts am Gwymp Wall Street yn *The Bright Twenties*, 1938

Daeth gwallgofrwydd y farchnad stoc i'w uchafbwynt yn 1929. Roedd pawb yn prynu a gwerthu ar y farchnad ... Ar fy niwrnod olaf yn Efrog Newydd, fe es i siop y barbwr. Wrth dynnu'r lliain, meddai'r barbwr yn dawel, 'Prynwch Standard Gas. Dwi wedi dyblu fy arian ... bydd yn siŵr o ddyblu eto.' Wrth gerdded i fyny'r grisiau, dechreuais feddwl os oedd y gwallgofrwydd wedi cyrraedd siop y barbwr roedd rhywbeth yn siŵr o ddigwydd cyn bo hir.

TASGAU

1. Beth y mae Ffynhonnell A yn ei ddangos i chi am broblemau economi UDA ym mis Hydref 1929? (Am arweiniad ar sut i ateb y math hwn o gwestiwn, edrychwch ar dudalen 16.)
2. Pa mor ddefnyddiol yw Ffynhonnell B i hanesydd sy'n astudio'r rhesymau dros Gwymp Wall Street? (Am arweiniad ar sut i ateb y math hwn o gwestiwn, edrychwch ar dudalennau 49–50.)
3. Disgrifiwch Gwymp Wall Street yn Hydref 1929. (Am arweiniad ar sut i ateb y math hwn o gwestiwn, edrychwch ar dudalen 73.)
4. Astudiwch Ffynhonnell A. Dychmygwch eich bod yn ohebydd radio o Brydain a welodd yr olygfa yn y llun. Disgrifiwch i'ch gwrandawyr beth y gallwch ei weld.

Beth oedd effeithiau uniongyrchol Cwymp Wall Street?

Roedd effaith y Cwymp yn eithaf syfrdanol. Cwympodd y farchnad stoc yn gyfan gwbl.

Ffynhonnell A Y *New York Times*, 30 Hydref 1929

Cwympodd prisiau ar y farchnad stoc bron yn gyfan gwbl ddoe, gan arwain at golledion enfawr ar y diwrnod masnachu gwaethaf yn hanes marchnadoedd stoc y byd. Cafodd biliynau o ddoleri yng ngwerth y farchnad eu dileu yn gyfan gwbl. Os yw'r farchnad mewn helynt, nid yw'n parchu neb. Diflannodd ffortiwn ar ôl ffortiwn ddoe a chollodd miloedd o bobl arian mawr ar draws y byd.

Ffynhonnell B Mae'r awdur Americanaidd, Carl Sandburg, yn disgrifio'r cwymp yng ngwerthiant cyfranddaliadau yn *The People, Yes*, 1936

Roedd cyfranddaliadau mewn cwmni sigars yn cael eu gwerthu am $115 adeg y cwymp. Pan gwympodd y farchnad, syrthiodd y cyfranddaliadau i $2, a neidiodd llywydd y cwmni o ffenestr ei swyddfa ar Wall Street.

Erbyn diwedd 1929 roedd tua 2.5 miliwn o bobl yn ddi-waith yn UDA. Fodd bynnag, dim ond pump y cant o'r gweithlu oedd hyn, ac roedd rhai'n teimlo y byddai'r wlad yn goroesi'r argyfwng. Ond roedd yr hyder wedi diflannu, a'r rhai oedd ag arian yn amharod i wario. Dechreuodd diweithdra gynyddu wrth i lai a llai o nwyddau traul gael eu prynu – syrthiodd gwerthiant nwyddau i'r hanner yn ystod 1929–33.

Yn sydyn iawn daeth UDA yn wlad o bobl ddi-waith a digartref yn ciwio am fara a cheginau cawl. Roedd llawer o bobl, gan gynnwys plant, wedi cael eu troi allan o'u cartrefi ac yn gorfod byw ar y strydoedd. Dyma oes yr **hobo** – roedd miloedd o ddynion yn crwydro'r wlad gan deithio heb dalu ar drenau a wagenni nwyddau.

Y Dirwasgiad

Nid oedd pobl yn prynu nwyddau a dechreuodd pobl gyfoethog hefyd wneud arbedion. Dechreuodd cyflogwyr ddiswyddo gweithwyr. Cafodd gweision a morynion eu diswyddo ac roedd y rhai a ddaeth o hyd i swyddi yn gorfod gweithio am lai o gyflog. Roedd yr economi'n mynd o ddrwg i waeth.

Ffynhonnell C Atgofion newyddiadurwr ifanc o Brydain, Alistair Cooke, a gafodd ei anfon i America ar ddiwedd y 1920au

Dim ond pobl dlawd oedd heb ddim byd i'w golli. Pan syrthiodd y stociau dur o 90 i 12, diswyddodd y cwmnïau moduron hanner eu gweithwyr. Nid oedd tenantiaid ar gyfer y nendyrau newydd. Roedd gyrwyr loriau yn segur heb nwyddau i'w cludo, nid oedd cnydau yn cael eu cynaeafu na llaeth yn cael ei werthu i bobl na allent fforddio ei brynu. Gyda'r nos, roedd y strydoedd yn llawn o ddynion mewn dillad smart a oedd wedi dweud wrth eu gwragedd eu bod yn chwilio am waith nos. Roedden nhw allan ar y strydoedd yn cardota am arian.

Nid y Cwymp oedd yn gyfrifol am y Dirwasgiad. Mae'n rhaid ystyried problemau economi'r 1920au er mwyn deall beth oedd o'i le yn UDA ar y pryd – edrychwch eto ar dudalennau 66–67. Fodd bynnag, daeth y Dirwasgiad yn gyflymach oherwydd y Cwymp, ac roedd ei ganlyniadau'n drychinebus i'r wlad a'r bobl yn ystod y degawd nesaf.

- Roedd llawer o froceriaid stoc yn methu ad-dalu eu dyledion i'r banciau – aeth llawer o fanciau i'r wal.
- Aeth miloedd o bobl oedd â chynilion mewn banciau yn fethdalwyr.
- Cafodd gweithwyr eu diswyddo.
- Daeth credyd i ben ac roedd yn rhaid ad-dalu benthyciadau.
- Roedd y banciau a oroesodd yn anfodlon rhoi benthyciadau pellach – roedd y cyfnod o hapfasnachu a mentro ar ben.

Dioddefodd y ffermwyr yn ofnadwy. Cynhaliwyd protestiadau ganddynt mewn trefi gyda baneri yn beirniadu'r arlywydd. Daeth un slogan yn boblogaidd iawn: *'In Hoover we trusted, now we are busted.'*

Ffynhonnell CH Luigi Barzini, mewnfudwr o'r Eidal, yn cofio effeithiau'r Cwymp

Agorodd y llifddorau ar economi America ar ddydd Iau, 24 Hydref. Roedd yn ddiwrnod ofnadwy o brysur. Roedd dwy stori newyddion fawr i boeni amdanynt. Roedd anarchydd wedi ceisio lladd tywysog Eidalaidd ym Mrwsel. Ac roedd prisiau cyfranddaliadau wedi cwympo ar Wall Street. Roedd hi'n ymddangos bod miloedd o bobl wedi colli popeth. Roedd y Farchnad Stoc eisoes wedi cael sawl cwymp, gan gynnwys rhai difrifol, ond roedd pethau wedi gwella bob tro. Yn ôl rhai o fancwyr ac arweinwyr gwleidyddol pwysicaf y wlad, nid oedd angen i bobl fynd i banig, ac ni ddylid gwneud cam ag America ond yn hytrach ymddiried yn nyfodol eu gwlad.

Ffynhonnell D Enwogion a gollodd yn sgil y cwymp

- *Collodd teulu Vanderbilt $40 miliwn.*
- *Collodd Rockefeller 80 y cant o'i gyfoeth ond roedd ganddo $40 miliwn ar ôl o hyd.*
- *Collodd y gwleidydd Prydeinig, Winston Churchill, $500,000.*
- *Collodd y gantores Fanny Brice $500,000.*
- *Collodd Groucho a Harpo Marx (dau o gomedïwyr y brodyr Marx) $240,000 yr un.*

Ffynhonnell DD Cartŵn gan y cartwnydd gwleidyddol, John McCutcheon, 1932, am effeithiau Cwymp Wall Street

Ffynhonnell E Hunanladdiad yn UDA fesul 100,000 o bobl, 1926–1941

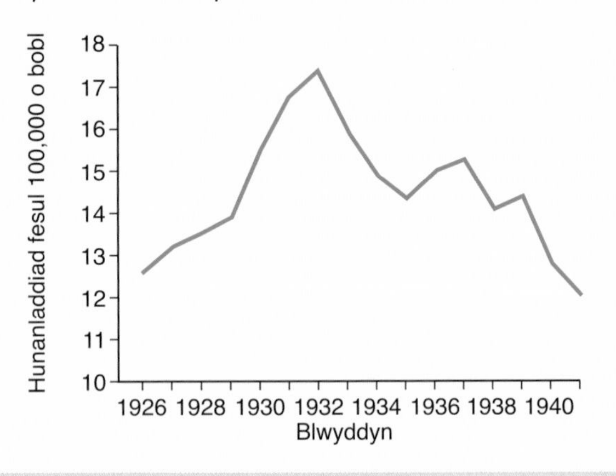

TASGAU

1. Defnyddiwch y wybodaeth yn Ffynhonnell A (tudalen 71) a'ch gwybodaeth eich hun i egluro sut y cwympodd y farchnad stoc ym mis Hydref 1929. (Am arweiniad ar sut i ateb y math hwn o gwestiwn, edrychwch ar dudalennau 27–28.)
2. Pa mor ddefnyddiol yw Ffynhonnell C (tudalen 71) i hanesydd sy'n astudio effeithiau uniongyrchol Cwymp Wall Street? (Am arweiniad ar sut i ateb y math hwn o gwestiwn, edrychwch ar dudalennau 49–50.)
3. I ba raddau y mae Ffynhonnell DD yn cefnogi'r safbwynt mai hapfasnachu difeddwl gan fuddsoddwyr oedd yn gyfrifol am Gwymp Wall Street? (Am arweiniad ar sut i ateb y math hwn o gwestiwn, edrychwch ar dudalennau 40–41.)
4. Beth y mae Ffynhonnell E yn ei ddweud wrthych am effaith Cwymp Wall Street? (Am arweiniad ar sut i ateb y math hwn o gwestiwn, edrychwch ar dudalen 16.)
5. Edrychwch ar y wybodaeth a'r ffynonellau ar dudalennau 71–72. Lluniwch byramid/triongl i ddangos cronoleg o effeithiau – neu effeithiau treigl – fel bod y darllenydd yn gallu gweld y gadwyn yn datblygu.

Arweiniad ar arholiadau

Mae'r adran hon yn rhoi arweiniad ar sut i ateb cwestiynau 2(b) a 3(b) yn Unedau 1 a 2. Mae'r cwestiwn yn werth 5 marc.

Cwestiynau 2(b) a 3(b) – deall nodwedd allweddol drwy ddethol gwybodaeth briodol

Disgrifiwch ddigwyddiadau Cwymp Wall Street.

(5 marc)

Cyngor ar sut i ateb

- Dylech sicrhau eich bod yn cynnwys gwybodaeth sy'n gwbl berthnasol yn unig.
- Dylech wneud rhestr o'ch syniadau cychwynnol a'r pwyntiau rydych eisiau eu cynnwys.
- Ar ôl llunio rhestr, dylech geisio rhoi'r pwyntiau mewn trefn gronolegol drwy eu rhifo.
- Mae'n syniad da defnyddio geiriau'r cwestiwn i ddechrau eich ateb. Er enghraifft: 'Daeth ffyniant economaidd y 1920au i ben yn sydyn...'
- Dylech geisio cynnwys manylion ffeithiol penodol fel dyddiadau, digwyddiadau, enwau pobl allweddol. I ennill marciau uchel, mae angen cynnwys cymaint o wybodaeth ag y gallwch.
- Dylech ysgrifennu o leiaf ddau baragraff llawn.

Ymateb yr ymgeisydd

Nodiadau bras i helpu i alw i gof a rhoi strwythur i'r ateb.

Mae nifer o ddigwyddiadau allweddol yn cael eu trafod mewn trefn gronolegol.

Amrywiaeth dda o fanylion ffeithiol penodol.

Dau baragraff o faint da gyda chysylltiadau clir â'r cwestiwn.

Dydd Iau Du 24 Hydref (3) Prisiau'n gostwng yng nghanol mis Hydref (1) Dydd Mawrth Du 29 Hydref (4) Buddsoddwyr mawr yn gwerthu cyfranddaliadau (2) Y farchnad yn cwympo (5)

Daeth ffyniant economaidd y 1920au i ben yn sydyn ym mis Hydref 1929 oherwydd digwyddiadau Cwymp Wall Street. Erbyn haf 1929 roedd prisiau stociau a chyfranddaliadau America wedi cyrraedd eu lefel uchaf erioed. Roedd llawer o Americanwyr cyffredin wedi prynu cyfranddaliadau, ac roedd llawer wedi benthyg arian i wneud hynny. Daeth rhybudd ar 19 Hydref pan ddechreuodd sawl buddsoddwr mawr werthu llawer o'u cyfranddaliadau. Gostyngodd prisiau o ganlyniad i hyn ond roedd llawer o bobl yn credu mai cwymp dros dro oedd hwn ac y byddent yn codi eto.

Fodd bynnag, roedd prisiau'n parhau i ostwng ac ar 24 Hydref, 'Dydd Iau Du', cafodd dros 12 miliwn o gyfranddaliadau eu gwerthu. Roedd panig yn lledaenu'n gyflym a cheisiodd llawer o fuddsoddwyr pryderus werthu eu cyfranddaliadau. Gostyngodd prisiau hyd yn oed yn is o ganlyniad. Roedd pawb yn awyddus i werthu ac nid oedd neb am brynu. Roedd prisiau'n parhau i ostwng. Aeth llawer o bobl i banig eto ar 'Ddydd Mawrth Du', 29 Hydref, pan gafodd 16 miliwn o gyfranddaliadau eu gwerthu. Roedd y farchnad wedi cwympo yn gyfan gwbl. Roedd miliynau o Americanwyr wedi colli eu holl arian achos bod eu cyfranddaliadau yn ddiwerth. Cyflawnodd rhai buddsoddwyr hunanladdiad.

Adran C

Newidiadau yn niwylliant a chymdeithas America

Ffynhonnell A Dyfyniad o lyfr am America yn yr ugeinfed ganrif. Roedd yr awdur yn ysgrifennu am fenywod yn y 1920au

Er bod rhai menywod dosbarth canol uwch yn y dinasoedd yn siarad am ddileu'r hen gonfensiynau – nhw oedd y flappers – roedd y rhan fwyaf o fenywod yn cadw at agweddau mwy traddodiadol o ran 'eu lle' ... canolbwyntiodd y rhan fwyaf o fenywod dosbarth canol ar reoli'r cartref ... Yn hytrach na phrotestio ar y strydoedd yn erbyn gwahaniaethu rhywiol, roedd merched y menywod hyn yn fwy tebygol o baratoi am yrfa fel mam a gwraig tŷ. Glynodd miliynau o fewnfudwyr benywaidd a'u merched wrth draddodiadau oedd yn sicrhau mai dynion oedd yn rheoli'r teulu. Canolbwyntiodd y rhan fwyaf o Americanwyr ar gael dau ben llinyn ynghyd neu ar gynilo arian i brynu'r offer newydd a oedd yn cynnig rhywfaint o ryddid rhag ddiflastod beunyddiol gwaith tŷ.

Mae'r adran hon yn edrych ar y newidiadau allweddol yn niwylliant a chymdeithas America yn y 1920au. Wrth edrych yn ôl dros y degawd blaenorol yn 1929, byddai Americanwr wedi gweld newidiadau enfawr yn UDA. Roedd y sinema yr un mor boblogaidd ag erioed, ac roedd y diddordeb yn parhau i dyfu yn sgil cyflwyno ffilmiau sain neu'r *'talkies'*. Roedd y gerddoriaeth jazz newydd wedi dod yn hynod boblogaidd yn UDA a gweddill y byd. Roedd ffyniant yn golygu bod pobl yn gallu dilyn llawer o chwaraeon, naill ai trwy gymryd rhan neu trwy fod yn ddilynwyr brwd. Yn ystod y degawd hwn ymgyrchodd menywod am ragor o gydraddoldeb ac annibyniaeth, a daeth y gair *'flapper'* yn rhan o eirfa'r wlad (gweler Ffynhonnell A). Uwchlaw popeth, llwyddodd llawer o Americanwyr i gyflawni pethau mawr yn y cyfnod hwn, fel Lindbergh yn hedfan dros Gefnfor Iwerydd. Creodd eraill record byd am ddawnsio di-baid.

Mae pob pennod yn yr adran hon yn egluro pwnc allweddol ac yn dilyn sawl trywydd ymholi pwysig fel yr amlinellir isod:

Pennod 7: Sut y gwnaeth adloniant poblogaidd ddatblygu yn ystod y cyfnod hwn?

- Sut y gwnaeth ffilmiau a'u dylanwad ddatblygu?
- Sut y gwnaeth cerddoriaeth a diwylliant poblogaidd ddatblygu?

Pennod 8: Sut y gwnaeth ffordd o fyw a statws menywod newid yn ystod y cyfnod hwn?

- Sut y gwnaeth agweddau tuag at fenywod newid?
- Beth oedd ffordd o fyw y *flapper*?

Pennod 9: Pam y bu cymaint o dwf ym myd chwaraeon a gweithgareddau hamdden eraill yn ystod y cyfnod hwn?

- Sut y gwnaeth diddordeb mewn chwaraeon dyfu yn y 1920au?
- Beth oedd y chwiwiau, mympwyon a'r angerdd am yr anghyffredin?
- Pwy oedd arwyr Americanaidd y degawd?
- Pa effaith gafodd moduron ar weithgareddau hamdden?

Sut y gwnaeth adloniant poblogaidd ddatblygu yn ystod y cyfnod hwn?

Ffynhonnell A Darn o erthygl papur newydd a gyhoeddwyd yn Ardal y Beibl yn America yng nghanol y 1920au

Mae jazz yn defnyddio rhythmau cyntefig sy'n cyffroi greddfau dynol anweddus. Mae cerddoriaeth jazz yn achosi meddwdod hefyd. Mae rheswm a phwyll yn diflannu ac mae chwantau'r anifail yn rheoli gweithredoedd pobl.

Roedd newidiadau cymdeithasol mawr ar waith yn UDA yn y 1920au ac mae'r cyfnod yn cael ei ddisgrifio fel y 'Dauddegau Gwyllt'. Roedd y newidiadau hyn yn cynnwys twf yn y galw am **nwyddau traul** a statws rhai menywod yn newid yn llwyr. Cafodd y byd adloniant ei drawsnewid gan y radio a'r sinema a daeth Hollywood yn ganolfan y diwydiant ffilm. Dechreuodd mwy a mwy o bobl wylio a chymryd rhan mewn chwaraeon. Daeth cerddoriaeth gyfoes, fel jazz, a dawnsiau newydd, fel y *Charleston*, yn boblogaidd.

TASG

Pa mor ddefnyddiol yw Ffynhonnell A i hanesydd sy'n astudio effaith cerddoriaeth jazz ar draws America? (Am arweiniad ar sut i ateb y math hwn o gwestiwn, edrychwch ar dudalennau 49–50.)

Mae'r bennod hon yn ateb y cwestiynau canlynol:

- Sut y gwnaeth ffilmiau a'u dylanwad ddatblygu?
- Sut y gwnaeth cerddoriaeth a diwylliant poblogaidd ddatblygu?

Arweiniad ar arholiadau

Drwy'r bennod hon byddwch yn cael cyfle i ymarfer cwestiynau arholiad o wahanol arddull a rhoddir arweiniad manwl ar sut i ateb cwestiynau 2(c) a 3(c) yn Unedau 1 a 2 y papur arholiad. Cwestiwn egluro yw hwn sy'n werth 2 × 4 marc.

Sut y gwnaeth ffilmiau a'u dylanwad ddatblygu?

Ffynhonnell A Mary Evelyn Hults yn cofio'r sinema yn y 1920au

Roedd yn brofiad gwych. Roedden ni'n cael ein trin fel brenin neu frenhines. Byddem yn cerdded i mewn i lobi enfawr o farmor neu aur gyda grisiau anferth yn arwain i fyny i'r balconi. Roedd yr holl garpedi o leiaf fodfedd neu ddwy o drwch. Roedd popeth yno yn gwneud i chi deimlo'n gyffyrddus ac yn bwysig iawn.

Ffynhonnell B Gloria Swanson, actores enwog o'r cyfnod hwn, yn siarad yn 1922

Yn y ffilm, roedd Rudy (Valentino) a fi'n gwisgo dillad o rai o'r cyfnodau mwyaf rhamantaidd yn hanes Ewrop. Cynlluniodd yr adran wisgoedd ffrog fin nos i mi gyda gleiniau aur drosti. Roedd mor hardd fel y bu'r gwylwyr ffilmiau yn siarad amdani am flwyddyn gyfan. Roeddwn i hefyd yn gwisgo gemau gwerth dros filiwn o ddoleri.

Erbyn 1910 roedd y diwydiant ffilm wedi ei hen sefydlu yn UDA ac roedd dros 8000 o sinemâu. Cododd y ffigur hwn i 17,000 yn 1926 a 303,000 bedair blynedd yn ddiweddarach. Erbyn diwedd y Rhyfel Byd Cyntaf, ffilmiau oedd y dull adloniant mwyaf poblogaidd yn UDA. Roedd ymweld â'r sinema wedi dod yn ffordd o fyw i'r Americanwyr. Mae'r diagram isod yn dangos rhai o'r rhesymau dros boblogrwydd y sinema.

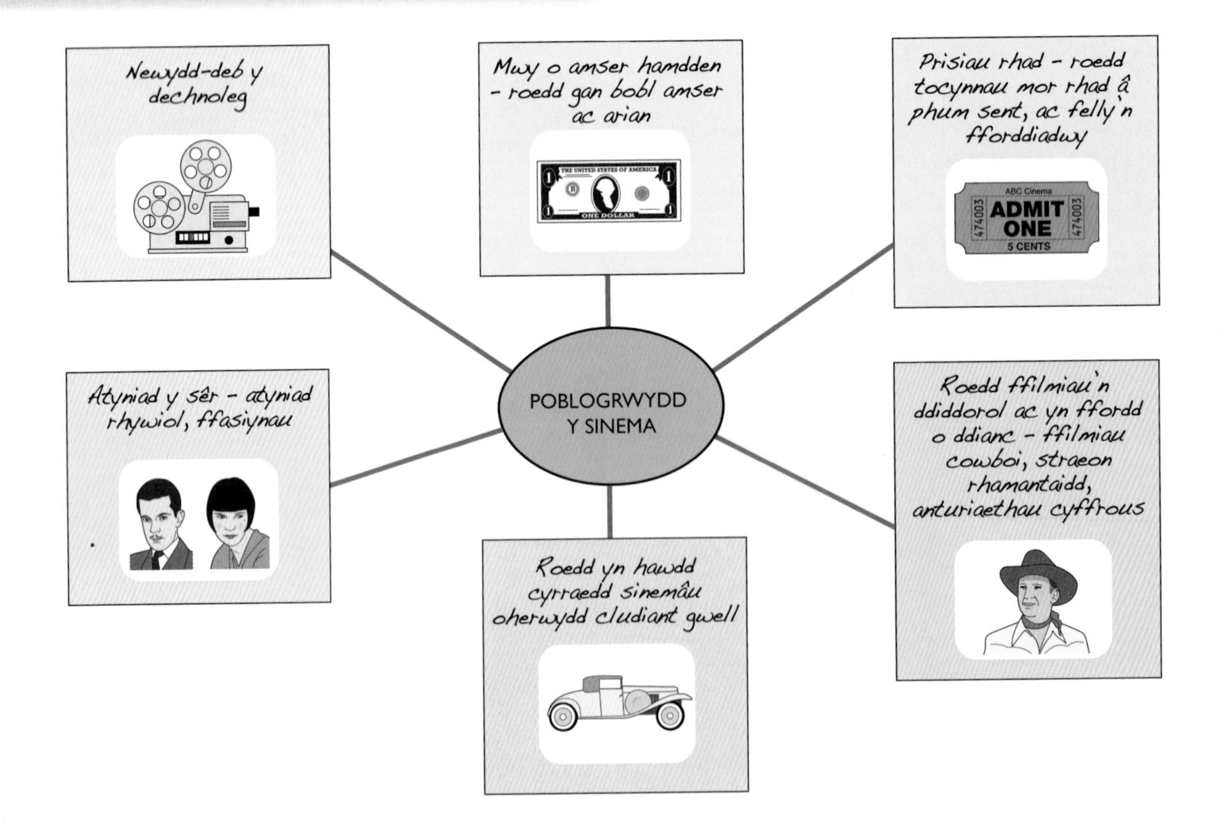

Ffilmiau di-sain

Tan 1927 roedd pob ffilm yn ddi-sain, er bod cerddorion byw ac weithiau effeithiau sain yn rhan o'r adloniant hefyd. Mewn rhai sinemâu, byddai un o'r gweithwyr neu'r taflunïwr yn rhoi sylwebaeth ar y ffilm. Ond yn y rhan fwyaf o sinemâu, byddai pianydd yn chwarae cerddoriaeth yn ystod y ffilm.

Byddai cerddoriaeth gyflym yn cael ei chwarae pan fyddai cymeriadau'n mynd ar ôl rhywun, a cherddoriaeth ramantaidd ar gyfer golygfa garu. Gwellodd y sinemâu (*nickelodeons* oedd yr enw gwreiddiol arnynt) eu cyfleusterau yn raddol er mwyn denu mwy o bobl. Cafodd seddau moethus eu gosod a daeth yr organ enfawr neu weithiau gerddorfa lawn i gymryd lle yr hen biano tlawd. Roedd pobl wrth eu bodd yn mynd i'r sinema fel ffordd o ddianc. Am ychydig geiniogau roedd pobl yn gallu dianc o'u bywydau diflas eu hunain.

Ffynhonnell C Sinema'r Roxy, Efrog Newydd, 1927. Roedd digon o seddau i 6000 o bobl

Cynhyrchwyd tua 800 o ffilmiau bob blwyddyn yn ystod y 1920au, gan roi dewis eang i wylwyr ffilmiau. Roedd yn bosibl gweld pob math o ffilmiau, ond ymysg y rhai mwyaf poblogaidd oedd ffilmiau comedi Charlie Chaplin a Buster Keaton, ffilmiau rhamantaidd Clara Bow, anturiaethau Douglas Fairbanks, ffilmiau cowboi a straeon Beiblaidd.

Roedd sêr y ffilm yn ennill arian mawr. Yn 1917 arwyddodd Chaplin gytundeb am wyth ffilm gwerth $1 miliwn, ac yn 1926 cafwyd adroddiadau bod yr actores Greta Garbo yn ennill $5000 yr wythnos.

Ffynhonnell CH Rhan o araith J P Kennedy, buddsoddwr yn y diwydiant ffilm, i fyfyrwyr Prifysgol Harvard yn 1927

Mae'r diwydiant ffilm mor fawr a phwysig erbyn hyn fel na ddylai neb sy'n astudio diwydiant ei anwybyddu. Y diwydiant ffilm yw'r pedwerydd diwydiant mwyaf yn UDA. Ond dim ond yn ystod y deg neu'r deuddeg mlynedd diwethaf y mae wedi datblygu. Mae dynion busnes o dramor wedi dweud wrthyf mai un o'u problemau masnachu mwyaf yw'r ffaith fod ffilmiau Americanaidd yn helpu i werthu diwydiannau eraill America.

TASGAU

1. Beth y mae Ffynonellau A a B yn ei ddweud wrthych am y rhesymau pam y daeth y sinema yn fwy poblogaidd?
2. Beth y mae Ffynhonnell C yn ei ddangos i chi am effaith ffilmiau yn y 1920au? (Am arweiniad ar sut i ateb y math hwn o gwestiwn, edrychwch ar dudalen 16.)
3. Pa mor ddefnyddiol yw Ffynhonnell CH i hanesydd sy'n astudio pwysigrwydd y diwydiant ffilm yn America? (Am arweiniad ar sut i ateb y math hwn o gwestiwn, edrychwch ar dudalennau 49–50.)
4. Beth y mae Ffynhonnell CH yn ei ddangos i chi am y diwydiant ffilm? (Am arweiniad ar sut i ateb y math hwn o gwestiwn, edrychwch ar dudalen 16.)

Sêr y ffilmiau

Wrth i'r diwydiant ffilm ddatblygu, sylweddolodd cynhyrchwyr ffilmiau fod y gwylwyr yn awyddus i weld rhai sêr beth bynnag oedd safon y ffilm. Cyn 1910, ni chafodd enwau'r actorion a'r actoresau eu dangos ar y sgrin. Roedd sêr fel Charlie Chaplin, Mary Pickford, Rudolf Valentino a Greta Garbo yn gallu denu miliynau o bobl i'r sinema ac roedd pobl yn awyddus i ddysgu mwy amdanynt. Cafodd cylchgronau cefnogwyr eu cyhoeddi ac ysgrifennodd papurau newydd am olygfeydd caru beiddgar a bywydau rhywiol y sêr. Sylweddolodd gwneuthurwyr ffilmiau fod rhyw yn gwerthu tocynnau. Rudolf Valentino oedd yr actor mawr cyntaf i gael ei werthu ar sail atyniad rhyw. Yn ôl cyhoeddusrwydd y stiwdio, byddai menywod yn llewygu wrth ei weld. Bu farw yn 1926 a daeth dros 100,000 o'i gefnogwyr i ochrau'r strydoedd yn ystod ei angladd, gyda therfysgoedd mewn rhai mannau. Cyflawnodd sawl person hunanladdiad ar ôl clywed am ei farwolaeth.

Mae'r canlynol yn cynnwys mwy o wybodaeth am ffilmiau enwog gan sêr y cyfnod.

TASGAU

5 Eglurwch pam yr oedd sêr y ffilmiau yn bwysig i'r diwydiant ffilm. (Am arweiniad ar sut i ateb y math hwn o gwestiwn, edrychwch ar dudalen 84.)

6 Disgrifiwch dwf y diwydiant ffilm yn America rhwng 1910 a 1930. (Am arweiniad ar sut i ateb y math hwn o gwestiwn, edrychwch ar dudalen 73.)

7 Eglurwch pam yr oedd ffilmiau mor boblogaidd yn y 1920au. (Am arweiniad ar sut i ateb y math hwn o gwestiwn, edrychwch ar dudalen 84.)

Bywgraffiad Joseph 'Buster' Keaton 1895–1966

1895 Ganwyd yn Piqua, Kansas
Ysgrifennodd, cyfarwyddodd ac actiodd yn ei ffilmiau ei hun:
1922 *The Paleface*
1924 *The Navigator*
1926 *The General*
1927 *Steamboat Bill, Jr.*
1928 *The Cameraman*
1929 *Spite Marriage*

Bywgraffiad Charlie Chaplin 1889–1977

1889 Ganwyd yn Llundain
1913 Symudodd yn barhaol i UDA
1914 Ymddangosodd yn ei ffilm gyntaf, *Making a Living*
1917 Sefydlodd ei gwmni cynhyrchu ffilmiau ei hun. Ysgrifennodd, cyfarwyddodd, cynhyrchodd ac actiodd yn ei ffilmiau ei hun ar ôl hyn:
1921 Ei ffilm lawn gyntaf, *The Kid*
1923 *A Woman of Paris*
1925 *The Gold Rush*
1928 *The Circus*

Bywgraffiad Clara Bow 1905–1965

1905 Ganwyd yn Brooklyn, Efrog Newydd
Seren y ffilmiau canlynol:
1924 *Helen's Babies*
1925 *The Plastic Age*
1926 *Dance Madness*
1926 *Mantrap*
1927 *It*
1929 *The Wild Party*
1929 *Dangerous Curves*

Bywgraffiad Rudolph Valentino 1895–1926

1895 Ganwyd Rodolfo Alfonso Raffaello Piero Filiberto Guglielmi yn Castellaneta, yr Eidal
1913 Ymfudodd i UDA
Seren y ffilmiau canlynol:
1921 *The Four Horsemen of the Apocalypse* (y ffilm gyntaf i wneud 1 miliwn o ddoleri)
1921 *The Sheik*
1921 *Camille*
1922 *Broken Blossoms*
1922 *Tried for Bigamy*
1924 *A Sainted Devil*
1926 *The Son of the Sheik*

Ffilmiau sain

Cafodd y ffilm sain gyntaf (*The Jazz Singer*) ei gwneud yn 1927, gan wneud y sinema hyd yn oed yn fwy poblogaidd. Yn anffodus, collodd rhai o sêr y ffilmiau di-sain eu swyddi oherwydd nad oedd eu lleisiau'n addas ar gyfer ffilmiau sain. Erbyn 1930 roedd dros 100 miliwn o docynnau sinema yn cael eu gwerthu bob wythnos. Erbyn diwedd y 1920au roedd sawl stiwdio ffilm enwog wedi'i sefydlu, fel Warner Brothers, William Fox a Metro-Goldwyn-Mayer (MGM). Roedd gan bob stiwdio adran gyhoeddusrwydd er mwyn creu a lledaenu storïau am gariadon, priodasau ac ysgariadau eu sêr. Pan oedd gan sêr fel Mary Pickford neu Gloria Swanson ffrog neu steil gwallt newydd, byddai miliynau o fenywod eisiau eu copïo.

Hollywood

Tan 1913 roedd y rhan fwyaf o ffilmiau Americanaidd yn cael eu cynhyrchu yn ardal Efrog Newydd. Fodd bynnag, aeth cwmni ffilm Thomas Edison â llawer o gwmnïau ffilm i'r llys, gan honni eu bod yn defnyddio ei dechnoleg oedd â hawliau patent. Er mwyn osgoi'r achosion llys, symudodd llawer o gwmnïau ffilm 3000 milltir i Hollywood, California.

Fodd bynnag, roedd y Rhyfel Byd Cyntaf wedi dechrau cyn i ddiwydiant ffilm UDA ddod yn arweinydd byd yn y maes. Amharodd y rhyfel yn Ewrop ar ddiwydiant ffilm llwyddiannus Ffrainc a'r Eidal, ac ar ôl 1918 roedd Hollywood ymhell ar y blaen i weddill y byd oherwydd yr holl ddatblygiadau yno.

Y ffilm gyntaf i gael ei chynhyrchu yn ardal Hollywood oedd *In Old California* (1910). Y flwyddyn ganlynol agorwyd y stiwdio gyntaf gan Gwmni Centaur o New Jersey, a oedd yn awyddus i wneud ffilmiau cowbois yn California. Erbyn 1915 roedd y rhan fwyaf o ffilmiau Americanaidd yn cael eu cynhyrchu yn ardal Los Angeles. Roedd gan bedwar cwmni ffilm mawr – Paramount, Warner Bros, RKO a Columbia – stiwdios yn Hollywood. Bum mlynedd yn ddiweddarach roedd miloedd o bobl yn cael eu cyflogi yn y diwydiant ffilm yn Hollywood.

Cyn hir roedd sêr y ffilmiau eu hunain yn symud i ardal Los Angeles ac yn dechrau adeiladu cartrefi moethus yno. Er enghraifft, roedd gan Gloria Swanson blasty 22 ystafell yn Beverly Hills. Roedd Charlie Chaplin a Buster Keaton yn byw yn yr ardal hefyd.

Cafodd Hollywood a'r diwydiant ffilm yn gyffredinol eu beirniadu gan y rhai a oedd yn credu bod safonau moesol cymdeithas America yn dirywio oherwydd y ffilmiau. Beiodd llawer o Americanwyr Hollywood am y defnydd amlwg o symbolau rhyw fel Clara Bow a Rudolph Valentino. Cafodd Clara Bow'r llysenw 'The It Girl' ar ôl bod yn y ffilm o'r un enw. Roedd 'It' yn amlwg yn cyfeirio at ryw. Roedd pobl hefyd yn gwrthwynebu'r safonau moesol yn rhai o ffilmiau Hollywood. Ymatebodd Hollywood yn y diwedd drwy sefydlu'r Cod Hays (gweler Ffynhonnell D).

Ffynhonnell D Rhan o'r Cod Hays

- *Neb i ymddangos yn noethlymun ar y sgrin.*
- *Ni chaiff cusan ar y sgrin bara'n hir.*
- *Ni chaiff godineb ei bortreadu mewn ffordd ddeniadol.*
- *Mae'n rhaid i gynhyrchwyr osgoi pynciau israddol, ffiaidd, annifyr, ond nid drwg o angenrhaid.*
- *Ni all clerigwyr gael eu portreadu fel cymeriadau doniol neu ddrwg.*
- *Mae'n rhaid portreadu llofruddiaeth, llosgi bwriadol a smyglo fel gweithredoedd drwg.*

TASG

8 Defnyddiwch y wybodaeth yn Ffynhonnell D a'ch gwybodaeth eich hun i egluro sut y gwnaeth y diwydiant ffilm ymateb i'r honiad ei fod wedi achosi dirywiad mewn safonau moesol. (Am arweiniad ar sut i ateb y math hwn o gwestiwn, edrychwch ar dudalennau 27–28.)

Sut y gwnaeth cerddoriaeth a diwylliant poblogaidd ddatblygu?

Effaith a datblygiad jazz yn y 1920au

Cyfeirir at y 1920au fel yr 'oes jazz' oherwydd mai jazz oedd cerddoriaeth boblogaidd y cyfnod. Yr awdur F Scott Fitzgerald oedd y cyntaf i ddefnyddio'r ymadrodd yn ei lyfr *The Beautiful and the Damned.*

Nid rhywbeth newydd oedd jazz. Roedd yn perthyn yn wreiddiol i'r caethweision du a gafodd eu hannog i ganu er mwyn gwella cynhyrchiant. Byddent yn defnyddio byrddau golchi, caniau, offer gwaith ac offerynnau taro i greu eu cerddoriaeth unigryw eu hunain. Drwy newid y curiad a chreu rhythmau penodol, datblygodd i fod yn jazz. Gan nad oedd llawer o gerddorion du yn gallu darllen cerddoriaeth, byddent yn chwarae'n fyrfyfyr ac yn cyfansoddi ar y pryd. Dyna un o atyniadau'r dull newydd hwn o gerddoriaeth. Yn wreiddiol roedd gan y gerddoriaeth enwau amrywiol gan gynnwys *'blues'*, *'rag'* a *'boogie-woogie'* – geiriau a oedd yn deillio o iaith ryw pobl ddu nad oedd pobl wyn yn hoffi eu defnyddio. Felly, bathwyd yr enw newydd jazz.

Er gwaethaf y gwreiddiau Affro-Americanaidd, daeth jazz yn boblogaidd yn y 1920au ymysg pobl ifanc wyn dosbarth canol, yn enwedig y ***flappers*** (gweler tudalen 89). Teimlai eraill fod jazz yn arwydd pellach fod safonau moesol yn dirywio. Yn 1921, er enghraifft, cyhoeddodd y *Ladies' Home Journal* erthygl o'r enw 'Does Jazz put the Sin in Syncopation?' (*Syncopation* neu trawsacen yw'r rhythmau anarferol sy'n nodweddiadol o gerddoriaeth jazz.)

Ffynhonnell A Rhan o gyfweliad gyda cherddor jazz ar ddechrau'r 1920au

Mae cerddorion jazz yn gwneud pethau cwbl newydd gyda'u hofferynnau – pethau mae offerynwyr clasurol yn cael eu dysgu i'w hosgoi. Mae jazz yma i aros oherwydd ei fod yn adlewyrchu'r cyfnod – y cyfnod cyffrous, egnïol, hynod brysur presennol hwn.

Ffynhonnell B Darn o *The Ladies' Home Journal*, 1922, cylchgrawn ar gyfer menywod America

Yn wreiddiol, Jazz oedd cyfeiliant y dawnsiwr fwdw (voodoo), a byddai'n ysgogi'r barbariad hanner call i wneud pethau ffiaidd. Roedd pobl farbaraidd eraill wedi defnyddio'r canu rhyfedd i ysgogi creulondeb a chnawdolrwydd. Mae llawer o wyddonwyr wedi dangos bod hyn yn cael effaith lygredig ar yr ymennydd dynol. Mae cerddoriaeth jazz yn niweidiol ac yn beryglus ac mae'n cael dylanwad drwg iawn.

Penderfynodd rhai dinasoedd, gan gynnwys Efrog Newydd a Cleveland, wahardd perfformiadau jazz cyhoeddus mewn neuaddau dawns. Ond yr unig effaith a gafodd hyn oedd ei wneud yn fwy deniadol i bobl ifanc. Jazz oedd atyniad mawr y clybiau nos a'r *speakeasies* ac roedd modd ei glywed gartref ar y radio hefyd. Wrth i boblogrwydd jazz ymestyn, dechreuodd cerddorion gwyn ddefnyddio'r arddull, a daeth sawl band yn enwog megis band Paul Whiteman a Bix Beiderbecke. Y lleoliad jazz mwyaf poblogaidd o bosibl oedd y Cotton Club yn Harlem, Efrog Newydd.

Bywgraffiad Duke Ellington 1899–1974

Fe'i ganwyd yn Washington DC yn 1899 a daeth yn gyfansoddwr ac yn bianydd. Symudodd i Efrog Newydd yn y 1920au, gan sefydlu band deg dyn. Daeth yn boblogaidd oherwydd caneuon fel *Choo Choo* a *Chocolate Kiddies.*

Bywgraffiad Louis Armstrong 1901–1971

Fe'i ganwyd yn New Orleans yn 1901 a daeth yn enwog fel trwmpedwr yno. Yn 1922 symudodd i Chicago, prifddinas jazz UDA. Erbyn 1925 roedd ganddo ei fand ei hun ac roedd yn enwog ar hyd a lled y wlad. Roedd rhai o'i ganeuon enwog yn cynnwys *Ain't Misbehavin'* a *Tiger Rag.*

Ffynhonnell C Band jazz 'King' Oliver, Chicago, 1922. Louis Armstrong yw'r cerddor sy'n penlinio yn y blaen

TASGAU

1 Beth y mae Ffynhonnell C yn ei ddangos i chi am gerddoriaeth jazz yn y 1920au? (Am arweiniad ar sut i ateb y math hwn o gwestiwn, edrychwch ar dudalen 16.)

2 Pa mor ddefnyddiol yw Ffynhonnell B i hanesydd sy'n astudio'r rhesymau pam oedd rhai Americanwyr yn casáu cerddoriaeth jazz? (Am arweiniad ar sut i ateb y math hwn o gwestiwn, edrychwch ar dudalennau 49–50.)

3 Pam y mae Ffynonellau A a B yn dangos safbwyntiau gwahanol am gerddoriaeth jazz? (Am arweiniad ar sut i ateb y math hwn o gwestiwn, edrychwch ar dudalennau 63–64.)

Effaith y radio

Cafodd y radio ddylanwad enfawr ar lawer o Americanwyr. Dechreuodd yr orsaf radio gyntaf, Station KDKA, yn 1920 ac erbyn 1930 roedd dros 600 o orsafoedd radio yn UDA ac roedd gan 40 y cant o gartrefi UDA set radio. Roedd llawer o deuluoedd yn talu'n wythnosol am eu setiau radio ac roedd eu pris yn rhatach oherwydd eu bod yn cael eu **masgynhyrchu**.

Roedd y radio yn galluogi pobl i ddilyn chwaraeon, gwrando ar gerddoriaeth, fel jazz, yn ogystal â hysbysebion. Roedd yn hawdd darlledu newyddion, chwaraeon ac adloniant i filiynau o gartrefi. Sefydlwyd y rhwydwaith radio cenedlaethol cyntaf, y National Broadcasting Company (NBC) yn 1926, a sefydlwyd y Columbia Broadcasting System (CBS) flwyddyn yn ddiweddarach. Cyn bo hir, y radio oedd prif ffynhonnell adloniant y teulu. Creodd arwyr yn y maes chwaraeon, fel y bocsiwr, Jack Dempsey a'r chwaraewr pêl fas, Babe Ruth. Oherwydd y radio, roedd hanes digwyddiadau ar gael i lawer o bobl na allent fforddio eu mynychu. Erbyn diwedd y 1920au, roedd y radio yn cyrraedd dros 50 miliwn o bobl, gan arwain at gynnydd sylweddol yn nealltwriaeth wleidyddol a chymdeithasol, gan nad oedd angen i bobl allu darllen er mwyn dilyn y newyddion yn awr.

Ffynhonnell CH Darn o erthygl papur newydd UDA yn 1929

Ar ôl dechrau fel gwasanaeth telegraff diwifr bach yn 1920, erbyn heddiw mae'r radio wedi tyfu'n gyflym i fod yn ddiwydiant gwerth biliynau o ddoleri. Mae hysbysebu wedi troi darlledu yn ddiwydiant. Sylweddolodd y darlledwyr y gallent roi hwb i'r diwydiant ceir neu'r diwydiant diod sinsir. Wedyn mae oriau darlledu yn dod yn rhywbeth y mae pobl am ei brynu.

Effaith y gramoffon

Tyfodd y diwydiant **gramoffon** yn gyflym ar ôl 1900, gan gyrraedd ei uchafbwynt yn 1921 gyda gwerthiant o $106 miliwn. Fodd bynnag, erbyn 1922, roedd y radio wedi dinistrio'r farchnad oherwydd eu bod yn darlledu cerddoriaeth yn rhad ac am ddim. Syrthiodd y gwerthiant trwy gydol y degawd, a phan gwympodd y **farchnad stoc** yn 1929, aeth y rhan fwyaf o'r cwmnïau bach yn fethdalwyr neu cawsant eu prynu gan gwmnïau mawr.

Clybiau yfed anghyfreithlon (*Speakeasies*)

Pan gafodd y **Gwaharddiad** ei gyflwyno yn 1920, cynyddodd nifer y *speakeasies*, (gweler tudalen 33), a oedd yn cael eu rhedeg gan gangsteriaid. Criw o Americanwyr du yn chwarae cerddoriaeth jazz fyddai'n darparu'r adloniant yn aml yn y *speakeasies*. Am y tro cyntaf erioed, roedd caniatâd i bobl ddu a gwyn gymysgu'n gymdeithasol yn y lleoedd hyn ac roedd pobl ifanc o bob dosbarth cymdeithasol yn rhan o'r gynulleidfa. Roedd pobl ifanc yn cael eu denu gan y gerddoriaeth a hefyd y dawnsio jazz beiddgar. Roedd llawer iawn o bobl yn gwrthwynebu jazz oherwydd ei fod yn tynnu pobl o wahanol hil at ei gilydd ac, yn ôl pob sôn, yn cyffroi chwantau rhywiol.

Ffynhonnell D F Scott Fitzgerald, nofelydd cyfoes, yn disgrifio newidiadau mewn gweithgarwch diwylliannol ar ddechrau'r 1920au yn *Tales of the Jazz Age* (1922)

Roedd y partïon yn fwy – y lle'n llawn cynnwrf – roedd y sioeau'n fwy eang, yr adeiladau'n uwch, y moesau'n fwy llac a'r alcohol yn rhatach.

Agorwyd clybiau drud gan arweinwyr y gangiau gyda chabaret o ddawnswyr a bandiau poblogaidd. Yng nghlwb Small's Paradise yn Harlem, Efrog Newydd, byddai'r gweithwyr yn dawnsio'r *Charleston* wrth gario hambyrddau yn llawn coctels. Roedd sêr fel Fred ac Adele Astaire yn perfformio yn y Trocadero, ac yn y Cotton Club, Duke Ellington oedd arweinydd y band a'r prif atyniadau eraill oedd y dawnsiwr tap Bojangles Robinson a'r gantores jazz Ethel Waters.

Dawnsio

Un o'r newidiadau mwyaf i ddiwylliant poblogaidd y cyfnod hwn oedd dawnsio. Cyn y Rhyfel Byd Cyntaf

Ffynhonnell DD Y Parchedig Burke Culpepper, pregethwr **Ffwndamentalaidd,** yn pregethu yn Eglwys Esgobol Fethodistaidd Mount Vernon, 1925

Mae dawnsio yn bwydo ysgariad. Mae'n baganaidd, yn anifeilaidd ac yn ddamniol. Mae'n diraddio menywod a dynion. Dyma'r amser i ddweud yn blaen ei fod yn un o'r arferion modern mwyaf niweidiol.

roedd dawnsio yn araf a braidd yn ffurfiol, ond daeth arddull fywiog yn y 1920au. Dawns enwocaf y cyfnod oedd y *Charleston* – dawns gyflym iawn gyda'r rhythmau'n newid yn sydyn. Ymysg y dawnsfeydd poblogaidd eraill oedd y *black bottom*, y *vampire*, *shimmy*, *turkey trot*, *buzzard lope*, *chicken scratch*, *monkey glide* a'r *bunny hug*. Roedd y *Charleston* a'r dulliau dawnsio newydd hyn yn pryderu'r genhedlaeth hŷn ac roedd llawer yn eu hystyried yn anfoesol ac yn warthus. Yn ystod y cyfnod hwn cynyddodd poblogrwydd y marathonau dawnsio (gweler tudalen 97).

Ffynhonnell E Dawnswyr yn perfformio'r *Black Bottom*, 1926

TASGAU

4 Defnyddiwch y wybodaeth yn Ffynhonnell CH a'ch gwybodaeth eich hun i egluro pam y cafodd y radio effaith fawr ar UDA. (Am arweiniad ar sut i ateb y math hwn o gwestiwn, edrychwch ar dudalennau 27–28.)

5 Disgrifiwch ddiwylliant newydd y *speakeasies* yn y 1920au. (Am arweiniad ar sut i ateb y math hwn o gwestiwn, edrychwch ar dudalen 73.)

6 Pa mor ddefnyddiol yw Ffynhonnell DD i hanesydd sy'n astudio poblogrwydd y diwylliant dawns newydd? (Am arweiniad ar sut i ateb y math hwn o gwestiwn, edrychwch ar dudalennau 49–50.)

7 I ba raddau y mae Ffynhonnell D yn cefnogi'r safbwynt fod yna newidiadau dramatig mewn adloniant poblogaidd yn y 1920au? (Am arweiniad ar sut i ateb y math hwn o gwestiwn, edrychwch ar dudalennau 40–41.)

8 Ai'r radio oedd y newid pwysicaf i adloniant poblogaidd UDA yn y 1920au? Eglurwch eich ateb yn llawn.

Dylech roi safbwyntiau'r ddwy ochr i'r cwestiwn hwn:

- trafodwch bwysigrwydd radio fel dull newydd o adloniant poblogaidd
- trafodwch bwysigrwydd newidiadau eraill mewn adloniant poblogaidd

a dod i benderfyniad.

(Am arweiniad ar sut i ateb y math hwn o gwestiwn, edrychwch ar dudalennau 91–92.)

Arweiniad ar arholiadau

Mae'r adran hon yn rhoi arweiniad ar sut i ateb cwestiynau 2(c) a 3(c) yn Unedau 1 a 2. Mae'r cwestiwn wedi'i rannu'n gwestiynau 2 × 4 marc, sy'n rhoi cyfanswm o 8 marc.

Cwestiynau 2(c) a 3(c) – dethol gwybodaeth a deall nodweddion allweddol

Eglurwch pam yr oedd sinema di-sain yn boblogaidd ymysg Americanwyr. (4 marc)

Cyngor ar sut i ateb

- Ceisiwch gynnwys amrywiaeth o resymau a'u hegluro'n dda.
- Po fwyaf o resymau y gallwch eu nodi, bydd gennych well gobaith o gael marciau uchel.
- Mae'n hollbwysig bod y rhesymau hyn yn cael eu cefnogi gan wybodaeth ffeithiol berthnasol.
- Ceisiwch osgoi sylwadau cyffredinol gan na fyddant yn cael marciau uchel.
- Defnyddiwch enghreifftiau i gefnogi eich sylwadau bob tro.
- Gofalwch fod eich gwybodaeth yn gwbl berthnasol. Er enghraifft, a yw'n ateb y cwestiwn?

Ymateb yr ymgeisydd

Roedd y sinema di-sain yn boblogaidd ymysg Americanwyr oherwydd ei fod yn dechnoleg newydd. Roedd yn dangos lluniau'n symud ar sgrin fawr ac roedd pawb yn awyddus i'w weld a chael y profiad. Oherwydd bod ceir ar gael roedd mwy o bobl yn gallu teithio i'r sinema, ac roedd hyn ar yr un adeg â chynnydd mewn amser hamdden yn ystod y 1920au. Roedd mynd i'r sinema yn weithgaredd y gallai pob Americanwr ei fwynhau ac yn weithgaredd rhad. Roedd atyniad sêr Hollywood fel Charlie Chaplin a Clara Bow yn ychwanegu at yr apêl ac roedd y ffilmiau'n cynnwys pob genre, o arswyd, rhamant a drama i gomedi slapstic. Roedd y sinema'n apelio at Americanwyr o bob oed ac roedd yn adloniant da.

Y rheswm cyntaf wedi'i nodi a'i egluro – apêl technoleg newydd.

Ail reswm wedi'i nodi – mwy o amser hamdden a dulliau teithio haws.

Trydydd rheswm wedi'i nodi – adloniant rhad oedd yn boblogaidd gyda phawb.

Pedwerydd rheswm wedi'i nodi – apêl sêr ffilmiau Hollywood.

Sylw'r arholwr

Mae'r ateb yn nodi nifer o resymau penodol sy'n cael eu hegluro'n eithaf manwl. Mae'r ymgeisydd wedi osgoi cynnwys sylwadau cyffredinol. Mae'r ateb yn berthnasol iawn ac mae'n dangos gwybodaeth a dealltwriaeth fanwl. Mae'n haeddu'r 4 marc llawn.

Rhowch gynnig arni

Eglurwch pam yr apeliodd jazz at lawer o Americanwyr ifanc. (4 marc)

8 Sut y gwnaeth ffordd o fyw a statws menywod newid yn ystod y cyfnod hwn?

Ffynhonnell A Erthygl o'r enw 'Flapper Jane' o un o gylchgronau ffasiynol UDA, 1925

Flapper yw Jane. Gadewch i ni edrych ar y fenyw ifanc hon wrth iddi gerdded yn hamddenol dros y lawnt yng nghartref maestrefol ei rhieni. Mae hi newydd barcio'r car ar ôl gyrru chwe deg milltir mewn dwy awr. Mae hi'n edrych yn ferch bert. Harddwch yw ffasiwn 1925. Mewn gwirionedd, mae hi'n gwisgo llawer o golur, ac mae ganddi wefusau coch ofnadwy a llinellau trwchus iawn o amgylch ei llygaid. O ran dillad, nid yw Jane yn gwisgo llawer ar gyfer yr haf. Mae ganddi ffrog fer gyda gwddf isel. Mae'r sgert yn cyrraedd ychydig o dan y pengliniau. Nid yw'n ffasiynol i wisgo bra er 1924.

Ffynhonnell B O werslyfr ysgol gan J T Patterson, *America in the Twentieth Century*, 1999

Er bod rhai menywod dosbarth canol uwch yn y dinasoedd yn siarad am ddileu'r hen gonfensiynau – nhw oedd y flappers – roedd y rhan fwyaf o fenywod yn cadw at agweddau mwy traddodiadol o safbwynt 'eu lle'. Canolbwyntiodd y rhan fwyaf o fenywod dosbarth canol ar reoli'r cartref. Yn hytrach na phrotestio ar y strydoedd yn erbyn gwahaniaethu ar sail rhyw, roedd merched y menywod hyn yn fwy tebygol o baratoi am yrfa fel mam a gwraig tŷ. Cadwodd miliynau o fewnfudwyr benywaidd a'u merched at draddodiadau oedd yn sicrhau mai dynion oedd yn rheoli'r teulu.

TASG

Pam y mae Ffynonellau A a B yn mynegi safbwyntiau gwahanol am fenywod yn UDA yn y 1920au? Dylech gyfeirio at gynnwys y ffynonellau a'r awduron yn eich ateb.
(Am arweiniad ar sut i ateb y math hwn o gwestiwn, edrychwch ar dudalennau 63–64.)

Roedd menywod wedi gwneud cyfraniad mawr at helpu UDA i ennill y rhyfel rhwng 1917 a 1918, a'u gwobr oedd yr hawl i bleidleisio yn 1920. I rai menywod, roedd y 1920au yn gyfnod o newid mawr, yn enwedig o safbwynt eu sefyllfa gymdeithasol a'r ffordd roedden nhw'n edrych. Enw'r menywod hyn oedd *flappers*. Ond i lawer o fenywod, nid oedd fawr ddim newid yn eu statws nac yn eu cyfleoedd gyrfa.

Mae'r bennod hon yn ateb y cwestiynau canlynol:

- Sut y gwnaeth agweddau tuag at fenywod newid?
- Beth oedd ffordd o fyw y *flapper*?

Arweiniad ar arholiadau

Drwy'r bennod hon byddwch yn cael cyfle i ymarfer cwestiynau arholiad o wahanol arddull a rhoddir arweiniad manwl ar sut i ateb cwestiynau 2(ch) a 3(ch) yn Unedau 1 a 2 y papur arholiad. Cwestiwn traethawd yw hwn sy'n rhoi strwythur i'ch helpu i gynllunio eich ateb. Mae'n werth 10 marc.

Sut y gwnaeth agweddau tuag at fenywod newid?

Sefyllfa menywod cyn 1917

SEFYLLFA WLEIDYDDOL
Nid oedd menywod yn cymryd rhan mewn gwleidyddiaeth o gwbl. Nid oeddent yn gallu pleidleisio.

SEFYLLFA GYMDEITHASOL
Roedd pobl yn credu ei bod hi'n anweddus i fenywod ysmygu neu yfed alcohol yn gyhoeddus. Byddai menyw bob amser yng nghwmni *chaperone* wrth iddi fynd allan gyda'r dydd neu'r nos. Roedd ysgariad a rhyw cyn priodi yn bethau prin iawn.

CYFLEOEDD GWAITH
Nid oedd llawer o ddewis o waith gan nad oedd y rhan fwyaf o fenywod dosbarth canol ac uwch yn mynd allan i weithio. Byddai hynny'n ymyrryd â'u rôl ddomestig fel mam a gwraig tŷ. Roedd y rhan fwyaf o fenywod cyflogedig mewn swyddi lle'r oedd y cyflog yn isel fel glanhau, gwnïo a gwaith ysgrifenyddol.

YMDDANGOSIAD
Roedd disgwyl i fenywod wisgo ffrogiau hir wedi'u tynnu'n dynn yn y canol, bod â gwallt hir wedi'i glymu a pheidio â gwisgo colur.

Newidiadau ar ôl 1917

Cafodd menywod fwy o gyfleoedd pan ddechreuodd UDA gymryd rhan yn y Rhyfel Byd Cyntaf yn 1917:

- Roedd tua 2.8 miliwn o ddynion yn aelodau o'r lluoedd arfog erbyn diwedd y rhyfel ac roedd dros filiwn o fenywod yn helpu gydag ymdrech y rhyfel.
- Roedd tua 90,000 o fenywod yn gwasanaethu yn lluoedd arfog UDA yn Ewrop. Aeth y Llynges ati i ymrestru menywod fel clercod, trydanwyr radio, fferyllwyr, cyfrifwyr a nyrsys. Ymunodd eraill â Chymdeithasau Cristnogol Menywod Ifanc a Dynion Ifanc, Croes Goch America a Byddin yr Iachawdwriaeth. Yn wahanol i'w chwaer wasanaethau, roedd y fyddin yn fwy ceidwadol wrth ddethol swyddi ar gyfer menywod. Ymrestrodd dros 21,000 o fenywod fel clercod, arbenigwyr olion bysedd, newyddiadurwyr a chyfieithwyr.
- Roedd menywod hefyd yn gwneud gwaith a wnaed gan ddynion yn draddodiadol, fel gwaith diwydiant trwm, peirianneg a chludiant.

Dangosodd y rhyfel fod menywod yn gallu gwneud y gwaith cystal â dynion gan arwain at fwy o ryddid yn enwedig o ran arferion cymdeithasol fel ysmygu ac yfed yn gyhoeddus a mynd allan heb *chaperone*. Roedd eu cyfraniad hefyd wedi bod yn ddadl gref o blaid hawl menywod i'r bleidlais, a chafodd hyn effaith fawr ar basio Diwygiad 19 a oedd yn rhoi'r hawl i fenywod bleidleisio yn 1920. Rhoddodd hyn fwy o rym gwleidyddol i fenywod gan annog rhai i ymgyrchu dros fwy o newid.

TASGAU

1. Disgrifiwch sefyllfa menywod yn UDA ar ddechrau'r ugeinfed ganrif. (Am arweiniad ar sut i ateb y math hwn o gwestiwn, edrychwch ar dudalen 73.)
2. Eglurwch pam y newidiodd y Rhyfel Byd Cyntaf sefyllfa menywod. (Am arweiniad ar sut i ateb y math hwn o gwestiwn, edrychwch ar dudalen 84.)

Agweddau'n newid tuag at arferion cymdeithasol a'r diwylliant jazz

Roedd yna gyfres o newidiadau i sefyllfa menywod yn y 1920au. Cafodd y rhain eu dylanwadu gan:

- **Ffyniant** (*boom*) economaidd y 1920au, a arweiniodd at gyfleoedd cyffrous i fenywod. Roedd menywod yn gorffen gwaith tŷ yn gynt diolch i offer newydd fel sugnwyr llwch a pheiriannau golchi. Roedd rhai ohonynt yn gallu mynd allan i weithio ac roedd gan eraill fwy o gyfle i fwynhau gweithgareddau hamdden.

Ffynhonnell A Hysbyseb mewn cylchgrawn Americanaidd yn 1926 ar gyfer peiriant golchi trydan Maytag

- Yr 'Oes Jazz' a newidiodd y byd adloniant a hamdden. Arweiniodd poblogrwydd y sinema, y radio a'r neuaddau dawns at fwy o gyfleoedd i fenywod. Er enghraifft, roedd sêr y ffilmiau di-sain, Mary Pickford a Clara Bow, mor llwyddiannus nes iddynt ymuno â dwy seren arall i sefydlu eu cwmni ffilm eu hunain. Daeth Mae West, Gloria Swanson a Jean Harlow yn sêr y ffilmiau sain ac yn ddelfrydau ymddwyn i lawer o ferched iau.

Cyflogaeth

Cafwyd newidiadau eraill i sefyllfa menywod. Bu cynnydd sylweddol yn nifer y menywod oedd yn mynd allan i weithio. Erbyn 1930 roedd tua 2 filiwn yn fwy o fenywod yn gweithio o gymharu â deg mlynedd yn gynt. Fodd bynnag, roeddent yn tueddu i wneud gwaith di-grefft am gyflogau isel. Er gwaetha'r ffaith fod traean o raddau prifysgol wedi'u dyfarnu i fenywod yn 1930, dim ond pedwar y cant o athrawon prifysgol oedd yn fenywod. Dim ond pump y cant o leoedd mewn ysgolion meddygol oedd yn cael eu neilltuo i fenywod. O ganlyniad, syrthiodd nifer y meddygon benywaidd yn y 1920au.

Roedd dynion yn dal i gael mwy o dâl na menywod am wneud yr un gwaith. Ni chafodd menywod unrhyw gefnogaeth gan y **Llys Goruchaf**, a benderfynodd wahardd pob ymdrech i bennu **isafswm cyflog** ar gyfer menywod. Yn 1927, ochrodd y llywodraeth gyda'r cyflogwyr pan aeth gweithwyr tecstilau benywaidd yn Tennessee ar streic i gael mwy o gyflog. Cafodd y streicwyr eu harestio gan yr heddlu lleol. Daeth rhai cyfleoedd gyrfa newydd i fenywod, ond 'swyddi menywod' oeddent gan mwyaf fel llyfrgellwyr a nyrsys.

Ffynhonnell B Tabl yn dangos canran y menywod mewn swyddi penodol yn y blynyddoedd 1900–30

Swyddi	1900	1930
Gweithwyr proffesiynol a thechnegol	8	14
Rheolwyr a swyddogion	1	3
Gweithwyr clerigol a gwerthu	8	28
Crefftwyr medrus	1	1
Gweithwyr a labrwyr	26	19
Morwynion domestig	29	18
Gweithwyr gwasanaeth eraill	7	10
Ffermwyr	6	2

Wrth i fwy o fenywod fynd allan i weithio ac ennill cyflog, nhw oedd yn dechrau penderfynu a oedd angen prynu eitemau newydd i'r cartref ai peidio. Roedd hyd yn oed y menywod nad oeddent yn ennill eu harian eu hunain yn cael eu gweld yn aml fel y rhai oedd yn penderfynu pa bethau i'w prynu. Oherwydd hyn, cafodd hysbysebion eu hanelu'n uniongyrchol at fenywod. Mae rhai pobl hyd yn oed wedi awgrymu mai pwysau gan fenywod wnaeth argyhoeddi Ford i gynnig ceir mewn lliwiau eraill yn ogystal â du.

TASGAU

3 Beth y mae Ffynhonnell A yn ei ddangos i chi am y newidiadau yn ffordd o fyw menywod yn America? (Am arweiniad ar sut i ateb y math hwn o gwestiwn, edrychwch ar dudalen 16.)

4 I ba raddau y mae Ffynhonnell B yn cefnogi'r safbwynt fod cyfleoedd gwaith i fenywod wedi cynyddu erbyn 1930? (Am arweiniad ar sut i ateb y math hwn o gwestiwn, edrychwch ar dudalennau 40–41.)

Priodas

Roedd y cyfryngau, a'r cylchgronau yn benodol, yn atgoffa menywod y dylent briodi a chael plant. Ar ôl priodi roedd menywod yn tueddu i roi'r gorau i weithio. Serch hynny, roedd menywod priod yn y 1920au yn tueddu i gael llai o blant a byw'n hirach na'u mamau a'u neiniau. Yn 1900, y rhychwant oes cyfartalog oedd 51 o flynyddoedd. Erbyn 1925 roedd y ffigur hwn wedi codi i 63. Yn 1900, roedd gan fenywod America 3.6 o blant ar gyfartaledd. Roedd y ffigur hwn wedi gostwng i 2.6 erbyn 1930.

Roedd menywod yn llai tebygol o aros mewn priodas anhapus yn y 1920au. Yn 1914 roedd 100,000 o ysgariadau. Roedd dwywaith cymaint yn 1929.

Gwleidyddiaeth

Cafodd menywod yr hawl i bleidleisio yn 1920. Llwyddodd rhai menywod i ennill rhywfaint o rym gwleidyddol. Er enghraifft, yn 1924 cafodd Nellie Tayloe Ross o Wyoming ei hethol yn **llywodraethwr** talaith – y fenyw gyntaf i gael y swydd honno. Ddwy flynedd yn ddiweddarach, daeth Bertha Knight Landes yn faeres gyntaf un o ddinasoedd America, sef Seattle.

Fodd bynnag, eithriadau oedd y menywod hyn ac ychydig o gynnydd a wnaeth menywod yn y byd gwleidyddol ei hun. Roedd pleidiau gwleidyddol am ennill pleidleisiau menywod, ond nid oeddent yn eu hystyried yn ymgeiswyr gwirioneddol i weithio yn y maes. Erbyn 1920, llond llaw o wleidyddion benywaidd oedd gan America o hyd. Ychydig o ddiddordeb oedd gan y rhan fwyaf o fenywod mewn gwleidyddiaeth. Methodd ymgais **mudiad y menywod** i basio'r Ddeddf Diwygio Hawliau Cyfartal. Byddai hyn wedi sicrhau cydraddoldeb â dynion yn gyfreithlon.

Symudiadau tuag at ffeministiaeth

Yn y blynyddoedd ar ôl 1900 roedd nifer o gymdeithasau menywod yn cymryd rhan mewn amrywiaeth o ymgyrchoedd. Roedd rhai'n ymgyrchu dros fwy o gyfleoedd gwaith a chyflog cyfartal. Roedd eraill yn canolbwyntio ar wella hawliau gwleidyddol, yn enwedig ennill y bleidlais. Cafodd y mudiad lwyddiant yn 1920 pan gafodd menywod yr hawl i bleidleisio am y tro cyntaf mewn etholiadau arlywyddol. Fodd bynnag, yn ystod y 1920au, er gwaethaf neu hyd yn oed oherwydd delwedd y *flapper*, dechreuodd y mudiad ffeministaidd wanhau. Nid oedd gan y rhan fwyaf o fenywod ddiddordeb mewn gwleidyddiaeth.

Newid gwirioneddol?

Roedd yna elfen geidwadol gref o hyd yng nghymdeithas UDA, yn enwedig mewn ardaloedd gwledig lle'r oedd crefydd ac agweddau traddodiadol yn rhwystro unrhyw newid gwirioneddol.

Nid oedd llawer o fenywod priod yn gallu fforddio'r offer newydd i arbed gwaith tŷ. Yn ôl arolwg o 10,000 o ffermdai yn 1932, dim ond 32 y cant oedd â dŵr tap, a 57 y cant oedd yn berchen ar beiriant golchi. Dim ond 47 y cant oedd yn berchen ar ysgubwyr carpedi. Nid yn unig oedd y menywod hyn yn treulio llawer o amser yn gwneud gwaith tŷ ac yn gofalu am y plant, ond roedd yn rhaid iddynt hefyd odro'r gwartheg a gweithio yn y caeau. Ychydig iawn o newid a manteision a ddaeth i'w rhan yn sgil y Dauddegau Gwyllt.

Ffynhonnell C Rhan o *America as Americans See It*, gan yr awdures Americanaidd ffeministaidd Doris E Fleischman, 1932

Mae rhywun yn drysu'n llwyr wrth ddarllen hysbysebion mewn cylchgronau sy'n cyhoeddi nodweddion deniadol sugnwyr llwch, oergelloedd a channoedd o declynnau eraill a ddylai wneud gwaith tŷ yn haws i fenywod. Ar y cyfan mae'r dosbarth canol hwn yn gwneud eu gwaith tŷ eu hunain heb lawer o'r cymhorthion mecanyddol. Mae menywod sy'n byw ar ffermydd yn gwneud llawer o waith yn ogystal â gofalu am eu plant, golchi dillad, gwneud gwaith tŷ a choginio. Mae miloedd yn parhau i weithio yn y caeau ac yn helpu i odro'r gwartheg.

TASGAU

5 Pa mor ddefnyddiol yw Ffynhonnell C i hanesydd sy'n astudio'r cynnydd a wnaed gan fenywod yn ystod y 1920au? (Am arweiniad ar sut i ateb y math hwn o gwestiwn, edrychwch ar dudalennau 49–50.)

6 Gweithiwch gyda phartner a chopïwch y glorian ar y dde.

CYNNYDD | DIFFYG CYNNYDD

Gan ddefnyddio tystiolaeth o dudalennau 86–88:
- dylai un person ysgrifennu enghreifftiau o gynnydd ar y glorian chwith
- dylai'r llall ysgrifennu enghreifftiau o ddiffyg cynnydd ar y glorian dde.

7 Yn gyffredinol, ydych chi'n meddwl bod sefyllfa menywod wedi gwella yn UDA yn y 1920au? Rhowch resymau dros eich ateb.

Beth oedd ffordd o fyw y *flapper*?

Y newid mwyaf mewn sefyllfa menywod oedd yr hyn a ddigwyddodd i fenywod y cyfeiriwyd atynt fel y *flappers*.

Yn y 1920au, penderfynodd nifer o fenywod o deuluoedd dosbarth canol ac uwch yn nhaleithiau'r gogledd yn bennaf, herio'r agweddau traddodiadol tuag at fenywod. Enw'r menywod hyn oedd y *flappers*. Eu nod oedd dod yn fwy annibynnol yn eu bywyd cymdeithasol a mabwysiadu agwedd fwy rhydd tuag at eu hymddygiad a'u hymddangosiad.

Roedd ganddynt wallt byr ac yn gwisgo llawer o golur.

Roeddent yn gwisgo sgertiau byr a lliwiau llachar iawn.

Roeddent yn ysmygu ac yn yfed alcohol yn gyhoeddus.

Roeddent yn mynd i *speakeasies* ac i'r sinema ar eu pennau eu hunain.

Roeddent yn dawnsio'n agored gyda dynion yn gyhoeddus, ac yn gwneud y ddawns newydd, y *Charleston*. Roeddent yn gwrando ar gerddoriaeth newydd, amharchus o'r enw jazz.

Roeddent yn gyrru ceir a hyd yn oed beiciau modur.

Roeddent yn gwisgo gwisgoedd nofio byr iawn ar draethau cyhoeddus.

Ffynhonnell A Barn am y *flappers* o'r *New York Times*, 1922

Mae flapper yn ddigywilydd, yn hunanol ac yn onest ond mae hi hefyd yn meddwl bod y pethau hyn yn dda. Pam lai? Mae hi'n rhannu safbwynt dynion mewn ffordd nad oedd yn bosibl i'w mam ei wneud erioed. Pan fydd hi'n colli nid yw'n ofni cyfaddef hynny, p'un ai a yw'n colli cariad neu $20 mewn arwerthiant. Wnaiff hi byth fod yn wraig dda i chi na gwau tei i chi, ond bydd hi'n hapus i'ch gyrru o'r orsaf ar nosweithiau poeth yr haf yn ei char ei hun. Bydd hi'n barod i wisgo trowsus a mynd i sgïo gyda chi, neu fynd i nofio yn yr haf.

Ffynhonnell B Darn o lythyr a ysgrifennwyd at bapur newydd y *Daily Illini* yn 1922

I ni, nid yw'r gair 'flapper' yn golygu menyw sy'n ysmygu, yn rhegi ac yn cusanu ei ffrindiau gwrywaidd wrth ddweud nos da, er nad oes dim byd o'i le yn hynny. Y flapper i ni yw'r fenyw ifanc annibynnol sy'n teimlo fel bwrw rhywun sy'n cyfeirio ati fel y 'rhyw wannach', sy'n anhapus am gael ei rhoi ar bedestal ac sy'n gyfrifol am wella sefyllfa menywod yn y byd.

Eiconau'r *flappers* a delfrydau ymddwyn

Yr actores Joan Crawford oedd y *flapper* enwocaf. Roedd hi'n cusanu, yfed, ysmygu ac yn dawnsio'r *Charleston* mewn ffilmiau fel *Our Modern Maidens* (1929). Roedd merched wrth ei bodd â hi ac yn awyddus i'w chopïo. Eicon arall y *flappers* oedd seren y ffilmiau di-sain, Louise Brooks. Ymddangosodd am y tro cyntaf fel *flapper* yn y ffilm *A Social Celebrity* yn 1926. Roedd Brooks hefyd yn portreadu cymeriadau oedd yn debyg i'r *flapper* yn *Love 'Em and Leave 'Em* (1926) a *Rolled Stockings* (1927). Ymysg y *flappers* enwog eraill oedd Colleen Moore a Clara Bow, y cyfeiriwyd ati fel yr 'It Girl' oherwydd ei rhan fel *flapper* yn y ffilm *It* (1927).

Ffynhonnell C Roedd F Scott Fitzgerald yn awdur Americanaidd enwog a ysgrifennodd am y dauddegau gwyllt. Yn 1920 priododd Zelda Zayre, a oedd yn un o'r *flappers*

Fflyrtan, cusanu, cymryd agwedd ysgafn tuag at fywyd, melltithio heb gochi, chwarae ar hyd y llinell beryglus mewn ffordd anaeddfed – rhyw fath o famp fach wirion.

Gwrthwynebiad i ffordd o fyw y *flapper*

Fodd bynnag, ar un ystyr, ni wnaeth y *flappers* helpu achos hawliau menywod yn y 1920au. Roedd eu hymddygiad yn rhy eithafol i lawer o grwpiau traddodiadol, yn enwedig yn yr ardaloedd gwledig, ac nid oedd cymdeithasau crefyddol yn eu cymeradwyo o gwbl. Roedd llawer o'r genhedlaeth hŷn yn beirniadu ffordd o fyw y *flappers*, ac aeth rhai ati i sefydlu Cynghreiriau Gwrth-Fflyrtan.

Aeth rhai *flappers* ati'n fwriadol i dorri'r gyfraith, a chael eu harestio – er enghraifft, am wisgo dillad byr fel gwisgoedd nofio a waharddwyd (gweler Ffynhonnell D). Roedd eraill yn gweld y *flappers* fel menywod a oedd yn chwilio am bleser a fawr ddim arall. Er bod rhai yn gwrthwynebu ffordd o fyw y *flapper* yn gryf, roedd menywod eraill yn cydymdeimlo ond heb ddigon o arian na chyfle i fabwysiadu'r ffasiynau newydd na mynychu'r digwyddiadau cymdeithasol newydd.

Ffynhonnell CH Newyddiadurwr o Loegr yn ysgrifennu am *flappers* UDA yn 1921

Meddyliwch am ferched Americanaidd ifanc modern y wlad arbennig hon. Ydyn nhw'n meddwl o gwbl? Ydyn nhw'n gofyn o ble y maen nhw wedi dod? Mae'n ymddangos nad ydyn nhw. Mae'n ymddangos mai denu dynion ac ennill arian yw eu nod. Pan fydd dyn deallus yn cyfarfod y creaduriaid hyfryd, gwirion hyn sy'n ymddwyn heb foesau rhywiol ac sy'n ysmygu'n ddi-baid, beth sydd yno i gynnal eu perthynas?

TASGAU

1. Disgrifiwch fudiad y *flapper*. (Am arweiniad ar sut i ateb y math hwn o gwestiwn, edrychwch ar dudalen 73.)
2. I ba raddau y mae Ffynhonnell CH yn cefnogi'r safbwynt na wellodd y *flappers* ddelwedd menywod UDA yn y 1920au? (Am arweiniad ar sut i ateb y math hwn o gwestiwn, edrychwch ar dudalennau 40–41.)
3. Eglurwch pam yr oedd rhai pobl yn gwrthwynebu'r *flappers*. (Am arweiniad ar sut i ateb y math hwn o gwestiwn, edrychwch ar dudalen 84.)
4. Astudiwch yr holl ffynonellau ar dudalennau 89 a 90 a chopïwch a chwblhewch y tabl isod. Mae un enghraifft wedi'i chwblhau yn barod.

Ffynhonnell	Nodweddion cadarnhaol y *flappers*	Nodweddion negyddol
B		Chwilio am bleser

Ffynhonnell D Grŵp o *flappers* yn Chicago yn cael eu harestio am wisgo gwisgoedd nofio un-darn oedd wedi'u gwahardd am fod yn rhy dynn

Arweiniad ar arholiadau

Mae'r adran hon yn rhoi arweiniad ar sut i ateb cwestiynau 2(ch) a 3(ch) yn Unedau 1 a 2. Cwestiwn ateb estynedig yw hwn sy'n cynnwys strwythur i'ch helpu i gynllunio eich ateb. Mae'n werth 10 marc.

Cwestiynau 2(ch) a 3(ch) – defnyddio eich gwybodaeth eich hun a'r strwythur i ysgrifennu traethawd sy'n ystyried y ddau safbwynt

Ai cerddoriaeth jazz oedd y datblygiad pwysicaf yn niwylliant a chymdeithas America yn ystod y 1920au? Eglurwch eich ateb yn llawn. (10 marc)

Dylech roi safbwyntiau'r ddwy ochr i'r cwestiwn hwn:

- trafodwch gyfraniad cerddoriaeth jazz at ddatblygiad diwylliant a chymdeithas America
- trafodwch ffactorau eraill a gyfrannodd at y datblygiad hwn

a dod i benderfyniad.

Rhoddir ateb enghreifftiol i'r cwestiwn hwn ar dudalen 92.

Rhowch gynnig arni

A oedd pob Americanwr wedi croesawu'r newidiadau i ddiwylliant poblogaidd a chymdeithas yn ystod y 1920au? Eglurwch eich ateb yn llawn. (10 marc)

Dylech roi safbwyntiau'r ddwy ochr i'r cwestiwn hwn:

- trafodwch y grwpiau o Americanwyr a groesawodd y newidiadau i ddiwylliant poblogaidd a chymdeithas
- trafodwch y grwpiau o Americanwyr nad oedd wedi croesawu'r newidiadau hyn

a dod i benderfyniad.

Cyngor ar sut i ateb

- Mae'n rhaid i chi ddatblygu ateb sy'n rhoi safbwyntiau'r ddwy ochr yn gytbwys gyda chefnogaeth dda.
- Dylech ddechrau drwy drafod y pwnc a nodir yn y cwestiwn, gan ddefnyddio eich gwybodaeth ffeithiol i egluro pam y mae'r mater hwn yn bwysig.
- Yna, mae angen i chi ystyried yr wrth-ddadl drwy ddefnyddio eich gwybodaeth i archwilio ffactorau perthnasol eraill.
- Mae angen trafod y pwyntiau hyn yn fanwl, gan ddechrau paragraff newydd ar gyfer pob pwynt.
- Ceisiwch gysylltu'r paragraffau drwy ddefnyddio geiriau fel 'mae ffactorau eraill yn cynnwys', 'hefyd yn bwysig', 'yn ogystal â', 'fodd bynnag'.
- Ceisiwch osgoi sylwadau cyffredinol – po fwyaf penodol yw eich sylwadau, yr uchaf fydd eich marc, cyn belled â bod y wybodaeth ffeithiol yn berthnasol i'r cwestiwn.
- I gloi eich ateb, dylech gyfeirio yn ôl at y cwestiwn, gan ddod i benderfyniad am bwysigrwydd y mater a restrwyd yn y cwestiwn o gymharu â'r ffactorau eraill rydych wedi'u trafod.
- Dylech geisio ysgrifennu rhwng un a dwy ochr tudalen. Gweler tudalen 92 am ateb enghreifftiol i'r cwestiwn sydd gyferbyn.

Mae'r cyflwyniad yn cyfeirio at y cwestiwn.

Yn ymdrin â'r mater allweddol sy'n cael ei nodi yn y cwestiwn.

Yn cynnwys gwybodaeth fanwl gywir i gefnogi'r ddadl.

Yn dechrau cyflwyno'r wrth-ddadl. Mae defnydd o'r term 'fodd bynnag' yn ei gwneud yn glir eich bod nawr yn edrych ar ffactorau eraill.

Mae ffactorau eraill yn cael eu trafod, fel y sinema, chwaraeon, y radio a'r gramoffon, a'r newid yn rôl a statws menywod.

Mae'n dechrau paragraff newydd ar gyfer pob ffactor newydd.

Casgliad rhesymegol da sy'n cyfeirio yn ôl at y cwestiwn.

Ymateb yr ymgeisydd – defnyddio'r strwythur i ysgrifennu traethawd sy'n ystyried y ddau safbwynt

Chwaraeodd cerddoriaeth jazz ran sylweddol yn natblygiad diwylliant a chymdeithas America yn ystod y 1920au. Datbygodd jazz yn y De Eithaf yn wreiddiol o gerddoriaeth draddodiadol pobl ddu fel blues a ragtime. Erbyn dechrau'r 1920au roedd jazz yn boblogaidd yn y clybiau newydd a'r speakeasies yn ninasoedd y gogledd yn ogystal â'r de. Roedd yn gyfle i bobl ddu fynegi eu hunain drwy gerddoriaeth ac i gael gwell derbyniad gan y gymdeithas. Daeth cerddorion jazz fel Louis Armstrong a Duke Ellington yn enwog...

Fodd bynnag, nid jazz oedd yr unig ddatblygiad diwylliannol a chymdeithasol i effeithio ar gymdeithas America yn ystod y 1920au. Dyma ddegawd y sinema di-sain - cyfrwng a ddenodd fwy o bobl. Roedd sêr Hollywood fel Charlie Chaplin a ...

Daeth chwaraeon cyfundrefnol yn fwy poblogaidd yn ystod y 1920au, gan ddod yn elfen bwysig o fywyd cymdeithasol llawer o Americanwyr oedd â mwy o amser rhydd a mwy o arian i gymryd rhan mewn gweithgareddau hamdden. Daeth pêl fas yn fwy poblogaidd oherwydd ...

Daeth adloniant poblogaidd fel gwrando ar y radio a'r gramoffon a mynychu'r clybiau a'r neuaddau dawns newydd yn ffasiynol yn ystod y 1920au hefyd. Aeth pobl yno i berfformio'r ddawns ddiweddaraf fel y Charleston a'r ...

Gwnaeth menywod gynnydd cymdeithasol mawr yn ystod y 1920au hefyd yn sgil datblygiad ffordd o fyw y flapper. Gwisgodd menywod modern ddillad ffasiynol newydd fel ...

Newidiodd diwylliant a chymdeithas America yn sylweddol yn ystod y 1920au. Roedd gan fenywod fwy o ryddid a ffordd o fyw mwy rhyddfrydol. Roedd gan bobl fwy o amser hamdden, ac roedden nhw'n ei ddefnyddio'n amlach i ymweld â'r sinema, mynd i wylio gemau chwaraeon, gwrando ar gerddoriaeth a digwyddiadau diwylliannol eraill ar eu radio. Fodd bynnag, cerddoriaeth jazz oedd un o'r dylanwadau pwysicaf. Aeth pobl i'r clybiau newydd i wrando ar y cerddorion jazz a dawnsio'r dawnsiau jazz newydd. Roedden nhw'n gwrando ar gerddoriaeth jazz ar y radio neu'r gramoffon. Felly roedd jazz yn ddatblygiad diwylliannol a chymdeithasol pwysig yn ystod y 1920au.

Pam y bu cymaint o dwf ym myd chwaraeon a gweithgareddau hamdden eraill yn ystod y cyfnod hwn?

Ffynhonnell A Addaswyd o *The Twenties: Fords, Flappers and Fanatics*, gan George Mowry, 1963

Ar faes y gad, ar y llinell gynhyrchu, gartref mewn fflat yn y ddinas ac yn fwyfwy yn y byd busnes, roedd yr unigolyn yn mynd ar goll yng nghanol y dorf. Y maes chwarae oedd un o'r meysydd mynegiant pur oedd ar ôl i'r unigolyn, ble roedd llwyddo neu fethu yn dibynnu'n gyfan gwbl ar allu corfforol a meddyliol unigolion. Ac os na allai neu na fyddai y mwyafrif o'r boblogaeth yn cymryd rhan eu hunain yn uniongyrchol, o leiaf gallent werthfawrogi'r hen rinweddau drwy eu gwylio.

TASG

Defnyddiwch Ffynhonnell A a'ch gwybodaeth eich hun i egluro pam yr oedd mwy o ddiddordeb mewn chwaraeon yn UDA yn y 1920au. (Am arweiniad ar sut i ateb y math hwn o gwestiwn, edrychwch ar dudalennau 27–28.)

Roedd y 1920au yn flynyddoedd o newid mawr i UDA. Wedi'r cwbl, enw'r cyfnod oedd y 'Dauddegau Gwyllt'. Roedd dinasyddion y wlad yn fwy cyfoethog a ffyniannus ac roedd ganddynt fwy o arian gwario nag erioed o'r blaen. Gan fod ceir ar gael yn rhatach, roedd pobl yn gallu mynd i fwy o weithgareddau hamdden – nid y sinema oedd yr unig le i fanteisio ar y cyfoeth newydd. Daeth chwaraeon yn arbennig yn rhan bwysig o fywydau pobl. Roedd yn ymddangos bod pobl nid yn unig yn awyddus i wylio arwyr chwaraeon, ond hefyd i weld unigolion yn gwthio eu hunain hyd eithaf eu dygnwch. Roedd enwau fel Lindbergh, Earhart ac Ederle yn enwog mewn cartrefi ar draws UDA. Yn ogystal, daeth UDA yn enwog am fympwyon rhyfedd fel marathonau dawnsio ac eistedd ar bolion baneri.

Mae'r bennod hon yn ateb y cwestiynau canlynol:

- Sut y gwnaeth diddordeb mewn chwaraeon dyfu yn y 1920au?
- Beth oedd y chwiwiau, mympwyon a'r angerdd am yr anghyffredin?
- Pwy oedd arwyr Americanaidd y degawd?
- Pa effaith gafodd moduron ar weithgareddau hamdden?

Arweiniad ar arholiadau

Drwy'r bennod hon byddwch yn cael cyfle i ymarfer cwestiynau arholiad o wahanol arddull.

Sut y gwnaeth diddordeb mewn chwaraeon dyfu yn y 1920au?

Ar ddechrau'r 1920au daeth chwaraeon yn rhan bwysig iawn o fywydau llawer o Americanwyr. Daeth hyd yn oed yn fwy poblogaidd oherwydd y radio. Oherwydd ffyniant cynyddol UDA, roedd gan bobl fwy o arian gwario. Roeddent yn gallu gwylio mwy o chwaraeon a chymryd rhan ynddynt hefyd. Roedd gan bobl fwy o amser hamdden ac roedd yn haws iddynt deithio hefyd. Yn wir, cafodd y 1920au eu henwi'n swyddogol yn 'Oes Aur Chwaraeon'. Llwyddodd pêl fas, pêl-droed, golff, rasio ceffylau a thennis i ddal dychymyg llawer o bobl. Cynyddodd nifer y golffwyr, chwaraewyr tennis, bowlwyr a chwaraewyr pêl fas amatur yn sylweddol. Diolch i ddarllediadau radio a newyddiadurwyr chwaraeon, daeth athletwyr yn unigolion pwysig ac yn arwyr cenedlaethol, yn debyg i arwyr llyfrau comig y cyfnod.

Oherwydd y twf yn nifer yr arwyr chwaraeon, cymerodd mwy o bobl ran mewn gweithgareddau chwaraeon, ac adeiladodd dinasoedd byllau nofio, caeau pêl fas, llefydd chwarae a chanolfannau adloniant. Cafodd stadia newydd enfawr eu hadeiladu ar draws UDA i ymateb i'r diddordeb mawr yn yr hyn a ddaeth yn chwaraeon proffesiynol.

Pêl fas

Pêl fas oedd y gamp fwyaf poblogaidd a Babe Ruth oedd mabolgampwr enwocaf y cyfnod. Cafodd ei ystyried yn un o'r arwyr chwaraeon mwyaf yn hanes America ac fel y chwaraewr pêl fas gorau erioed. Roedd yn gymeriad mawr iawn a oedd yn byw bywyd yn y lôn gyflym, ond roedd hefyd yn enwog am ei waith elusennol. Ym marn llawer o bobl, Babe Ruth oedd yn gyfrifol am sicrhau mai pêl fas oedd camp fwyaf poblogaidd y 1920au.

Mabolgampwr mawr arall o'r 1920au oedd Oscar Charleston, a chwaraeodd yng Nghynghrair y Negro. Mae ef hefyd yn cael ei ystyried yn un o'r chwaraewyr gorau erioed, ond nid oedd yn cael chwarae yn y prif gynghreiriau oherwydd lliw ei groen. Roedd Ruth a Charleston yn chwaraewyr llaw chwith.

Bywgraffiad George Herman Ruth, Jr 1895–1948

Hefyd yn cael ei adnabod fel Babe Ruth, y Bambino a'r Sultan of Swat.

Chwaraeodd bêl fas yn y prif gynghreiriau rhwng 1914 a 1935:

- Boston Red Sox 1914–19
- New York Yankees 1920–35
- Boston Braves 1935

Ystadegau gyrfa:

- 714 rhediad adref
- 2873 o ergydion
- Pencampwr Cyfres y Byd saith gwaith
- Ruth oedd y chwaraewr cyntaf i daro 60 rhediad adref mewn un tymor (1927)

Bywgraffiad Oscar Charleston 1896–1954

Chwaraewr pêl fas yng Nghynghrair y Negro:

- Indianapolis ABCs 1915–18, 1920, 1922–23
- Chicago American Giants 1919
- St Louis Giants 1921

Chwaraewr/rheolwr pêl fas:

- Harrisburg Giants 1924–27
- Philadelphia Hilldales 1928–29
- Timau amrywiol tan 1941

Stadiwm pêl fas y New York Yankees, a ddisgrifiwyd fel 'y tŷ a adeiladodd Ruth'.

Bocsio

Roedd llawer iawn o bobl yn mynd i wylio pob un o'r digwyddiadau chwaraeon mawr, yn enwedig gornestau bocsio. Yn 1921, talodd 75,000 o bobl $1.5 miliwn i weld yr ornest focsio rhwng Jack Dempsey a Georges Carpentier, a phum mlynedd yn ddiweddarach gwelodd tua 145,000 o bobl yr ornest rhwng Jack Dempsey a Gene Tunney.

Bywgraffiad Jack Dempsey 1895–1983

Llysenw 'The Manassa mauler'
1895 Ganwyd William Dempsey ym Mansassa, Colorado
1913–27 Cafodd 83 o ornestau:
Enillodd 66 (51 gydag ergyd derfynol)
Collodd 6 (1 gydag ergyd derfynol)
Gornestau cyfartal 11
1919 Daeth yn bencampwr bocsio pwysau trwm y byd, gan drechu Jess Willard
1926 Collodd ei bencampwriaeth pwysau trwm i Gene Tunney

Bywgraffiad Gene Tunney 1897–1978

1897 Ganwyd James Tunney yn Efrog Newydd
1919–28 Cafodd 86 o ornestau:
Enillodd 80 (48 gydag ergyd derfynol)
Collodd 1
Gornestau cyfartal 5
1926 Enillodd y bencampwriaeth pwysau trwm gan drechu Jack Dempsey
1928 Gwnaeth ymddeol fel pencampwr heb gael ei guro

Pencampwr bocsio pwysau trwm Gene Tunney yn llorio Jack Dempsey yn yr wythfed rownd o'r ornest am y bencampwriaeth yn Chicago yn 1927. Daeth hon yn enwog fel gornest y 'Cyfrif Hir'.

Ffynhonnell A Rhan o *Only Yesterday, A History of the 1920s*, a ysgrifennwyd gan F L Allen yn 1975

Gwyliodd 130,000 o bobl Gene Tunney yn trechu'r hen Jack Dempsey mewn gornest focsio yn Philadelphia, gan dalu bron i filiwn o ddoleri am y fraint: gwyliodd 145,000 o bobl yr ail ornest yn Chicago, gan dalu'r swm anhygoel o $2.6 miliwn. Mae'r ffaith mai dim ond $452,000 a gymerwyd pan wnaeth Dempsey adennill ei bencampwriaeth ar ôl trechu Willard yn 1919 yn dangos yr hyn sydd wedi digwydd mewn ychydig o flynyddoedd. Roedd yr amffitheatr yn Chicago mor fawr nes nad oedd y bobl a oedd yn eistedd yn y seddau pellaf yn gwybod pwy oedd wedi ennill pan ddaeth yr onest i ben. Ac nid oedd y gynulleidfa yn gyfyngedig i'r dorf enfawr yn Chicago chwaith, gan fod miliynau yn fwy o bobl – 40 miliwn yn ôl y gorsafoedd radio – yn gwrando ar yr ornest, dyrnod wrth ddyrnod, dros y radio.

TASGAU

1 Disgrifiwch yrfa chwaraeon **naill ai** Babe Ruth **neu** Jack Dempsey. (Am arweiniad ar sut i ateb y math hwn o gwestiwn, edrychwch ar dudalen 73.)

2 Defnyddiwch Ffynhonnell A a'ch gwybodaeth eich hun i egluro pam y daeth bocsio yn gamp boblogaidd yn y 1920au. (Am arweiniad ar sut i ateb y math hwn o gwestiwn, edrychwch ar dudalennau 27–28.)

Pêl-droed Americanaidd

Red Grange a Knute Rockne oedd dau o sêr pêl-droed Americanaidd y cyfnod. Ar adeg pan oedd y cyflog cyfartalog yn $100 y gêm, enillodd Grange $100,000 ar gyfer y tymor 19 gêm.

Ffynhonnell B Rhan o adroddiad chwaraeon yn y *New York Times*, 1924

Cafodd 67,000 o wylwyr oedd wedi eu gwasgu i mewn i stadiwm newydd Illinois fodd i fyw heddiw wrth weld y llanc pengoch, 'Red' Grange yn rhedeg ac yn ochrgamu fel mellten. Curwyd Michigan yn hawdd gan Illinois o 39 pwynt i 14 yn un o gemau gorau'r tymor mwy na thebyg. Grange, yr hanerwr Americanaidd nodweddiadol, oedd canolbwynt y chwarae. Dyblodd ac ail-ddyblodd ei lwyddiant pêl-droed yn un o'r perfformiadau rhedeg, ochrgamu a phasio gorau a welwyd ar unrhyw gae ers blynyddoedd. Roedd y dorf yn bloeddio eu cymeradwyaeth ac wedi cyffroi'n lân. Mae arbenigwyr diduedd yn cytuno bod ei berfformiad ymysg y goreuon a welwyd erioed.

Tennis

Bill Tilden a Helen Wills oedd sêr y byd tennis, a bu eu llwyddiant yn gymorth i feithrin twf y gamp. O ganlyniad, dechreuodd llawer mwy o bobl chwarae tennis. Erbyn diwedd y degawd roedd dros 1000 o glybiau tennis a digon o gyrtiau trefol ar gyfer dros 1 miliwn o chwaraewyr ar draws UDA.

Golff

Camp ar gyfer pobl gyfoethog oedd golff cyn 1914, ond erbyn 1927 roedd 2 filiwn o bobl yn chwarae'n rheolaidd ar 5000 o gyrsiau. Bobby Jones a Walter Hagen oedd y ddau golffiwr mwyaf llwyddiannus o America yn y 1920au.

Eiconau'r byd chwaraeon

O ganlyniad i'r twf yn y maes chwaraeon, dechreuodd pobl ymddiddori yn y llwyddiant a gafodd y sêr chwaraeon. Dadansoddwyd gemau a chanlyniadau a thrafodwyd technegau chwaraewyr. Dechreuodd cyfnod yr eiconau chwaraeon yn y 1920au, ac roedd y cyfryngau'n rhoi sylw cyson i'w gweithgareddau a'u ffordd o fyw. O ganlyniad, daeth chwaraeon hyd yn oed yn fwy poblogaidd ac anogwyd mwy o bobl i gymryd rhan ynddynt.

Ffynhonnell C O werslyfr ysgol gan Joy Hakim, *War, Peace and all that Jazz*, 1999

Syrthiodd America mewn cariad gyda chwaraeon cyfundrefnol yn ystod y Dauddegau Gwyllt. Daeth sêr chwaraeon yn arwyr Americanaidd. Roedd oriau gwaith yn newid, ac roedd gan fwy o Americanwyr fwy o amser hamdden. Gallent fynd i'r parciau pêl neu wrando ar gemau ar y radio. Gallent gymryd rhan mewn chwaraeon eu hunain hefyd. Pan ddaeth y Rhyfel Byd Cyntaf i ben nid oedd llawer o gyrtiau tennis neu gyrsiau golff yn America. Erbyn diwedd y 1920au roedd cyrsiau golff a chyrtiau tennis yn codi ym mhobman. Roedd Americanwyr wrth eu bodd â chwaraeon.

TASGAU

3 I ba raddau y mae Ffynhonnell B yn cefnogi'r safbwynt fod arwyr chwaraeon wedi dod yn boblogaidd yn y 1920au? (Am arweiniad ar sut i ateb y math hwn o gwestiwn, edrychwch ar dudalennau 40–41.)

4 Astudiwch Ffynhonnell C. Defnyddiwch wybodaeth o'r ffynhonnell hon a'ch gwybodaeth eich hun i gwblhau'r map meddwl isod gan nodi'r rhesymau dros dwf a phoblogrwydd chwaraeon yn y 1920au. Mae'r blwch cyntaf wedi'i gwblhau i chi.

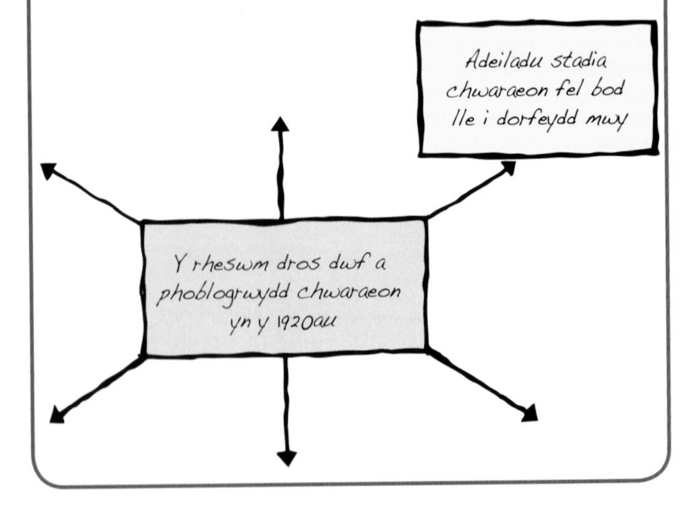

Beth oedd y chwiwiau, mympwyon a'r angerdd am yr anghyffredin?

Un nodwedd ddiddorol o'r 1920au oedd y chwiwiau a'r mympwyon a ddaeth yn boblogaidd yn America.

Marathonau dawnsio

Ffynhonnell A Pâr yn cymryd rhan mewn marathon dawnsio, 1925

Wrth i'r dawnsiau jazz newydd ddod yn boblogaidd ar draws y wlad, daeth marathonau dawnsio yn boblogaidd hefyd. Cystadlaethau i brofi gallu dynol oedd y rhain, gyda phobl yn dal i ddawnsio nes bod dim ond un pâr yn sefyll i hawlio'r wobr ariannol. Yn ogystal ag ennill arian, roedd y dawnswyr yn gobeithio dod yn enwog, hyd yn oed am gyfnod byr. Dechreuodd hyn yn 1923 pan ddawnsiodd Alma Cummings a oedd yn 32 oed yn ddi-baid am 27 awr. Cafodd chwe phartner gwahanol a daeth yn enwog drwy'r wlad oherwydd ei llwyddiant. Buan iawn y sylweddolwyd bod modd i'r dawnswyr a'r hyrwyddwyr wneud arian o'r marathonau hyn. Byddai'r cystadlaethau yn para am wythnosau weithiau a lluniwyd rheolau arbennig – er enghraifft, nodi cyfnodau gorffwys, newid dillad, tylino'r corff, ac ati. Nid oedd yn orfodol i bobl ddawnsio mewn gwirionedd; roedd y beirniaid yn fodlon os oedd y cystadleuwyr yn symud.

Roedd llawer o ddawnswyr yn ystyried eu hunain yn sêr y byd adloniant ac roedd rhai'n gobeithio ymddangos mewn ffilmiau. Fodd bynnag, yr unig ddawnswyr i ddod yn enwog oedd June Havoc a Red Skeleton.

Marathonau dawnsio oedd testun y ffilm *They Shoot Horses, Don't They?* (1969)

TASG

1 Beth y mae Ffynhonnell A yn ei ddweud wrthych am y mympwyon a oedd yn boblogaidd yn UDA yn ystod y 1920au? (Am arweiniad ar sut i ateb y math hwn o gwestiwn, edrychwch ar dudalen 16.)

Gemau

Daeth gemau'n hynod boblogaidd hefyd. Yn sydyn iawn daeth y gêm Tsieineaidd Mah Jongg yn ffasiynol iawn. Cafodd croeseiriau eu cyflwyno. Yn wir, yn 1924 gwelwyd y sylw negyddol canlynol yn y *New York Times*, a ddisgrifiodd groeseiriau fel 'gwastraff llwyr o amser lle y mae pobl yn chwilio am lythrennau geiriau a'u rhoi mewn patrwm penodol, sy'n amrywio o ran cymhlethdod. Nid gêm yw hon o gwbl.'

Eistedd ar bolion baneri

Un o gystadlaethau rhyfeddaf y 1920au oedd eistedd ar bolion baneri. Am gyfnod o tua phum mlynedd yn y 1920au, ceisiodd pobl aros ar bolyn yn hirach na neb arall. Alvin 'Shipwreck' Kelly oedd y person enwocaf am wneud hyn. Yn 1929, Kelly oedd yn dal y record am eistedd ar bolyn baner – 49 diwrnod yn Atlantic City. Un o'r cystadlaethau mwyaf oedd yr un yn Baltimore yn 1929, gyda deunaw bachgen a thair merch yn cymryd rhan.

Papurau newydd a chylchgronau

Roedd mwy a mwy o bobl yn prynu papurau newydd a chylchgronau. Cafodd y papur newydd poblogaidd cyntaf, y *New York Daily News*, ei gyhoeddi yn 1919. Cafodd papurau newydd eraill eu sefydlu wedyn, gan roi sylw i droseddu, cartwnau a ffasiwn. Roedd hysbysebwyr yn awyddus i ddefnyddio cylchgronau a phapurau newydd i werthu eu nwyddau. Yn 1922 roedd gan ddeg cylchgrawn gylchrediad o dros 2.5 miliwn.

Byddai'r papurau newydd yn noddi digwyddiadau fel cystadlaethau harddwch, a ddaeth yn boblogaidd iawn yn y 1920au, a'r gystadleuaeth dymor byr bwyta pysgod aur byw. Roedd darllenwyr eisiau gwybod mwy am arwyr ac arwresau'r byd chwaraeon a sinema, ac am unrhyw un oedd yn gwneud pethau anarferol. Daeth pobl fel Gertrude Ederle a Charles Lindbergh yn enwau adnabyddus (gweler tudalennau 99 a 100).

TASGAU

2 Defnyddiwch Ffynhonnell B a'ch gwybodaeth eich hun i egluro pam y disgrifiwyd y 1920au fel degawd o 'chwiwiau a mympwyon'. (Am arweiniad ar sut i ateb y math hwn o gwestiwn, edrychwch ar dudalennau 27–28.)

3 Ysgrifennwch erthygl ar gyfer cylchgrawn Americanaidd yn disgrifio'r chwiwiau a'r mympwyon amrywiol a ddaeth yn boblogaidd yn ystod y 1920au.

Ffynhonnell B *Flappers* yn chwarae Mah Jongg, Rhagfyr 1922

Pwy oedd arwyr Americanaidd y degawd?

Charles Lindbergh gyda'i awyren *Spirit of St Louis*.

Charles Lindbergh

Ar 20 Mai 1927, hedfanodd Charles Lindbergh o Efrog Newydd ar ei ben ei hun mewn awyren un peiriant, y *Spirit of St Louis*. Ei nod oedd hedfan ar draws Cefnfor Iwerydd, a pharodd ei daith am 33 awr a 39 munud. Hedfanodd 3633 o filltiroedd heb fap, radio na pharasiwt. Dim ond pum brechdan oedd ganddo ar gyfer y daith – dwy frechdan ham, dwy frechdan cig eidion rhost ac un frechdan wy wedi'i ferwi. Roedd ganddo ddwy fflasg o ddŵr.

Llwyddodd y digwyddiad i greu diddordeb mawr yn UDA, ac i lawer o Americanwyr roedd Lindbergh yn symbol bod eu gwlad yn tyfu mewn grym. Roedd llawer hefyd yn ystyried ei gamp fel buddugoliaeth i'r unigolyn ac yn arwydd clir o ysbryd UDA.

Daeth Lindbergh yn arwr cenedlaethol a derbyniodd y Groes Hedfan Enwog. Trefnwyd parêd tâp ticio iddo pan ddychwelodd i Efrog Newydd ac amcangyfrifwyd bod 1800 tunnell o bapur wedi'i daflu o'r ffenestri yn ystod y dathliadau. Derbyniodd dros 55,000 o

Ffynhonnell A Adroddiad y *New York Times* ar Lindbergh yn glanio ym Mharis, 22 Mai 1927

PARIS, 21 Mai. Llwyddodd Lindbergh. Am ugain munud wedi deg heno, edrychodd 25,000 pâr o lygaid yn ofalus i weld awyren llwyd-wyn yn dod allan o'r tywyllwch yn sydyn ac yn esmwyth. Glaniodd y Spirit of St Louis am 10:24, a rhuthrodd pawb ymlaen fel llanw'r môr heibio'r rhesi o filwyr a phlismyn a thros y ffensys dur cryf.

TASG

Pa mor ddefnyddiol yw Ffynhonnell A i hanesydd sy'n astudio pam y daeth Lindbergh mor enwog? (Am arweiniad ar sut i ateb y math hwn o gwestiwn, edrychwch ar dudalennau 49–50.)

delegramau, a daeth yn symbol o UDA i lawer o bobl. Creodd Lindbergh argraff arbennig ar y genhedlaeth hŷn gan ei fod yn cynrychioli'r ysbryd arloesol ac nid oedd yn adlewyrchu ymddygiad rhai o bobl ifanc y 1920au.

Gertrude Ederle

Yn 1926, Ederle oedd y fenyw gyntaf i nofio ar draws y Sianel mewn amser o 14 awr a 30 munud. Wrth wneud hynny, curodd record dyn y cyfnod am nofio'r Sianel. Cafodd groeso enfawr ar ôl dychwelyd i Efrog Newydd, felly hefyd Charles Lindbergh, y dyn cyntaf i hedfan yn unigol yn ddi-baid dros Gefnfor Iwerydd yn 1927.

Gertrude Ederle yn barod am ei thaith nofio ar draws y Sianel.

Amelia Earhart

Amelia Earhart oedd y fenyw gyntaf i hedfan ar draws Cefnfor Iwerydd, gan gwblhau'r daith o Trepassey Harbor yn Newfoundland i Lanelli yng Nghymru gyda dau beilot mewn 20 awr a 40 munud yn 1929. Pan gymhwysodd fel peilot yn 1923, hi oedd yr unfed fenyw ar bymtheg i ennill trwydded beilot.

Amelia Earhart, 1929.

Pa effaith gafodd moduron ar weithgareddau hamdden?

Arweiniodd dulliau masgynhyrchu Henry Ford at ostyngiad sylweddol mewn prisiau ceir, gan eu gwneud yn fwy fforddiadwy i Americanwyr cyffredin. O ganlyniad i'r cynnydd yn nifer y bobl oedd yn berchen ar geir, gwellodd isadeiledd UDA, ac adeiladwyd ffyrdd newydd, garejis, motelau a thai bwyta ar ochr y ffordd. Oherwydd cludiant rhad, fforddiadwy, roedd yn haws i Americanwyr cyffredin deithio i ymweld â'u ffrindiau a'u teulu, mynychu digwyddiadau chwaraeon, marathonau dawnsio, neu deithio i'r dinasoedd i ddathlu campau arloesol, fel rhai Lindbergh ac Earhart. Roedd teuluoedd yn gallu defnyddio eu ceir i ymweld â chefn gwlad, mynd ar wyliau neu gael gwyliau byr. Roedd y gymdeithas yn fwy symudol o ganlyniad, a dechreuodd America syrthio mewn cariad â'r car modur.

Ffynhonnell A Hanesydd modern yn disgrifio sut yr oedd y car wedi helpu i newid cymdeithas America yn ystod y 1920au

Mae'n amhosibl gorbwysleisio effaith y car ar fywyd yn UDA. Llwyddodd i roi rhyddid i bobl deithio, er mwyn ymweld â ffrindiau neu i gael gwibdaith i'r dinasoedd. Symudodd llawer o bobl i fyw i'r maestrefi yn ystod y 1920au oherwydd gallent yrru i'r gwaith. Roedd pobl ifanc yn gallu defnyddio'r car i ddianc oddi wrth eu rhieni a mynd i'r sinema neu'r clybiau. Nid oedd pawb o blaid y car: roedd rhai'n credu ei fod yn arwain at ddirywiad moesol ymysg pobl ifanc; roedd eraill yn ei feio am wneud troseddu'n haws.

TASG

Defnyddiwch Ffynhonnell A a'ch gwybodaeth eich hun i egluro sut y cafodd y car effaith sylweddol ar ffordd o fyw llawer o Americanwyr. (Am arweiniad ar sut i ateb y math hwn o gwestiwn, edrychwch ar dudalennau 27–28.)

Ceir Model T ar stryd fawr yn UDA yng nghanol y 1920au.

Arweiniad ar arholiadau

Dyma gyfle i chi ymarfer rhai o'r cwestiynau sydd wedi cael eu hegluro i chi mewn penodau blaenorol.

Mae'r enghreifftiau hyn yn dod o Adran A o'r arholiad ac maent yn edrych ar y newidiadau yn niwylliant a chymdeithas America. Mae'r cwestiynau hyn yn profi eich sgiliau gwerthuso ffynonellau sy'n werth 25 marc.

Cwestiwn 1(a) – deall ffynhonnell weledol

Beth y mae Ffynhonnell A yn ei ddangos i chi am chwaraeon yn America yn ystod y cyfnod hwn? (2 farc)

- Cofiwch nodi o leiaf ddwy ffaith o'r llun.
- Mae'n rhaid i chi ddefnyddio'r wybodaeth yn y pennawd hefyd.
- Am arweiniad pellach, gweler tudalen 16.

Cwestiwn 1(b) – deall ffynhonnell a'ch gwybodaeth eich hun

Defnyddiwch y wybodaeth yn Ffynhonnell B a'ch gwybodaeth eich hun i egluro pam yr oedd bywyd wedi newid i rai menywod yn America yn ystod y 1920au. (4 marc)

- Bydd angen i chi nodi o leiaf ddwy ffaith o'r ffynhonnell a'u hegluro yn eich geiriau eich hun.
- Mae'n rhaid i chi ddangos eich gwybodaeth o'r pwnc hwn drwy gynnwys o leiaf un ffactor ychwanegol nad yw'n cael ei grybwyll yn y ffynhonnell.
- Am arweiniad pellach, gweler tudalennau 27–28.

Ffynhonnell B O werslyfr ysgol

Roedd y 1920au yn ddegawd o ryddid i fenywod America. Rhoddwyd iddynt yr hawl i bleidleisio. Roeddent yn cymryd rhan mewn gweithgareddau a oedd yn gysylltiedig â dynion fel arfer. Daeth gyrru beiciau modur a cheir, hedfan awyrennau ac ysmygu sigaréts yn bethau i fenywod eu gwneud.

Ffynhonnell A Gêm bêl fas yn cael ei chwarae yn stadiwm y New York Yankees yn 1925

Cwestiwn 1(c) – dadansoddi a gwerthuso ffynhonnell a galw i gof eich gwybodaeth eich hun

I ba raddau y mae Ffynhonnell C yn cefnogi'r safbwynt fod y 1920au yn gyfnod o newid mawr ym maes adloniant poblogaidd? (5 marc)

Ffynhonnell C Ymddangosodd y llun hwn mewn cylchgrawn yn y 1920au fel rhan o ymgyrch hysbysebu i ddenu pobl i'r neuaddau dawns newydd

- Mae'n rhaid i chi nodi amrywiaeth o ffactorau o'r llun a'r pennawd, gan eu cysylltu â'ch gwybodaeth eich hun.
- Cofiwch ddod i benderfyniad rhesymegol sy'n targedu'r cwestiwn.
- Am arweiniad pellach, gweler tudalennau 40–41.

Cwestiwn 1(d) – safbwyntiau gwahanol

Mae ffynonellau D a DD yn dweud pethau gwahanol am ddatblygiadau ym maes cerddoriaeth boblogaidd a diwylliant.

Ffynhonnell D Y Parchedig Burke Culpepper, gweinidog Methodistaidd Ffwndamentalaidd, yn pregethu yn 1925

Mae dawnsio jazz yn annog ysgariad. Mae'n baganaidd, yn anifeilaidd ac yn ddamniol. Mae'n diraddio menywod a dynion. Dyma'r amser i ddweud yn blaen bod jazz yn un o'r arferion modern mwyaf drygionus.

Ffynhonnell DD O werslyfr ysgol gan Derrick Murphy, *The United States, 1918–1941*, 2003

Cafodd y 1920au eu disgrifio fel yr Oes Jazz. Daeth dawnsiau newydd i gydfynd â'r gerddoriaeth newydd. Anghofiwyd am y dawnsiau araf fel y Waltz a chroesawyd dawnsïau mwy bywiog fel y Charleston a'r Black Bottom. Daeth mynychu clybiau a neuaddau dawns yn ffasiynol iawn.

Pam y mae gan Ffynonellau D a DD safbwyntiau gwahanol am y diwylliant jazz newydd? Dylech gyfeirio at gynnwys y ffynonellau a'r awduron yn eich ateb. (8 marc)

- Dylech gyfeirio at y ddwy ffynhonnell, gan gynnwys sylwadau ar y cynnwys a'r awdur.
- Cofiwch egluro pam y mae gan y ddwy ffynhonnell safbwyntiau gwahanol.
- Am arweiniad pellach, gweler tudalennau 63–64.

Cwestiwn 1(ch) – dadansoddi a gwerthuso defnyddioldeb ffynhonnell

Pa mor ddefnyddiol yw Ffynhonnell CH i hanesydd sy'n astudio pam y daeth y sinema yn ddull adloniant poblogaidd? Defnyddiwch y ffynhonnell a'ch gwybodaeth eich hun i egluro eich ateb. (6 marc)

- Dylech geisio canolbwyntio ar dri maes penodol – cynnwys, tarddiad a phwrpas.
- Cofiwch gyfeirio at ddefnyddioldeb y ffynhonnell i'r hanesydd.
- Am arweiniad pellach, gweler tudalennau 49–50.

Ffynhonnell CH Hysbyseb ar gyfer y sinema o bapur newydd y *Saturday Evening Post*, Mehefin 1929

Ewch i weld ffilm ac ymlacio'n llwyr. Cyn pen dim, byddwch chi'n byw'r stori ac yn chwerthin, yn casáu, yn brwydro, yn ennill! Mae'r holl antur, rhamant a chyffro sydd ar goll yn eich bywyd bob dydd ar gael yn y sinema. Mae ffilmiau'n eich helpu chi i ddianc i fyd newydd cyffrous.

Adran A

Twf y Blaid Natsïaidd a'i dulliau o atgyfnerthu ei grym, 1929–34

Ffynhonnell A O'r llyfr *Weimar and the Rise of Hitler*, A Nicholls

Yn llawer pwysicach na thegwch neu annhegwch y cytundeb oedd ei effaith ar Weriniaeth newydd yr Almaen. I ba raddau y mae'n wir bod Cytundeb Versailles wedi difetha democratiaeth yr Almaen/ bod economi'r Almaen wedi'i ddistrywio gan y cynllun a'i diogelwch wedi'i danseilio? Roedd yr iselder gwleidyddol a achosodd y cytundeb o fewn yr Almaen yn llawer mwy difrifol. Difrod gwirioneddol y cytundeb i'r Almaen oedd dadrithio'r dyn cymedrol a fyddai, fel arall wedi cefnogi'r weriniaeth newydd. Parhaodd y cytundeb heddwch i wenwyno'r awyrgylch gwleidyddol yn yr Almaen am flynyddoedd lawer.

Mae'r adran hon yn edrych ar y datblygiadau allweddol yn nhwf y Blaid Natsïaidd o broblemau Gweriniaeth Weimar, gan gynnwys effaith Cytundeb Versailles (gweler Ffynhonnell A) a'i phroblemau economaidd ar ddiwedd y 1920au hyd at atgyfnerthu grym y Natsïaid yn ystod 1933–34.

Erbyn diwedd y 1920au, roedd gan yr Almaen drafferthion gwleidyddol ac economaidd. Ar ddechrau'r 1930au, cododd diweithdra i 6 miliwn a dechreuodd pleidiau fel y Blaid Natsïaidd a'r Blaid Gomiwnyddol brofi llwyddiant mewn etholiadau lleol, cyffredinol ac arlywyddol. Roedd hi'n ymddangos nad oedd Gweriniaeth Weimar yn gallu ymdopi â'r problemau difrifol a oedd yn wynebu'r Almaen a bod y pleidiau eithafol yn cynnig atebion cyflym a syml. Yn 1932, y Natsïaid oedd y blaid fwyaf yn yr Almaen ac ym mis Ionawr 1933 daeth ei harweinydd, Adolf Hitler, yn Ganghellor. Erbyn Awst 1934, roedd y Natsïaid wedi sefydlu gwladwriaeth un blaid.

Mae pob pennod yn archwilio cwestiwn allweddol ac yn dilyn sawl trywydd ymholi pwysig fel yr amlinellir isod:

Pennod 10: Beth oedd effaith cyfnod Weimar ar dwf y Natsïaid?

- Beth oedd problemau Gweriniaeth Weimar?
- Sut y datblygodd y Blaid Natsïaidd, 1920–23?
- Beth oedd canlyniadau *Putsch* München (Munich), Tachwedd 1923?
- Sut y newidiodd y Blaid Natsïaidd, 1924–29?

Pennod 11: Sut a pham y cafodd Hitler ei benodi'n Ganghellor yn Ionawr 1933?

- Beth oedd effaith Cwymp Wall Street a'r Dirwasgiad Mawr?
- Pam yr oedd y Blaid Natsïaidd yn llwyddiannus ar ôl 1930?
- Sut yr oedd Hitler wedi cyfrannu at y cynnydd yn y gefnogaeth i'r Natsïaid?
- Sut y gwnaeth y digwyddiadau rhwng Gorffennaf 1932 ac Ionawr 1933 roi Hitler mewn grym?

Pennod 12: Sut y gwnaeth y Natsïaid atgyfnerthu eu grym yn ystod 1933–34?

- Beth oedd arwyddocâd Tân y *Reichstag*?
- Pam yr oedd y Ddeddf Alluogi yn bwysig i Hitler?
- Sut y llwyddodd y Natsïaid i gael gwared ar wrthwynebwyr i'w cyfundrefn?
- Beth oedd pwysigrwydd Noson y Cyllyll Hirion?
- Pam yr oedd cefnogaeth y fyddin yn bwysig i Hitler?

Beth oedd effaith cyfnod Weimar ar dwf y Natsïaid?

Ffynhonnell A O *Weimar Culture* gan yr hanesydd o'r Unol Daleithiau, P Gay, a ysgrifennwyd yn 1974

Nid oedd yr Almaenwyr wedi cael llawer o brofiad o wleidyddiaeth ... Erbyn 1919 roedd democratiaeth ar waith ac agorodd Gweriniaeth Weimar y drws i wleidyddiaeth go iawn, safodd yr Almaenwyr wrth y drws, gan rythu, fel gwerinwyr yn cael gwahoddiad i balas, heb wybod yn iawn sut i ymddwyn.

Ar 11 Tachwedd 1918, llofnodwyd y **cadoediad** gan roi diwedd ar yr ymladd yn y Rhyfel Byd Cyntaf (1914–18) a daeth yr Almaen yn **weriniaeth**. Cafwyd anhrefn llwyr am bum mlynedd ar ôl y rhyfel a phrofodd yr Almaen ymgais at chwyldro Comiwnyddol, llofruddiaethau gwleidyddol, *Putsches* (gwrthryfeloedd arfog) a **chwyddiant** enfawr. Yn fwy na dim, bu'n rhaid i'r Almaenwyr dderbyn cytundeb Versailles – cytundeb heddwch dialgar yn eu barn nhw. Roedd llawer o Almaenwyr yn dweud bod holl broblemau'r blynyddoedd ar ôl y rhyfel yn deillio o'r penderfyniadau a wnaed gan wleidyddion Gweriniaeth newydd Weimar. Erbyn diwedd 1923, o dan arweiniad Gustav Stresemann, daeth sefydlogrwydd gwleidyddol ac economaidd yn ôl i'r Almaen. Fodd bynnag, yn sgil argyfwng economaidd 1929 yn UDA, daeth y sefydlogrwydd hwnnw i ben ac, o fewn pedair blynedd, roedd y Blaid Natsïaidd yn rheoli'r Almaen.

TASG

Pa mor ddefnyddiol yw Ffynhonnell A i hanesydd sy'n astudio gwleidyddiaeth yn yr Almaen yn 1919? (Am arweiniad ar sut i ateb y math hwn o gwestiwn, edrychwch ar dudalennau 115–16.)

Mae'r bennod hon yn ateb y cwestiynau canlynol:

- Beth oedd problemau Gweriniaeth Weimar?
- Sut y datblygodd y Blaid Natsïaidd, 1920–23?
- Beth oedd canlyniadau *Putsch* München (Munich), Tachwedd 1923?
- Sut y newidiodd y Blaid Natsïaidd, 1924–29?

Arweiniad ar arholiadau

Drwy'r bennod hon byddwch yn cael cyfle i ymarfer cwestiynau arholiad o wahanol arddull a rhoddir arweiniad manwl ar sut i ateb cwestiynau 1(a), 2(a) a 3(a) yn Unedau 1 a 2 y papur arholiad. Cwestiwn sy'n dangos dealltwriaeth o ffynhonnell weledol yw hwn sy'n werth 2 farc.

Beth oedd problemau Gweriniaeth Weimar?

Ar 11 Tachwedd 1918, daeth y Rhyfel Byd Cyntaf i ben gyda'r Almaen yn arwyddo cadoediad. Arwyddwyd y penderfyniad gan wleidyddion y weriniaeth newydd, a oedd wedi'i sefydlu ar ôl i'r ***Kaiser*** ildio'r goron ar 9 Tachwedd 1918 oherwydd ei fod wedi colli ei gefnogaeth.

Teimlai llawer o Almaenwyr fod diwedd y rhyfel wedi bradychu byddin yr Almaen (*Reichswehr*). Roeddent yn credu nad y **Cynghreiriaid** oedd wedi trechu'r fyddin – roedd wedi cael ei gorfodi i ildio gan y llywodraeth newydd. Roedd y fyddin wedi cael ei 'thrywanu yn ei chefn' (*Dolchstoss*) gan y gwleidyddion a arwyddodd y cadoediad. Yr enw a roddwyd ar y gwleidyddion hyn oedd 'Troseddwyr Tachwedd'.

O'r dechrau, roedd llawer o Almaenwyr, yn enwedig y rhai yn y fyddin, yn casáu'r weriniaeth newydd. Yn wythnosau olaf 1918, roedd ymosodiadau ar lywodraeth newydd yr Almaen o'r chwith a'r dde. Ar ôl yr etholiadau ar gyfer y **Cynulliad Cyfansoddol** ym mis Ionawr 1919, penderfynwyd bod Berlin yn lle rhy beryglus i'r aelodau gyfarfod. Felly, trefnwyd y cyfarfod yn amgylchedd mwy hamddenol tref Weimar, a dyna ble cafwyd yr enw ar gyfer y weriniaeth newydd.

Ffynhonnell A Erthyglau allweddol Cyfansoddiad Weimar

Erthygl 1	Mae'r ***Reich*** Almaenig yn weriniaeth. Mae awdurdod gwleidyddol yn deillio o'r bobl.
Erthygl 22	Mae cynrychiolwyr i'r *Reichstag* yn cael eu hethol drwy bleidlais gyffredinol, gyfartal, uniongyrchol a chudd gan bob dyn a menyw dros 20 oed, yn unol ag egwyddorion cynrychiolaeth gyfrannol.
Erthygl 41	Mae Arlywydd y *Reich* yn cael ei ddewis gan holl etholwyr yr Almaen.
Erthygl 48	Os yw trefn a diogelwch cyhoeddus yn y *Reich* yn cael ei aflonyddu neu ei beryglu'n sylweddol, gall Arlywydd y *Reich* gymryd camau angenrheidiol i wella trefn a diogelwch cyhoeddus.

Canlyniad pwysicaf yr etholiad ym mis Ionawr oedd nad oedd un blaid wedi ennill mwyafrif o seddi oherwydd **cynrychiolaeth gyfrannol** a nifer mawr o bleidiau. Felly, byddai'n rhaid sefydlu **llywodraeth glymblaid**. Byddai hyn yn broblem i Weriniaeth Weimar gydol ei hoes. Er enghraifft, rhwng 1923 a 1930, cafwyd deg llywodraeth glymblaid.

Ar ôl i'r *Kaiser* gael ei ddiorseddu, roedd yn rhaid llunio cyfansoddiad newydd a gorffennwyd hwn ym mis Awst 1919. Dyma'r tro cyntaf i'r Almaen brofi democratiaeth. Roedd llawer o ddiffygion yn y cyfansoddiad a phan wynebodd yr Almaen anawsterau yn y blynyddoedd cynnar ar ôl y rhyfel, beirniadwyd gwleidyddion am greu system lywodraeth wan.

Ffynhonnell B Rhai o ddiffygion Cyfansoddiad Weimar

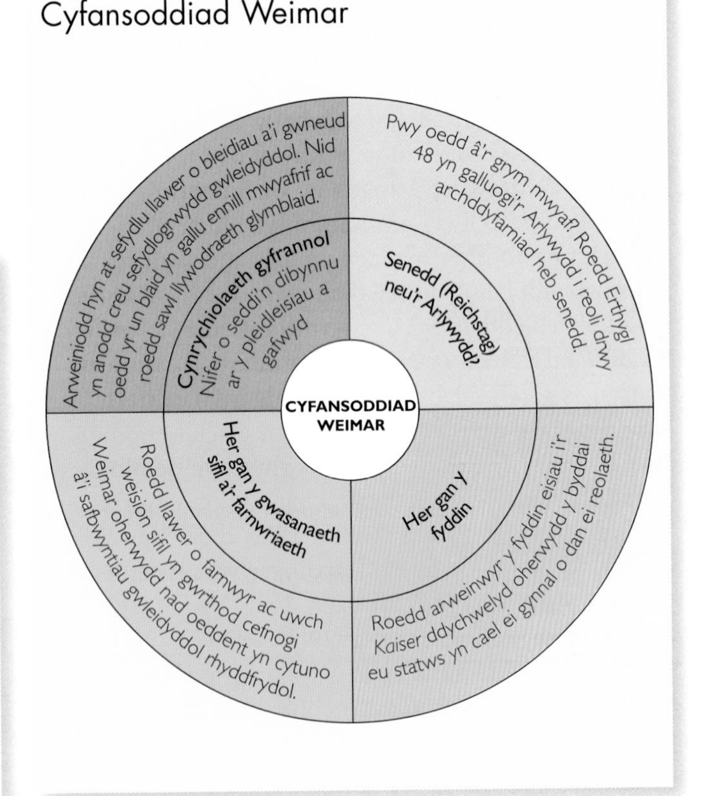

TASG

1 Beth yw ystyr y termau 'trywaniad yn y cefn' a 'Troseddwyr Tachwedd'?

Aflonyddwch yn yr Almaen 1918–23

Roedd llywodraeth Weimar yn amhoblogaidd yn y lle cyntaf ymysg Almaenwyr oherwydd ei bod wedi ildio, wedi sefydlu cyfansoddiad gwan ac wedi methu datrys y prinder bwyd. Roedd **comiwnyddion**, **sosialwyr**, cenedlaetholwyr, arweinwyr y fyddin a'r rhai a oedd wedi rheoli'r Almaen cyn 1918 yn casáu Weimar. Nid oedd ei dyfodol yn edrych yn obeithiol.

Oherwydd eu bod ofn chwyldro yn ystod y blynyddoedd di-drefn ar ôl y rhyfel, tarodd llywodraeth Weimar fargen gydag arweinydd newydd y fyddin, Groener. Cytunwyd y byddai'r fyddin yn cefnogi'r llywodraeth newydd yn erbyn chwyldro ac y byddai'r llywodraeth yn cefnogi a chyflenwi'r fyddin. Felly, daeth Weimar yn ddibynnol ar y fyddin.

I rai Almaenwyr, roedd y ddibyniaeth hon ar y fyddin yn gwanhau awdurdod Gweriniaeth Weimar. Yn 1919, cafwyd ymgais at chwyldro comiwnyddol (sef Gwrthryfel y Spartaciaid) yn Berlin. Yn y flwyddyn ganlynol, cafwyd ymgais hefyd gan yr adain dde (*Putsch* Kapp) i feddiannu grym yn Berlin. Mae'r map isod yn dangos hyd a lled yr aflonyddwch yn yr Almaen ar ôl y rhyfel.

TASGAU

2 Eglurwch sut y cafodd Gweriniaeth Weimar ei henw. (Am arweiniad ar sut i ateb y math hwn o gwestiwn, edrychwch ar dudalen 188.)

3 Eglurwch pam yr oedd gan Weriniaeth Weimar gymaint o glymbleidiau. Awgrymwch resymau pam y mae clymbleidiau'n wan yn aml. (Am arweiniad ar sut i ateb y math hwn o gwestiwn, edrychwch ar dudalen 188.)

4 Defnyddiwch Ffynhonnell B a'ch gwybodaeth eich hun i egluro pam yr oedd problemau gyda Chyfansoddiad Weimar. (Am arweiniad ar sut i ateb y math hwn o gwestiwn, edrychwch ar dudalen 132.)

5 Ysgrifennwch erthygl papur newydd yn beirniadu Cyfansoddiad Weimar. Ceisiwch ysgrifennu pennawd byr sy'n ddoniol.

6 Eglurwch pam yr oedd dibynnu ar y fyddin yn broblem i lywodraeth Weimar. (Am arweiniad ar sut i ateb y math hwn o gwestiwn, edrychwch ar dudalen 188).

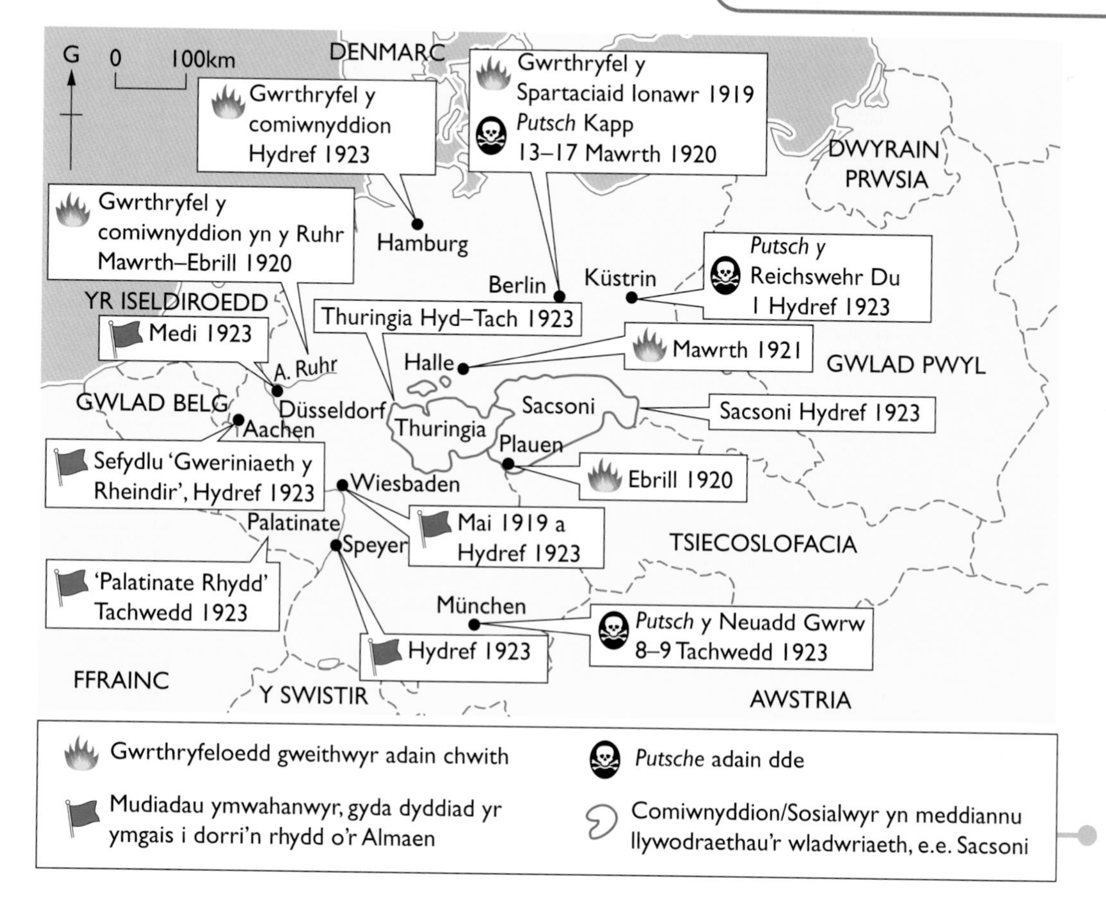

Trais gwleidyddol yn yr Almaen, 1919–23.

Cytundeb Versailles

Er bod yr Almaenwyr wedi arwyddo'r cadoediad ar 11 Tachwedd 1918, ni arwyddwyd y cytundeb a ddaeth â'r rhyfel i ben tan 28 Mehefin 1919. Pan gyhoeddwyd amodau'r cytundeb, cafodd llawer iawn o Almaenwyr siom ofnadwy.

Roedd Cytundeb Versailles yn gosod amodau caled iawn ar yr Almaen (gweler Ffynhonnell D). Collodd yr Almaen 13 y cant o'i thir, 48 y cant o'i gweithfeydd haearn ac amsugnwyd mwy na 6 miliwn o bobl i wledydd eraill. Efallai mai'r amod mwyaf llym i'r Almaen oedd Erthygl 231 – Cymal yr Euogrwydd am y Rhyfel. Nododd hwn fod yn rhaid i'r Almaen dderbyn y bai am ddechrau'r rhyfel yn 1914, a chytuno i dalu iawndal am y dinistr a achoswyd i'r Cynghreiriaid. Ar ben pob dim, gwrthodwyd i'r Almaen ymuno â **Chynghrair y Cenhedloedd**.

I'r mwyafrif o Almaenwyr, roedd y Cytundeb yn halen ar y briw. Doedd Versailles yn ddim mwy iddyn nhw na gorchymyn heddwch (*Diktat*). Roedd angen beio rhywun – ac roedd llywodraeth Weimar a'i gwleidyddion yn fwch dihangol delfrydol.

Gwrthododd cabinet Weimar amodau'r cytundeb heddwch yn y lle cyntaf ac ar 19 Mehefin, collodd y Canghellor Scheidemann ei amynedd ac ymddiswyddodd. Yr enw a roddodd gwleidyddion ar yr amodau oedd *Gewaltfrieden* (heddwch gorfodol). Fodd bynnag, o hyn ymlaen, dechreuodd y feirniadaeth ar lywodraeth Weimar dyfu ac roedd mwy a mwy o bobl yn credu bod y gwleidyddion wedi trywanu'r fyddin yn ei chefn (*Dolchstoss*).

Ffynhonnell CH Darn o bapur newydd o'r Almaen

Dial! Cenedl yr Almaen! Heddiw yn Neuadd y Drychau [Versailles] mae'r cytundeb gwarthus yn cael ei arwyddo. Peidiwch â'i anghofio. Bydd pobl yr Almaen, gydag ymdrech ddi-ffael, yn dyfalbarhau i adennill ei lle haeddiannol ymhlith cenhedloedd. Yna, daw dial am warth 1919.

Ffynhonnell C Map yn dangos amodau tiriogaethol Cytundeb Versailles

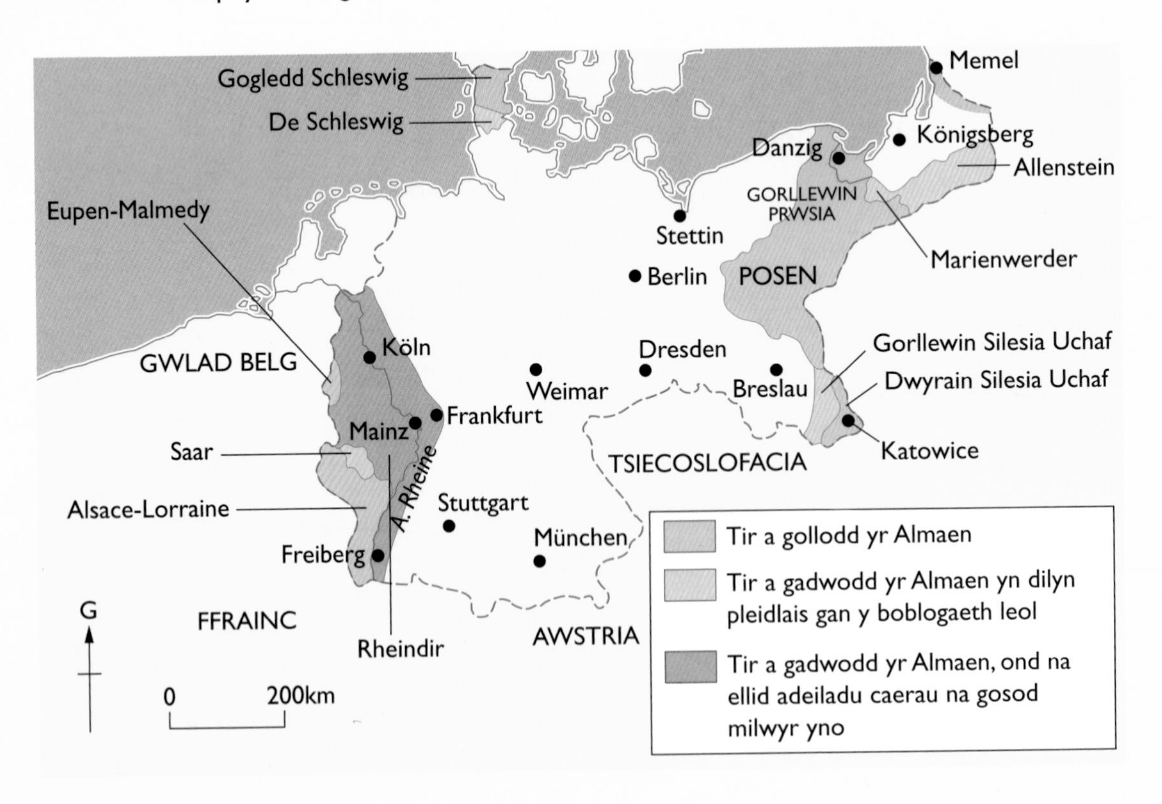

Ffynhonnell D Tabl yn dangos rhai o amodau pwysicaf Cytundeb Versailles

Amodau tiriogaethol	Amodau milwrol	Amodau ariannol
Pob **trefedigaeth** i'w rhoi i Luoedd y Cynghreiriaid.	Byddin o ddim mwy na 100,000.	Ffrainc i gloddio am lo yn y Saar.
Dychwelyd Alsace-Lorraine i Ffrainc.	Gwahardd tanciau, ceir arfog a milwrol trwm.	**Iawndal** sefydlog o £6600 miliwn.
Rhoi Eupen-Malmedy i Wlad Belg ar ôl **pleidlais gwlad**.	Gwahardd awyrennau milwrol.	Rhoi gwartheg a defaid i Wlad Belg a Ffrainc fel iawndal.
Cynghrair y Cenhedloedd i weinyddu'r Saar.	Dim un llong i fod yn fwy na 10,000 tunnell yn y llynges.	Yr Almaen i adeiladu llongau masnach i gymryd lle llongau cynghreiriol a suddwyd gan gychod-U.
Rhoi Posen a Gorllewin Prwsia i Wlad Pwyl, a Dwyrain Silesia Uchaf i Wlad Pwyl ar ôl pleidlais gwlad.	Gwahardd llongau tanfor.	
Creu Danzig yn **Ddinas Rydd**.	**Dadfilwrio'r** Rheindir.	
Cynghrair y Cenhedloedd i weinyddu Memel.		
Dim uniad (*Anschluss*) ag Awstria.		
Rhoi Gogledd Schleswig i Denmarc ar ôl pleidlais gwlad.		

Ffynhonnell DD Cartŵn o'r enw 'Clemenceau y Fampir' o'r cylchgrawn dychanol adain dde Almaenig, *Kladderadatsch*, a gyhoeddwyd ym mis Gorffennaf 1919. Clemenceau oedd arweinydd Ffrainc

TASGAU

7 Pa mor ddefnyddiol yw Ffynhonnell CH i hanesydd sy'n astudio ymateb yr Almaen i Gytundeb Versailles? (Am arweiniad ar sut i ateb y math hwn o gwestiwn, edrychwch ar dudalennau 155–156.)

8 Defnyddiwch Ffynhonnell C a'ch gwybodaeth eich hun i egluro pam yr achosodd Cytundeb Versailles broblemau tiriogaethol i'r Almaen. (Am arweiniad ar sut i ateb y math hwn o gwestiwn, edrychwch ar dudalen 132.)

9 Eglurwch pam yr oedd y mwyafrif o Almaenwyr yn casáu Erthygl 231. (Am arweiniad ar sut i ateb y math hwn o gwestiwn, edrychwch ar dudalen 188).

10 I ba raddau y mae Ffynhonnell DD yn cefnogi'r farn yr oedd y mwyafrif o Almaenwyr yn casáu Cytundeb Versailles? (Am arweiniad ar sut i ateb y math hwn o gwestiwn, edrychwch ar dudalen 141.)

11 Gweithiwch mewn grwpiau o dri neu bedwar. Dewiswch amodau tiriogaethol, milwrol neu ariannol o Gytundeb Versailles. Cyflwynwch achos sy'n dangos mai yr amodau a ddewisoch chi oedd y rhai pwysicaf o safbwynt eu heffaith ar yr Almaen.

Ansefydlogrwydd economaidd

Pan gyhoeddodd y Cynghreiriaid fanylion yr iawndal – £6600 miliwn – dywedodd llywodraeth Weimar na allai ei dalu. Hefyd, roedd colli ardaloedd diwydiannol cyfoethog yn gwaethygu'r sefyllfa. Aeth yr Almaen trwy gyfnod o chwyddiant a dechreuodd llywodraeth Weimar argraffu mwy o arian er mwyn talu Ffrainc a Gwlad Belg yn ogystal â'i gweithwyr ei hun. Dechreuodd gwerth arian cyfred yr Almaen ostwng yn gyflym a methodd yr Almaen wneud ei thaliadau iawndal. Yn sgil hynny, meddiannodd lluoedd Ffrainc a Gwlad Belg y Ruhr yn 1923.

Ffynhonnell E Tabl yn dangos gwerth gostyngol y marc Almaenig yn erbyn y bunt Brydeinig, 1914–23

Ionawr 1919	£1 = 35 marc
Ionawr 1920	£1 = 256 marc
Ionawr 1921	£1 = 256 marc
Ionawr 1922	£1 = 764 marc
Ionawr 1923	£1 = 71,888 marc
Gorffennaf 1923	£1 = 1,413,648 marc
Medi 1923	£1 = 3,954,408,000 marc
Hydref 1923	£1 = 1,010,408,000,000 marc
Tachwedd 1923	£1 = 1,680,800,000,000,000 marc

Pan gwympodd hyder rhyngwladol yn y marc, newidiodd sefyllfa a oedd eisoes yn chwyddiant yn orchwyddiant (gweler Ffynhonnell E). Roedd hyn yn gywilydd arall ar lywodraeth Weimar. Fodd bynnag, yn ystod haf 1923, ddaeth Gustav Stresemann yn Ganghellor a dechreuodd sefydlogi pethau. Cyflwynodd arian cyfred newydd o'r enw'r *Rentenmark*, a newidiodd yn *Reichsmark* yn ddiweddarach. Y flwyddyn ganlynol, llwyddodd yr arian cyfred newydd a benthyciadau gan UDA i greu adfywiad economaidd. Roedd yn ymddangos bod Gweriniaeth Weimar wedi dod trwy'r gwaethaf a gallai edrych ymlaen at gyfnod o sefydlogrwydd a ffyniant.

Adferiad Gweriniaeth Weimar, 1924–29

Roedd yr adferiad fel petai'n annog rhagor o gefnogaeth i Weriniaeth Weimar a llai o gefnogaeth i bleidiau eithafol fel y Natsïaid a'r Comiwnyddion. Roedd Stresemann yn ymwybodol na allai'r Almaen fforddio'r taliadau iawndal o hyd a pherswadiodd y Ffrancwyr, y Prydeinwyr a'r Americanwyr i'w lleihau drwy'r **Cynllun Dawes**, cynllun a gytunwyd ym mis Awst 1924. Roedd taliadau nawr yn fwy ymarferol a chytunodd UDA i roi benthyciadau i'r Almaen er mwyn helpu ei hadferiad economaidd.

Daeth newidiadau pellach i'r iawndaliadau gyda **Chynllun Young** yn 1929 pan ostyngwyd y taliadau gan dri chwarter ac estynnwyd y cyfnod a oedd gan yr Almaen i'w talu i 59 mlynedd.

Roedd mwy o sefydlogrwydd gwleidyddol yn y cyfnod 1924–29. Llwyddodd Stresemann i ddatrys llawer o'r problemau economaidd ac, ar ôl etholiad 1928, ffurfiwyd clymblaid newydd. Roedd hi'n ymddangos y gallai Gweriniaeth Weimar edrych ymlaen at gyfnod hir o sefydlogrwydd yn awr. Hefyd, etholwyd Hindenburg yn Arlywydd yn 1925. Roedd wedi bod yn un o arweinwyr rhyfel yr Almaen rhwng 1914 a 1918, ac roedd ei ethol ef fel petai'n dangos bod yr hen drefn geidwadol yn derbyn y Weriniaeth yn awr. Fodd bynnag, roedd adferiad yr Almaen yn dibynnu ar ffyniant UDA.

TASGAU

12 Beth y mae Ffynhonnell E yn ei ddweud wrthych am chwyddiant yn yr Almaen yn 1919–23? (Am arweiniad ar sut i ateb y math hwn o gwestiwn, edrychwch ar dudalen 118).

13 Eglurwch pam yr oedd iawndaliadau yn gymaint o broblem i'r Almaen yn y 1920au. (Am arweiniad ar sut i ateb y math hwn o gwestiwn, edrychwch ar dudalen 188).

14 Eglurwch pam yr oedd Stresemann yn bwysig yn y 1920au. (Am arweiniad ar sut i ateb y math hwn o gwestiwn, edrychwch ar dudalen 188).

Sut y datblygodd y Blaid Natsïaidd, 1920–23?

Plaid Gweithwyr yr Almaen

Yn 1919, mewn awyrgylch o anhrefn gwleidyddol (gweler tudalen 107), sefydlodd Anton Drexler Blaid Gweithwyr yr Almaen (*Deutsche Arbeiter Partei*, DAP) ym München (Munich), Bafaria. Plaid adain dde, genedlaetholgar oedd hon, a oedd yn pwysleisio'r syniad *völkisch* – y syniad o bobl Almaenig bur. Ond roedd gan DAP rai syniadau sosialaidd hefyd, fel sefydlu cymdeithas ddi-ddosbarth a chyfyngu ar elw cwmnïau. Dim ond tua 50 o aelodau oedd gan y blaid erbyn diwedd 1919.

Pan oedd yn gweithio i uned gudd-wybodaeth y fyddin, aeth Adolf Hitler i gyfarfod ym mis Medi 1919 a chael ei wylltio gymaint gan sylwadau un o'r siaradwyr nes iddo wneud araith rymus mewn ymateb. Gwnaeth Hitler argraff fawr ar Drexler a gofynnodd iddo ymuno â'r blaid.

Yn y DAP, sylweddolodd Hitler fod ganddo'r ddawn i siarad yn gyhoeddus. Gwobrwywyd ei frwdfrydedd yn fuan iawn o fewn y blaid drwy roi'r cyfrifoldeb iddo am recriwtio a phropaganda.

Ffynhonnell A Rhan o lythyr a ysgrifennwyd gan Hitler yn 1921

Yn ystod cyrch y Comiwnyddion i feddiannu München, arhosais yn y fyddin … Wrth roi sgyrsiau fel swyddog addysg, ymosodais ar yr unbennaeth Goch greulon … Yn 1919, ymunais â Phlaid Gweithwyr yr Almaen. Roedd ganddi saith aelod ar y pryd a chredwn mai hwn oedd y mudiad gwleidyddol a oedd yn cyd-fynd â'm syniadau i.

TASGAU

1. Beth oedd prif syniadau'r DAP?
2. Pa mor ddefnyddiol yw Ffynhonnell A i hanesydd sy'n astudio syniadau gwleidyddol Hitler yn 1919? (Am arweiniad ar sut i ateb y math hwn o gwestiwn, edrychwch ar dudalennau 155–56.)
3. Edrychwch ar y swigod siarad o amgylch pen Hitler isod. Copïwch y rhain ac ychwanegwch ddwy neu dair brawddeg yn egluro pam y dewisodd Hitler siarad am bob un.
4. Ymchwil: lluniwch amserlen o fywyd Hitler rhwng 1889 a 1919. Peidiwch â dewis mwy na deg digwyddiad pwysig.

Y Rhaglen 25 Pwynt

Ym mis Chwefror 1920, ysgrifennodd Hitler a Drexler y Rhaglen 25 Pwynt. Roedd yn faniffesto gwleidyddol a chadwodd Hitler at y mwyafrif o'r syniadau am weddill ei oes. Cyhoeddwyd y Rhaglen mewn cyfarfod ym München ac yn fuan wedyn ychwanegwyd y geiriau 'Sosialwyr Cenedlaethol' at enw'r blaid, sef **NSDAP**. Tyfodd y blaid yn gyflym yn 1920 a Hitler oedd yn bennaf gyfrifol am hyn – denodd ei siarad cyhoeddus gannoedd i gyfarfodydd y NSDAP. Yn sgil y cynnydd mewn aelodau llwyddodd y blaid i brynu a chyhoeddi ei phapur newydd ei hun – *Völkischer Beobachter* (Arsylwr y Bobl).

Siaradodd Hitler mewn sawl cyfarfod a gwelir ei themâu safonol yn y darlun isod.

Roedd gan Hitler ddylanwad mawr ar y blaid a daeth yn arweinydd arni ym mis Gorffennaf 1921. Dechreuodd ddatblygu ei syniadau ar sut y dylai arwain y blaid. Cafodd y teitl '*Führer*' (arweinydd) ond datblygodd y gair yn raddol i fod ag ystyr llawer mwy grymus. Iddo ef, roedd hyn yn golygu bod yn rhaid iddo gael grym ac awdurdod absoliwt yn y blaid ac nad oedd yn atebol i unrhyw un. Dyma oedd y ***Führerprinzip*** (egwyddor yr arweinydd) a daeth yn holl bwysig i gyfundrefn y blaid.

Rhif 1	Uno'r holl Almaenwyr i ffurfio'r Almaen Fawr.
Rhif 2	Dileu Cytundeb Versailles.
Rhif 4	Pobl o waed Almaenig yn unig fyddai'n cael bod yn ddinasyddion o'r wladwriaeth. Felly, ni fyddai Iddewon yn cael bod yn ddinasyddion o'r wladwriaeth.
Rhif 6	Dinasyddion Almaenig yn unig fyddai'n cael yr hawl i bleidleisio mewn etholiadau.
Rhif 7	Dinasyddion tramor i gael eu halltudio pe bai'n amhosibl bwydo'r boblogaeth gyfan.
Rhif 8	Pob person nad oedd yn Almaenig a ddaeth i mewn i'r wlad ar ôl 1914 i adael.
Rhif 13	Y llywodraeth i **wladoli'r** holl fusnesau a oedd wedi'u sefydlu yn gorfforaethau.
Rhif 14	Y llywodraeth i rannu elw'r prif ddiwydiannau.
Rhif 17	Rhoi diwedd ar hapfasnachu mewn tir a meddiannu unrhyw dir a oedd ei angen at ddibenion cymunedol. Ni fyddai unrhyw iawndal.
Rhif 23	Holl olygyddion a chyfranwyr papurau newydd i fod yn Almaenwyr, a chyhoeddi papurau newydd nad oeddent yn rhai Almaenig gyda chaniatâd y llywodraeth yn unig.
Rhif 24	Rhyddid crefyddol i bawb – tra bod y safbwyntiau a fynegwyd ddim yn bygwth neu'n gwylltio pobl yr Almaen.
Rhif 25	Creu llywodraeth ganolog gadarn ar gyfer y *Reich* er mwyn rhoi'r rhaglen newydd ar waith.

Nodweddion allweddol y Rhaglen 25 Pwynt.

TASGAU

5 Eglurwch ystyr *Führerprinzip*.

6 Astudiwch nodweddion allweddol y Rhaglen 25 Pwynt uchod. Copïwch y tabl isod a nodwch pa rannau o'r Rhaglen sy'n ymwneud â'r maes penodol.

Cytundeb Versailles	Hil	Crefydd	Hawliau sifil	Diwydiant

7 Gweithiwch mewn parau. Beth y mae'r Rhaglen 25 Pwynt yn ei ddweud wrthych am ideoleg y Blaid Natsïaidd gynnar?

Y *Sturmabteilung*

Fel arweinydd y Blaid Natsïaidd, dechreuodd Hitler wneud rhai newidiadau. Mabwysiadodd y **swastica** fel arwyddlun y blaid, a'r defnydd o saliwt codi'r fraich. Achosodd y cyfarfodydd gwleidyddol ym München yn ystod y cyfnod hwn lawer o drais ac, er mwyn amddiffyn siaradwyr Natsïaidd, defnyddiwyd sgwadiau amddiffyn. Trefnwyd y dynion hyn o fewn yr Adran Gymnasteg a Chwaraeon, a datblygwyd yr adran yn grŵp o'r enw *Sturmabteilung* (SA) yn 1921, dan arweiniad Ernst Röhm. Yr enw cyffredin ar aelodau'r SA oedd 'Crysau Brown' oherwydd lliw eu gwisg.

Twf cynnar y Blaid Natsïaidd

Yn ystod y cyfnod 1921–23, defnyddiwyd yr SA i darfu ar gyfarfodydd y Pleidiau Democratiaid Cymdeithasol a'r Comiwnyddion. Gofalodd Hitler fod ei blaid yn cael llawer o gyhoeddusrwydd a chynyddodd yr aelodaeth o tua 1100 ym mis Mehefin 1920 i tua 55,000 ym mis Tachwedd 1923.

Roedd ei areithiau yn llawn o'r feirniadaeth arferol yn erbyn Weimar, ond hefyd byddai'n cyfeirio fwyfwy at burdeb yr hil Almaenig (neu **Ariaidd**) gan wneud sylwadau drwg am Iddewon. I Hitler a'i ddilynwyr, roedd yr Iddewon yn datblygu'n fwch dihangol ar gyfer holl broblemau'r Almaen. Er mai sefydliad rhanbarthol oedd y Blaid Natsïaidd bryd hynny gyda'i phrif gefnogaeth yn Bafaria i bob pwrpas, nid oedd hyn wedi atal uchelgais wleidyddol genedlaethol Hitler.

Yn sgil argyfwng economaidd a gwleidyddol yr Almaen yn 1923, penderfynodd Hitler fod y Blaid Natsïaidd mewn sefyllfa i ddymchwel y llywodraeth ranbarthol ym München ac yna gallent oresgyn Berlin. Roedd Hitler yn casáu Gweriniaeth Weimar ac felly, ar ôl i'r Ffrancwyr feddiannu'r Ruhr ac wrth i orchwyddiant ddatblygu, gwelodd Hitler ei gyfle i ddymchwel Weimar oherwydd ei hamhoblogrwydd. Gan fod y Blaid Natsïaidd wedi tyfu o ran nerth a phoblogrwydd ym München a Bafaria, penderfynodd Hitler mai'r cam cyntaf fyddai goresgyn Bafaria ac yna gorymdeithio ar Berlin. Yna, byddai'n cael gwared ar wleidyddion gwan Weimar a ffurfio ei lywodraeth Natsïaidd ei hun.

Ffynhonnell B Aelod o'r Blaid Natsïaidd yn disgrifio un o areithiau Hitler yn 1922

Cafodd fy ngallu meddyliol beirniadol ei chwalu. Gan bwyso ymlaen fel petai'n ceisio gorfodi ei fod mewnol ar ymwybyddiaeth yr holl filoedd hynny, roedd yn dal y dorf, a minnau hefyd, o dan hud hypnotig gan rym ei gredo... anghofiais am bopeth ond y dyn; yna wrth edrych o'm cwmpas, gwelais fod ei swyn yn dal y miloedd hynny fel un.

TASGAU

8 Eglurwch pam yr oedd yr SA mor bwysig i'r Blaid Natsïaidd. (Am arweiniad ar sut i ateb y math hwn o gwestiwn, edrychwch ar dudalen 188.)

9 Pa mor ddefnyddiol yw Ffynhonnell B i hanesydd sy'n astudio apêl Hitler? (Am arweiniad ar sut i ateb y math hwn o gwestiwn, edrychwch ar dudalennau 155–56.)

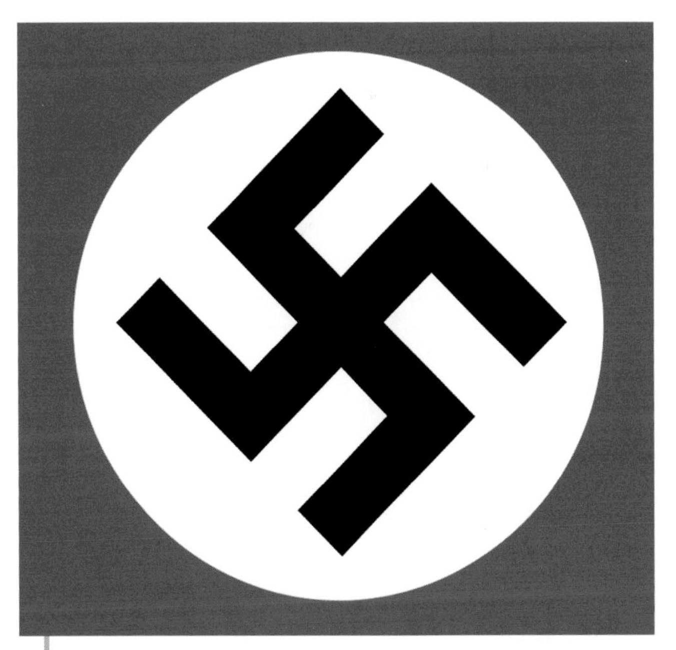

Credir bod Hitler wedi dewis darlunio'r swastica mewn cylch gwyn ar gefndir coch oherwydd bod gwyn yn sefyll am genedlaetholdeb a choch am y gweithiwr. Dewiswyd y swastica o bosibl am ei fod yn wrth-Semitig ac yn sefyll dros fuddugoliaeth y dyn Ariaidd

Beth oedd canlyniadau *Putsch* München (Munich), Tachwedd 1923?

Y rhesymau dros *Putsch* München, Tachwedd 1923

Wrth i aelodaeth y Blaid Natsïaidd gynyddu, ac wrth i Hitler ddod yn ffigur amlwg yng ngwleidyddiaeth Bafaria, dechreuodd ystyried y syniad o lansio ei hun ar y llwyfan cenedlaethol. Roedd y ffordd roedd Benito Mussolini wedi dod i rym yn yr Eidal yn 1922 wedi gwneud argraff arno. Roedd Mussolini, arweinydd Plaid Ffasgaidd Genedlaethol yr Eidal, wedi defnyddio ei fyddin breifat (y Crysau Duon) i ddod i rym ar ôl y gorymdaith ar y brif ddinas. Gwelodd Hitler fod gan Mussolini gefnogaeth y fyddin reolaidd ac roedd yn gwybod y byddai'n rhaid iddo ennill cefnogaeth byddin a llynges (*Reichswehr*) yr Almaen pe bai'n gorymdeithio ar Berlin.

Nid oedd llywodraeth Bafaria, dan arweiniad Gustav von Kahr, ynghyd â phennaeth y fyddin, von Lossow, a phennaeth yr heddlu, Seisser, erioed wedi cefnogi Weimar yn llwyr. Gwyddai Hitler pe bai'n gallu ennill cefnogaeth y tri dyn pwysig hyn, y gallai ei ymosodiad ar Berlin lwyddo.

Mae'r diagram isod yn edrych ar y rhesymau dros y *Putsch*.

Map yn dangos yr Almaen a Bafaria.

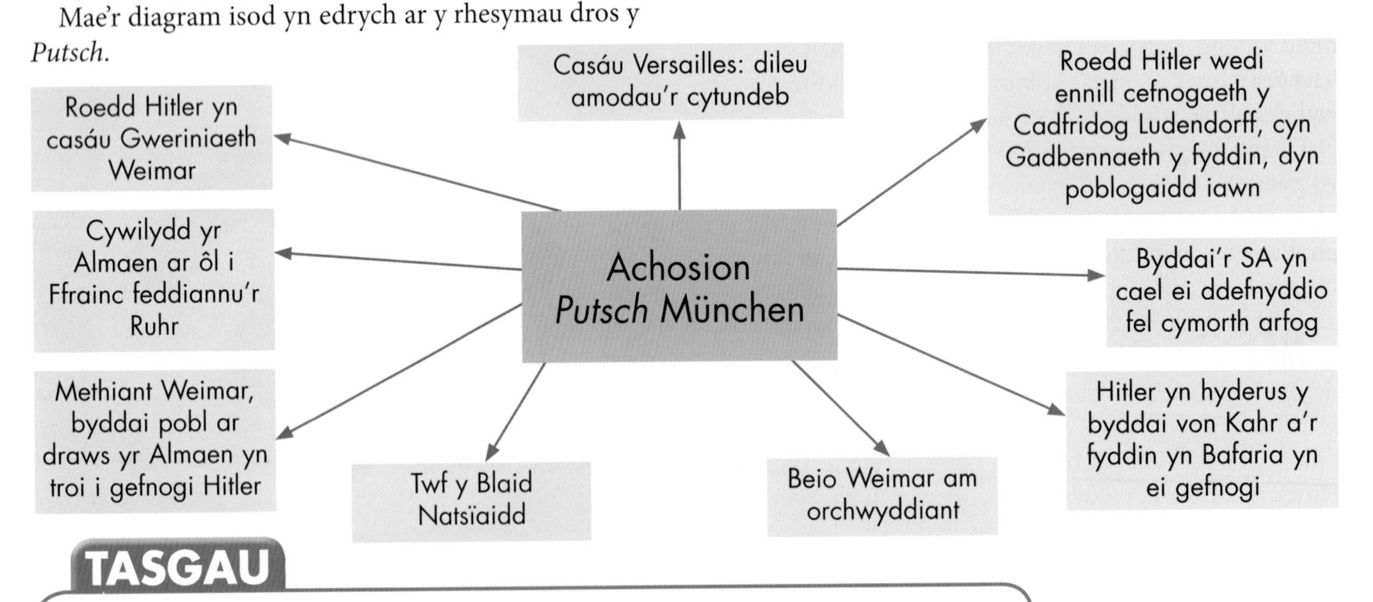

TASGAU

1. Eglurwch pam y credai Hitler y gallai ennill cefnogaeth genedlaethol yn ei ymgais i ddod i rym yn 1923. (Am arweiniad ar sut i ateb y math hwn o gwestiwn, edrychwch ar dudalen 188.)
2. Astudiwch y diagram o achosion *Putsch* München uchod. Gweithiwch mewn parau i roi'r achosion yn eu trefn o ran pwysigrwydd. Eglurwch y rhesymau dros eich dewis.

Digwyddiadau *Putsch* München

Ar noson 8 Tachwedd 1923, cipiodd Hitler a 600 o Natsïaid y Burgerbräu Keller lle'r oedd von Kahr, von Seisser a von Lossow mewn cyfarfod. Rhoddodd Hitler y tri arweinydd mewn ystafell ac ar ôl eu bygwth â gwn gwnaeth pob un addo eu cefnogaeth iddo ar gyfer y cyrch yr oedd yn ei gynllunio. *Putsch* München yw'r enw a roddwyd ar y digwyddiadau hyn. Yn ddigon rhyfedd, caniatawyd y tri i adael yr adeilad. Fodd bynnag, y diwrnod canlynol newidiodd von Seisser a von Lossow eu meddyliau a threfnu byddinoedd a'r heddlu i wrthsefyll gorymdaith arfog arfaethedig Hitler drwy München.

Ffynhonnell A Cyhoeddiad Hitler ar ddechrau'r *Putsch* ar 9 Tachwedd 1923

Cyhoeddiad i bobl yr Almaen! Heddiw, mae Llywodraeth Troseddwyr Tachwedd yn Berlin wedi'i dymchwel. Mae Llywodraeth Genedlaethol dros dro wedi'i ffurfio ar gyfer yr Almaen, ac mae'n cynnwys y Cadfridog Ludendorff, Adolf Hitler a'r Cyrnol von Seisser.

Er i'w gynlluniau chwalu, parhaodd Hitler â'r orymdaith drwy München. Fodd bynnag, dim ond tua 2000 o reifflau oedd gan y Natsïaid a phan gawsant eu herio nid oeddent yn gallu cystadlu â lluoedd yr heddlu oedd â llawer o arfau. Wrth i'r ddau grŵp ddod wyneb yn wyneb, taniwyd bwledi a lladdwyd un-ar-bymtheg o Natsïaid a phedwar o'r heddlu. Daeth y digwyddiad i ben yn gyflym a gwasgarodd y Natsïaid. Diflannodd Hitler ond cafodd ei arestio ddeuddydd yn ddiweddarach, ar yr un diwrnod ag y cafodd y Blaid Natsïaidd ei gwahardd.

TASGAU

3 Pa mor ddefnyddiol yw Ffynhonnell A i hanesydd sy'n astudio pam y gallai rhai Almaenwyr fod wedi cefnogi Hitler yn y *Putsch*? (Am arweiniad ar sut i ateb y math hwn o gwestiwn, edrychwch ar dudalennau 155–56.)

4 Beth y mae Ffynhonnell B yn ei ddangos i chi am yr SA? (Am arweiniad ar sut i ateb y math hwn o gwestiwn, edrychwch ar dudalen 118.)

5 Eglurwch pam yr oedd y *Putsch* wedi methu. (Am arweiniad ar sut i ateb y math hwn o gwestiwn, edrychwch ar dudalen 188.)

Ffynhonnell B Dynion arfog yr SA wrth faricêd ym München, 9 Tachwedd 1923. Mae arweinydd yr SS yn y dyfodol, Heinrich Himmler, yn dal baner yr Ail Reich (cyn-1918) yng nghanol y ffotograff

Prawf Hitler a'i garcharu

Arestiwyd Hitler gyda'i brif gefnogwr, y Cadfridog Ludendorff, a'i roi ar brawf am frad. Dechreuodd yr achos yn Chwefror 1924 a pharhaodd am bron fis. Rhoddodd yr achos gyhoeddusrwydd i Hitler ar draws y wlad a chafodd ei gyflwyno i'r cyhoedd yn yr Almaen drwy'r wasg genedlaethol. Gwadodd y cyhuddiad o frad. Mynnodd mai ei fwriad oedd adfer mawredd yr Almaen a gwrthwynebu llywodraeth wan ac aneffeithiol Weimar. Dirmygodd Droseddwyr Tachwedd, Cytundeb Versailles a'r **Bolsieficiaid** Iddewig hynny a oedd wedi bradychu'r Almaen. Ymosododd ar Weimar ar bob cyfle posibl a defnyddiodd yr achos i gyhoeddi ei safbwyntiau gwleidyddol. Rhoddodd y barnwyr gyfle iddo wneud areithiau hir a byddai'r papurau newydd wedyn yn cyhoeddi adroddiadau amdanynt. Daeth Hitler yn enwog yn yr Almaen.

Cafwyd Hitler yn euog o frad ond cafodd ei drin yn drugarog gan y barnwyr a'i ddedfrydu i bum mlynedd o garchar, y ddedfryd leiaf. Ni chyhuddwyd Ludendorff.

Ar 1 Ebrill, dedfrydwyd Hitler i bum mlynedd yng ngharchar Landsberg, ond fe'i rhyddhawyd ar ôl dim ond naw mis. Yn y carchar, cwblhaodd ei hunangofiant, *Mein Kampf* (Fy Mrwydr), a oedd hefyd yn cynnwys ei safbwyntiau gwleidyddol (edrychwch ar y diagram isod). Bu'r ddedfryd yn gyfle iddo fyfyrio ar y *Putsch* a'i ddyfodol ym myd gwleidyddiaeth. Nawr, mae haneswyr yn credu mai yn Landsberg y daeth Hitler i'r casgliad mai ef oedd yr arweinydd yr oedd ei angen ar yr Almaen i'w hadfer. Cafodd amser cymharol hawdd yn y carchar a chaniatawyd iddo gymaint o ymwelwyr ag y dymunai. Derbyniodd nifer mawr iawn o lythyrau ac roedd pob math o lyfrau wrth law ar ei gyfer.

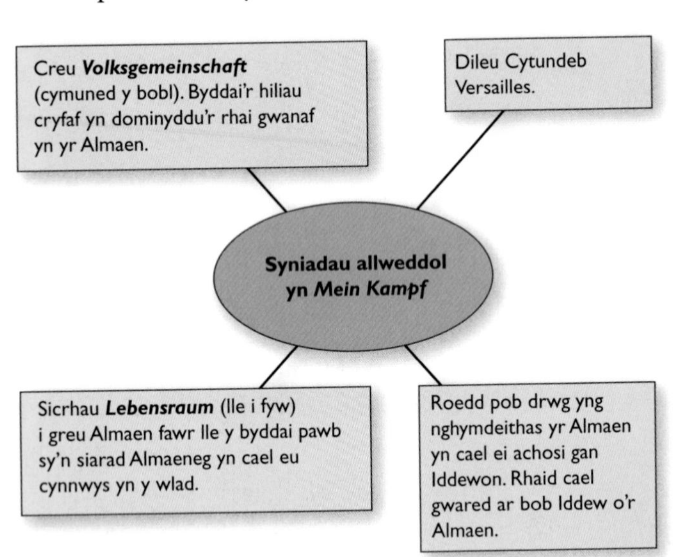

Ffynhonnell C Y prif ddiffynyddion yn yr achos yn dilyn y *Putsch*. O'r chwith i'r dde – H Pernet, F Weber, Wilhelm Frick, H Kriebel, y Cadfridog Ludendorff, Adolf Hitler, W Bruckner, Ernst Röhm, R Wagner

Ffynhonnell CH O *Rise and Fall of the Third Reich* gan William Shirer, newyddiadurwr o UDA a oedd yn byw yn Berlin yn y 1930au

Roedd Hitler yn ddigon call i ddeall y byddai ei achos llys yn llwyfan newydd ar gyfer lledaenu ei enw y tu hwnt i Bafaria a ffiniau'r Almaen am y tro cyntaf... Erbyn diwedd yr achos ... roedd Hitler wedi troi methiant yn llwyddiant ... wedi gwneud argraff ar bobl yr Almaen gyda'i allu i siarad a brwdfrydedd ei genedlaetholdeb, ac roedd ei enw ar dudalennau blaen y byd.

Ffynhonnell D Sylwadau a wnaed gan Hitler fel carcharor yn Landsberg. Roedd yn siarad gyda chyd-garcharor Natsïaidd

Pan fyddaf yn ail-afael yn y gwaith, bydd angen dilyn polisi newydd. Yn hytrach na gweithio i sicrhau grym drwy gynllwyn arfog, bydd yn rhaid i ni ddal yn ôl a brwydro am le yn y senedd yn erbyn aelodau Pabyddol a Chomiwnyddol. Os yw eu trechu trwy bleidlais yn cymryd mwy o amser na'u trechu â bwled, o leiaf bydd eu cyfansoddiad nhw'n gwarantu'r canlyniadau. Yn hwyr neu'n hwyrach, bydd gennym fwyafrif yn y senedd ...

TASGAU

6 Beth y mae Ffynhonnell C yn ei ddangos i chi am y bobl a oedd yn rhan o *Putsch* München? (Am arweiniad ar sut i ateb y math hwn o gwestiwn, edrychwch ar dudalen 118.)

7 Defnyddiwch Ffynhonnell CH a'ch gwybodaeth eich hun i egluro pam yr oedd yr achos mor bwysig i Hitler. (Am arweiniad ar sut i ateb y math hwn o gwestiwn, edrychwch ar dudalen 132.)

8 I ba raddau y mae Ffynhonnell D yn cefnogi'r farn fod methiant y *Putsch* yn drobwynt yng nghynlluniau Hitler i gipio'r awenau? (Am arweiniad ar sut i ateb y math hwn o gwestiwn, edrychwch ar dudalen 141).

9 Cynlluniwch hysbyseb ar gyfer *Mein Kampf*. Dylai'r hysbyseb ddangos pam y mae'n bwysig i Almaenwyr ei darllen, sut y mae'n dangos syniadau Hitler a sut y bydd yn newid barn pobl.

Sut y newidiodd y Blaid Natsïaidd, 1924–29?

Dirywiodd y Blaid Natsïaidd tra'r oedd Hitler yn y carchar. Er i'r blaid gael ei gwahardd, roedd yn dal i fodoli yn y dirgel. Ychydig iawn o sgiliau arwain oedd gan yr arweinydd newydd, Alfred Rosenberg, a rhannodd y blaid yn grwpiau bach. Ar ôl ei ryddhau o'r carchar, llwyddodd Hitler i berswadio Arlywydd Bafaria i godi'r gwaharddiad ar y Blaid Natsïaidd. Yn Chwefror 1924, ail-lansiwyd y Blaid Natsïaidd a dechreuodd Hitler reoli'r blaid unwaith eto. Felly, roedd angen gwneud newidiadau i'r blaid a'i strwythur. Gofalodd Hitler mai dim ond ei gyfeillion agosaf oedd yn helpu i redeg y blaid o München, a chefnogodd y bobl hyn a'r *Gauleiter* (arweinwyr lleol y blaid) y syniad o'r *Führerprinzip* (edrychwch ar dudalen 112).

Yng Nghynhadledd y Blaid yn Bamberg yn 1926, llwyddodd Hitler i gryfhau ei rôl fel arweinydd y blaid gan ennill cefnogaeth gwrthwynebwyr posibl, fel Gregor Strasser a Josef Goebbels. Penodwyd Strasser yn Arweinydd Propaganda'r Blaid a Goebbels yn *Gauleiter* Berlin. Cafwyd gwared ar wrthwynebwyr eraill. Er enghraifft, mynnodd Hitler y dylai Röhm ymddiswyddo fel arweinydd yr SA oherwydd ei fod yn poeni y byddai'r SA yn parhau i fod yn dreisgar. Ni allai fod yn siŵr y byddai Röhm yn dilyn ei orchmynion. Ernst von Salomon oedd arweinydd newydd yr SA. Yna, creodd Hitler uned bersonol i'w warchod, y *Schutzstaffel*, a ddaeth yn fwy adnabyddus fel yr SS. Un newid pellach yn ystod y cyfnod hwn oedd sefydlu'r HitlerJugend (**Ieuenctid Hitler**), er mwyn cystadlu â'r grwpiau ieuenctid eraill.

Hitler nawr oedd yr arweinydd diamheuol – '*Der Führer*' – a'i neges oedd defnyddio propaganda diddiwedd i ennill cefnogaeth y pleidleiswyr. Derbyniwyd Rhaglen 25 Pwynt 1920 fel prif bolisi'r Blaid Natsïaidd. Fodd bynnag, yn 1928, newidiwyd Pwynt 17 (edrychwch ar dudalen 112) i ddweud mai dim ond tir preifat oedd yn eiddo i'r Iddewon fyddai'n cael ei gymryd gan y llywodraeth. Cyn 1928, roedd Hitler wedi ceisio ennill cefnogaeth pleidleiswyr trefol ond yn awr yr oedd wedi penderfynu y dylid targedu pleidleiswyr gwledig hefyd. Roedd hyn ar adeg pan oedd ffermwyr yn dechrau wynebu problemau economaidd ac yn cael eu denu at Natsïaeth.

Aeth y blaid o nerth i nerth yn sgil yr ad-drefnu ac arweinyddiaeth Hitler. Yn 1925, dim ond 27,000 o aelodau oedd gan y blaid, ond roedd ganddi fwy na 100,000 erbyn diwedd 1928. Roedd yn blaid genedlaethol a oedd wedi dechrau denu pobl o bob dosbarth. Ond eto, er y newidiadau, dim ond 12 sedd enillodd y Natsïaid yn y senedd yn etholiadau 1928, er bod ganddynt 32 yn 1924.

Cafwyd newidiadau pellach yn y Blaid Natsïaidd ar ddiwedd y 1920au pan ddechreuodd Hitler dargedu'r gwerinwyr fel grŵp etholiadol allweddol. Hefyd, rhoddwyd swydd Strasser fel Arweinydd Propaganda'r Blaid i Goebbels.

Fodd bynnag, y digwyddiadau yn UDA oedd y rheswm dros lwyddiant y Blaid Natsïaidd yn yr Almaen. Creodd Cwymp Wall Street yn 1929 (gweler tudalen 120) storm economaidd ac wrth i ddiweithdra ddechrau cynyddu yn yr Almaen, felly hefyd y cynyddodd cefnogaeth y Natsïaid. Daeth y 'blynyddoedd di-lewyrch' i ben. Bedair blynedd ar ôl Cwymp Wall Street, yr oedd Hitler a'r Natsïaid mewn grym.

TASGAU

1 Eglurwch pam yr oedd Cynhadledd Bamberg yn bwysig i Hitler. (Am arweiniad ar sut i ateb y math hwn o gwestiwn, edrychwch ar dudalen 188.)

2 Beth, yn eich barn chi, oedd y rheswm dros newid Pwynt 17 y Rhaglen 25 Pwynt?

3 Lluniwch boster etholiad ar gyfer y Blaid Natsïaidd yn 1928, gan ddangos ei bod wedi newid ers *Putsch* München.

4 Ai casineb at Gytundeb Versailles oedd y broblem bwysicaf yr oedd llywodraeth Weimar yn ei hwynebu yn y 1920au? Eglurwch eich ateb yn llawn.

Efallai y byddwch eisiau trafod y canlynol yn eich ateb.

Dylech roi safbwyntiau'r ddwy ochr i'r cwestiwn hwn:

- trafodwch bwysigrwydd casineb at Gytundeb Versailles
- trafodwch pa mor ddifrifol oedd y problemau eraill a oedd yn wynebu llywodraeth Weimar yn ystod y 1920au

a dod i benderfyniad.

(Am arweiniad ar sut i ateb y math hwn o gwestiwn, edrychwch ar dudalennau 195–196.)

Arweiniad ar arholiadau

Mae'r adran hon yn rhoi arweiniad ar sut i ateb cwestiwn 1(a), 2(a) a 3(a) yn Unedau 1 a 2. Mae'n gwestiwn deall ffynhonnell sy'n werth 2 farc.

Cwestiwn 1(a) – deall ffynhonnell weledol

Beth y mae Ffynhonnell A yn ei ddangos i chi am ralïau'r Blaid Natsïaidd? (2 farc)

Ffynhonnell A Hitler yn annerch rali fawr o aelodau'r Blaid Natsïaidd yn 1932

Cyngor ar sut i ateb

Cwestiwn dod i gasgliad yw hwn sy'n ymwneud â deall ffynhonnell weledol.

- Gofynnir i chi edrych ar y llun a nodi manylion perthnasol.
- Mae'n rhaid i chi ddefnyddio'r disgrifiad ysgrifenedig sy'n dod gyda'r ffynhonnell hefyd gan ei fod yn rhoi gwybodaeth ychwanegol i chi.
- Mae'n rhaid i chi roi sylwadau ar yr hyn y gallwch ei weld yn y llun a'r geiriau sy'n ymddangos yn syth uwchben y ffynhonnell yn unig. Peidiwch â defnyddio gwybodaeth ffeithiol ychwanegol gan na fyddwch yn ennill marciau am hyn.
- I gael marciau llawn, bydd angen i chi nodi o leiaf ddau bwynt perthnasol sydd wedi'u datblygu a'u cefnogi'n dda.

Ymateb yr ymgeisydd

Mae ffynhonnell A yn dangos bod ralïau'r Blaid Natsïaidd yn ddigwyddiadau mawr sy'n edrych yn rhai trefnus iawn. Mae Hitler yn annerch torf fawr iawn o ddilynwyr Natsïaidd sy'n gwisgo gwisg y Blaid ac mae llawer ohonynt yn dal y faner swastica. Mae'r llun yn dangos cryfder ac undod y Blaid. Mae'n awgrymu bod y Blaid yn boblogaidd iawn yn 1932 pan dynnwyd y ffotograff hwn ac y gallai Hitler feistroli torfeydd mawr mewn ralïau o'r fath.

Sylw'r arholwr

Mae'r ymgeisydd yn dangos dealltwriaeth dda ac mae wedi nodi nifer o bwyntiau dilys o'r ffynhonnell weledol. Mae hefyd wedi defnyddio'r wybodaeth a welir yn y pennawd. Mae'n amlwg ei fod wedi ceisio gosod y ffynhonnell yn ei chyd-destun hanesyddol ac mae'r ateb yn llawn haeddu'r marciau uchaf (2).

Sut a pham y cafodd Hitler ei benodi'n Ganghellor yn Ionawr 1933?

Ffynhonnell A O'r llyfr 'A Fairytale of Christmas' gan Rudolf Leonhard (1931), aelod o'r **KPD** (Y Blaid Gomiwnyddol). Roedd Leonhard yn ysgrifennu am y di-waith yn yr Almaen

Nid oedd neb yn gwybod faint oedd yno. Roedd y strydoedd yn llawn ohonynt … yn sefyll neu'n loetran fel pe baent wedi tyfu gwreiddiau yno. Roedd y strydoedd yn llwyd, roedd eu hwynebau yn llwyd, a hyd yn oed gwallt eu pennau a'r blewiach ar fochau'r ieuengaf yn llwyd oherwydd y llwch a'r caledi.

TASG

Defnyddiwch Ffynhonnell A a'ch gwybodaeth eich hun i egluro effaith diweithdra ar rai o'r dynion yn yr Almaen. (Am arweiniad ar sut i ateb y math hwn o gwestiwn, edrychwch ar dudalen 132.)

Llwyddodd yr Almaen i adfywio o dan Stresemann a bu'n bum mlynedd o ffyniant i lawer o ddinasyddion. Fodd bynnag, roedd rhai yn wynebu problemau erbyn 1928, sef ffermwyr yn bennaf. Roedd Stresemann hyd yn oed wedi sylweddoli fod economi'r Almaen yn troedio ar dir peryglus. Fodd bynnag, cafodd Cwymp Wall Street ym mis Hydref 1929 ganlyniadau sydyn a phellgyrhaeddol. Achosodd Ddirwasgiad Mawr yn UDA, a lledaenodd hwnnw o amgylch y byd. Gofynnodd yr UDA i'r Almaen ad-dalu ei benthyciadau a dechreuodd diweithdra yn yr Almaen godi wrth i gwmnïau fethu. Erbyn 1932, roedd tua 6 miliwn o bobl ddi-waith ac roedd yn rhaid i lywodraeth Weimar ddefnyddio Erthygl 48 y cyfansoddiad (gweler tudalen 106). Arweiniodd y problemau economaidd at anfodlonrwydd gwleidyddol a llwyddodd pleidiau eithafol i ennill cefnogaeth yn yr etholiadau. Erbyn 1932, y Blaid Natsïaidd oedd y blaid fwyaf yn yr Almaen ac, yn dilyn cynllwynio gwleidyddol diddiwedd ymysg gwleidyddion blaenllaw fel Brüning, von Papen, von Schleicher a Hindenburg, daeth Hitler yn Ganghellor yr Almaen yn Ionawr 1933.

Mae'r bennod hon yn ateb y cwestiynau canlynol:

- Beth oedd effaith Cwymp Wall Street a'r Dirwasgiad Mawr?
- Pam yr oedd y Blaid Natsïaidd yn llwyddiannus ar ôl 1930?
- Sut yr oedd Hitler wedi cyfrannu at y cynnydd yn y gefnogaeth i'r Natsïaid?
- Sut y gwnaeth y digwyddiadau rhwng Gorffennaf 1932 ac Ionawr 1933 roi Hitler mewn grym?

Arweiniad ar arholiadau

Drwy'r bennod hon byddwch yn cael cyfle i ymarfer cwestiynau arholiad o wahanol arddull a rhoddir arweiniad manwl ar sut i ateb cwestiwn 1(b) yn Unedau 1 a 2 y papur arholiad. Cwestiwn deall ffynhonnell yw hwn sy'n gysylltiedig â galw i gof eich gwybodaeth eich hun. Mae'n werth 4 marc.

Beth oedd effaith Cwymp Wall Street a'r Dirwasgiad Mawr?

Ffynhonnell A O'r llyfr *Slump! A Study of Stricken Europe Today* gan H H Tiltman, newyddiadurwr o UDA, 1932

Lle y bydd naw o bob deg Sais yn dechrau sgwrs drwy drafod chwaraeon, bydd dau Almaenwr yn gofyn i'w gilydd pam y dylen nhw a'u teuluoedd lwgu mewn byd sy'n llawn bwyd ... Mae hyn yn egluro'r diddordeb brwd sydd gan bob dosbarth yn yr Almaen mewn gwleidyddiaeth ... Pan fo degau o filoedd o ddynion a menywod yn barod i eistedd am oriau i wrando ar Sosialwyr Cenedlaethol, Sosialwyr a Chomiwnyddion, mae'n rhaid bod gwleidyddiaeth yn bwysig i fywyd pob dydd.

TASG

1 Pa mor ddefnyddiol yw Ffynhonnell A i hanesydd sy'n astudio'r sefyllfa wleidyddol yn yr Almaen yn 1932? (Am arweiniad ar sut i ateb y math hwn o gwestiwn, edrychwch ar dudalennau 155–156.)

Effaith yr argyfwng economaidd ar bobl yr Almaen

Erbyn 1929, roedd llawer o'r Almaen wedi cael pum mlynedd o ffyniant. Roedd y benthyciadau gan UDA wedi helpu i ddileu chwyddiant ac roedd llawer o fuddsoddi wedi bod mewn diwydiant. Fodd bynnag, roedd y ffyniant yn dibynnu ar UDA a phan fethodd ei **marchnad stoc** ym mis Hydref 1929, cafodd y problemau a grëwyd yno effaith enfawr ar economi'r Almaen. Arweiniodd marwolaeth Stresemann y flwyddyn honno hefyd at yr argyfwng. Roedd llawer o Almaenwyr o'r farn mai ef oedd yr unig berson a allai arwain yr Almaen drwy amseroedd anodd eto.

Nawr, roedd y benthyciadau a wnaed i'r Almaen o dan Gynllun Dawes yn 1924 yn cael eu tynnu'n ôl gan fancwyr UDA. Roedd llai o fasnach ryngwladol a llawer llai o gynnyrch yn cael ei allforio o'r Almaen ar ôl 1929. Roedd y **Dirwasgiad Mawr** wedi cyrraedd yr Almaen. Dechreuodd diweithdra godi wrth i gyflogwyr ddiswyddo gweithwyr ac wrth i ffatrïoedd gau. Roedd ffermwyr yr Almaen eisoes wedi profi problemau a gwaethygodd eu sefyllfa oherwydd y gostyngiad ym mhrisiau bwyd. Roedd rhai Almaenwyr yn methu talu'r rhent a rhai yn gorfod byw ar y stryd.

Talodd y llywodraeth gymhorthdal i'r di-waith, ond wrth i arian fynd yn brin, daeth yn amlwg y byddai'n rhaid eu torri. Roedd pobl ddi-waith a newynog yn chwilio am atebion ac yn troi at bleidiau gwleidyddol fel y Natsïaid, am eu bod yn credu y gallent ddatrys eu problemau.

Ffynhonnell B Graff yn dangos diweithdra yn yr Almaen, 1928–32

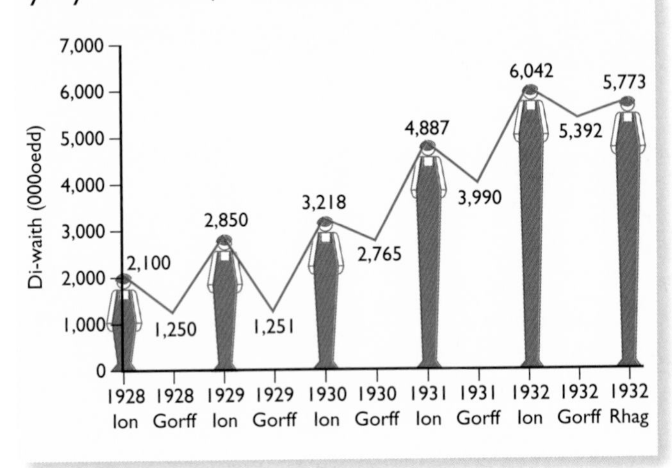

Parhaodd diweithdra i gynyddu yn y 1930au cynnar, ac erbyn dechrau 1932 roedd y cyfanswm yn uwch na 6 miliwn. Felly, roedd pedwar o bob deg gweithiwr o'r Almaen yn ddi-waith. Yn wahanol i 1923, nid ofn chwyddiant oedd ar bobl yr Almaen y tro hwn, ond ofn diweithdra. Pe gallai plaid wleidyddol gynnig atebion clir a syml i'r problemau economaidd, byddai'n ennill pleidleisiau'n hawdd. Roedd y gweithwyr eisiau swyddi ac roedd y dosbarth canol yn ofni chwyldro comiwnyddol fel yr un a ddigwyddodd yn Rwsia yn 1917. Roedd Plaid Gomiwnyddol yr Almaen (KPD) yn tyfu ac, fel y Blaid Natsïaidd, roedd yn cynnig cyfle i ddianc o'r Dirwasgiad.

Ffynhonnell C Rhes o bobl ddi-waith yn Hannover yn sefyll eu tro am eu budd-daliadau yn 1932. Sylwch ar yr ysgrifen ar wal yr adeilad. Mae'n dweud 'Pleidleisiwch dros Hitler' yn Almaeneg

TASGAU

2 I ba raddau y mae Ffynhonnell B yn cefnogi'r farn fod yr Almaen wedi dechrau ar gyfnod o ddirwasgiad difrifol yn ystod y 1930au cynnar? (Am arweiniad ar sut i ateb y math hwn o gwestiwn, edrychwch ar dudalen 141.)

3 Beth y mae Ffynhonnell C yn ei ddweud wrthych am y sefyllfa yn yr Almaen yn 1932? (Am arweiniad ar sut i ateb y math hwn o gwestiwn, edrychwch ar dudalen 118.)

4 Lluniwch fap meddwl i ddangos effeithiau'r Dirwasgiad ar yr Almaen.

5 Beth y mae Ffynhonnell CH yn ei ddangos i chi am ddemocratiaeth yn yr Almaen dan lywodraeth Weimar yn 1930–32? (Am arweiniad ar sut i ateb y math hwn o gwestiwn, edrychwch ar dudalen 118.)

Effaith yr argyfwng economaidd ar lywodraeth Weimar

Achosodd yr argyfwng economaidd broblemau i lywodraeth Weimar ac roedd llawer o anghytuno ynglŷn â sut y dylid datrys diweithdra a thlodi. Ym mis Mawrth 1930, cymerodd Heinrich Brüning o Blaid y Canol swydd y Canghellor Muller. Nid oedd gan Brüning y mwyafrif a oedd yn ofynnol yn ôl Cyfansoddiad Weimar, ac roedd yn rhaid iddo ddibynnu ar yr Arlywydd Hindenburg trwy ddefnyddio Erthygl 48 (gweler tudalen 106). O hyn ymlaen, defnyddiwyd y *Reichstag* (senedd) yn llai aml. Mae llawer o haneswyr yn credu mai dyma oedd diwedd Llywodraeth Weimar a diwedd democratiaeth seneddol.

Ffynhonnell CH Rôl y *Reichstag* a'r Arlywydd, 1930–32

	1930	1931	1932
Archddyfarniadau arlywyddol	5	44	66
Cyfreithiau *Reichstag*	98	34	5
Reichstag: diwrnodau yn eistedd	94	42	13

Gan nad oedd mwyafrif gan Brüning yn y *Reichstag*, galwodd etholiad cyffredinol ym Medi 1930. Yr etholiad hwn agorodd y drws i'r Natsïaid. Llwyddwyd i ennill 107 o seddi a sefydlu ei hun fel yr ail blaid fwyaf yn yr Almaen ar ôl y Democratwyr Sosialaidd (SPD) a enillodd 143 sedd. Roedd Brüning yn dal i fethu bod yn siŵr y byddai ei bolisïau'n cael eu derbyn gan y *Reichstag* a daeth i ddibynnu mwy a mwy ar yr Arlywydd Hindenburg (gweler Ffynhonnell CH, tudalen 121).

Wrth i Brüning dorri gwariant y llywodraeth, collodd gefnogaeth y bobl ddi-waith ac arweiniodd hyn at y llysenw 'Canghellor y newyn'. Roedd pobl yr Almaen wedi hen flino ar brinder bwyd – ac roeddent nawr yn wynebu prinder am y trydydd tro mewn un mlynedd ar bymtheg. Roedd Brüning yn cael ei feio hefyd am fod buddsoddwyr tramor yn tynnu asedau yn ôl o'r Almaen. Ar ben hynny, yn ystod argyfwng bancio 1931 pan fethodd rhai banciau yn yr Almaen, roedd wedi codi braw ar rai buddsoddwyr posibl. Roedd rhai llywodraethau tramor yn fodlon benthyg arian i'r Almaen, ond roedd eu telerau'n annerbyniol. Unig ganlyniad da yr argyfwng economaidd oedd gohirio'r taliadau iawndal, ond ni chyflwynwyd hyn tan 1931. Parhaodd y sefyllfa economaidd yn wael.

Ni wnaeth Brüning lwyddo i ennill cefnogaeth i'w bolisïau ac felly ymddiswyddodd ym Mai 1932. Yn ystod ei gyfnod fel Canghellor, roedd y Blaid Natsïaidd adain dde wedi bod yn llwyddiannus yn yr etholiadau rhanbarthol a chyffredinol. Hefyd, yn ystod yr wyth mis nesaf, cafwyd problemau gwleidyddol ac economaidd parhaus ac aeth y pleidiau eithafol yn fwy treisgar. Roedd rhai o'r newidiadau a gyflwynwyd gan Brüning wedi arwain at rai gwelliannau, ond roedd hi nawr yn rhy hwyr.

Roedd fel petai'r Dirwasgiad wedi achosi anrhefn ar draws yr Almaen. Arweiniodd hyn at benodi Hitler yn Ganghellor yn Ionawr 1933.

Ffynhonnell D Poster etholiad Plaid Gomiwnyddol yr Almaen (KPD) yn 1932. O'i gyfieithu, mae'n dweud 'Gwaredwch â'r system'

Ffynhonnell DD O'r llyfr *The Past is Myself* a ysgrifennwyd yn 1968 gan Christabel Bielenberg, Saesnes a oedd yn byw yn yr Almaen o dan y Natsïaid. Yma, mae'n cofio sgwrs gyda Herr Neisse, ei garddwr

Yna, daeth 1929 a'r problemau economaidd, a chafwyd cwmwl enfawr dros Ewrop ac UDA gan adael llond gwlad o fethdaliadau. Collodd Herr Neisse y cyfle i fod yn berchennog stondin lysiau a chollodd ei swydd. Ymunodd â byddin o 6 miliwn o bobl ddi-waith … Nid oedd ***comiwnyddiaeth*** *yn apelio ato … roedd eisiau perthyn i rywbeth. Sosialaeth Genedlaethol felly oedd yr ateb gorau. Dechreuodd fynychu cyfarfodydd y Blaid Natsïaidd … clywodd mai'r Iddewon oedd gwreiddyn y drwg i holl broblemau'r Almaen. Er ei fod yn gwybod am lygredd aelodau'r blaid, roedd yn credu nad oedd Hitler yn gwybod dim amdano. Dywedodd Neisse fod 'Hitler yn caru plant a chŵn hefyd'.*

TASGAU

6 Eglurwch pam yr oedd rhai Almaenwyr yn gwrthwynebu polisïau economaidd Brüning. (Am arweiniad ar sut i ateb y math hwn o gwestiwn, edrychwch ar dudalen 188).

7 Astudiwch Ffynhonnell D. Eglurwch pam yr oedd y KPD yn apelio at lawer o Almaenwyr.

8 Pa mor ddefnyddiol yw Ffynhonnell DD i hanesydd sy'n astudio pam yr oedd y Blaid Natsïaidd yn apelio at rai Almaenwyr? (Am arweiniad ar sut i ateb y math hwn o gwestiwn, edrychwch ar dudalennau 155–56.)

9 Gweithiwch mewn grŵp o dri neu bedwar. Dychmygwch eich bod yn sefydlu plaid wleidyddol yn yr Almaen yn 1932. Gwnewch restr o'r pwyntiau allweddol y byddech yn eu pwysleisio er mwyn apelio at gymaint o ddinasyddion yr Almaen â phosibl. Lluniwch bosteri i:
a) ddangos eich credoau gwleidyddol
b) ymosod ar Ganghellor Brüning.

Pam yr oedd y Blaid Natsïaidd yn llwyddiannus ar ôl 1930?

Rôl Josef Goebbels

Yn ystod 1929–33, cynyddodd y Natsïaid eu cefnogaeth drwy bropaganda. Roedd ganddynt wahanol ddulliau propoganda, fel cynnal ralïau enfawr, gosod posteri mewn mannau amlwg a chwifio baneri ar bob cyfle er mwyn rhoi'r argraff fod y Natsïaid ym mhobman.

Roedd y Natsïaid yn ffodus iawn o gael rhywun a oedd yn deall sut i ddefnyddio'r cyfryngau torfol a llywio cynulleidfaoedd enfawr. Gofalodd Josef Goebbels fod neges y Natsïaid yn syml ac yn cael ei hailadrodd yn aml. Erbyn y 1930au cynnar, roedd gan y Natsïaid 120 o bapurau newydd dyddiol neu wythnosol a oedd yn cael eu darllen yn rheolaidd gan gannoedd o filoedd o bobl ar draws y wlad. Wrth i'r Almaen wynebu anhrefn wleidyddol yn 1930–32, roedd Goebbels yn gallu cyflwyno'r Blaid Natsïaidd mewn etholiadau lleol, rhanbarthol, cenedlaethol ac arlywyddol. Roedd neges y Natsïaid i'w chlywed ym mhobman, yn enwedig ar y radio.

Ffynhonnell A Poster etholiad y Natsïaid, 1932. Mae'r testun yn dweud 'Gwaith a Bara'. Mae'r poster yn dangos y mathau o offer a ddosbarthwyd, gan ddangos y byddai'r Natsïaid yn helpu pob math o weithwyr

Ffynhonnell B Poster etholiad y Blaid Natsïaidd, 1930. Mae'r testun yn dweud 'Rhestr 9 Plaid Genedlaethol Sosialaidd Gweithwyr yr Almaen'. Dyma rai o'r geiriau sy'n dod allan o'r neidr: benthyg arian, Versailles, diweithdra, celwydd euogrwydd rhyfel, Bolsieficiaeth, chwyddiant ac ofn

TASG

1 Astudiwch Ffynonellau A a B. Eglurwch:

a) Pa grwpiau o bobl fyddai'r posteri Natsïaidd hyn yn eu denu?

b) Beth yw'r rhesymau dros apêl y Natsïaid?

c) Pa mor ddefnyddiol yw'r ffynonellau fel tystiolaeth o'r rhesymau a achosodd i bobl bleidleisio dros y Natsïaid?

Llwyddiant yn yr etholiadau

Pan alwodd y Canghellor Brüning etholiad cyffredinol yn 1930, roedd yn gobeithio ennill mwyafrif clir ar gyfer Plaid y Canol. Fodd bynnag, effeithiodd Cwymp Wall Street a'r Dirwasgiad yn fawr ar y sefyllfa wleidyddol. Roedd diweithdra wedi effeithio ar bob dosbarth ac felly ceisiodd Hitler a'r Natsïaid apelio at bob rhan o'r gymdeithas. Neges y Natsïaid oedd mai Weimar oedd wedi achosi'r argyfwng economaidd ac nad oedd gan y llywodraethau clymblaid gwan yr un ateb i'w gynnig. Gallai'r Natsïaid yn unig uno'r Almaen mewn cyfnod o argyfwng economaidd.

Roedd y Natsïaid hefyd yn defnyddio'r teimladau o ddicter at Gytundeb Versailles. Agorwyd yr hen glwyfau a rhoddwyd y bai am broblemau'r Almaen ar Droseddwyr Tachwedd a Gweriniaeth Weimar. Dim ond y Natsïaid allai adfer enw da yr Almaen.

Os oedd unrhyw un yn amau negeseuon syml y Natsïaid, roedd Hitler wedi darganfod bwch dihangol arall. Rhoddodd y bai ar yr Iddewon am broblemau'r Almaen, gan ddatgan eu bod:

- yn cyfrannu nid yn unig at gomiwnyddiaeth ond hefyd at wendidau cyfalafiaeth
- wedi helpu i achosi diweithdra
- wedi cynllwynio yng ngorchfygiad yr Almaen yn y Rhyfel Mawr
- wedi cyfrannu at y Chwyldro Bolsieficaidd
- yn paratoi i achosi chwyldro yn yr Almaen, a fyddai'n golygu y byddai pob eiddo a chyfoeth preifat yn cael eu meddiannu gan y wladwriaeth.

Ffynhonnell C Darn o *Mein Kampf*, hunangofiant Hitler a ysgrifennwyd yn 1924

Mae'n rhaid i bropaganda gyfyngu ei hun i ychydig iawn o bwyntiau a'u hailadrodd yn ddiddiwedd. Yma, fel gyda chymaint o bethau yn y byd hwn, dyfalbarhâd yw'r amod cyntaf a'r pwysicaf ar gyfer llwyddo.

Bu etholiad 1930 yn drobwynt i Hitler a'r Blaid Natsïaidd (gweler Ffynhonnell CH). Bu'n rhaid i Brüning barhau i ddibynnu ar bleidiau eraill a pharhau hefyd i ddibynnu ar Hindenburg ac Erthygl 48 (gweler tudalen 106).

TASGAU

2 Pa mor ddefnyddiol yw Ffynhonnell C i hanesydd sy'n astudio sut y ceisiodd y Natsïaid ennill cefnogaeth wleidyddol? (Am arweiniad ar sut i ateb y math hwn o gwestiwn, edrychwch ar dudalennau 155–56.)

3 Astudiwch Ffynhonnell CH. Disgrifiwch sut y cynyddodd y Blaid Natsïaidd ei chefnogaeth erbyn Medi 1930.

Ffynhonnell CH Tabl yn dangos seddi'r *Reichstag* ar ôl etholiadau Mai 1928 a Medi 1930

Plaid wleidyddol	Mai 1928	Medi 1930
Plaid y Democratwyr Sosialaidd (SPD)	153	143
Y Blaid Genedlaethol (DNVP)	73	41
Y Blaid Natsïaidd (NSDAP)	12	107
Plaid y Canol (ZP)	62	68
Y Blaid Gomiwnyddol (KPD)	54	77
Plaid y Bobl (DVP)	45	30
Y Blaid Ddemocrataidd (DDP)	25	20

Etholiad arlywyddol 1932

Yn ystod etholiad arlywyddol 1932, pan roedd Hitler yn sefyll yn erbyn Hindenburg, bu'r Natsïaid yn ddigon call i fanteisio ar dechnoleg fodern. Er enghraifft, drwy ddefnyddio awyren gallai Hitler siarad mewn cymaint â phum dinas ar yr un diwrnod, gan hedfan o un lleoliad i'r nesaf. Gofalodd Goebbels fod ralïau enfawr yn cael eu cynnal, bod neges y Natsïaid yn cael ei lledaenu, a bod Hitler yn cael ei gydnabod yn ffigwr gwleidyddol cenedlaethol hefyd. Lledaenwyd y neges ar ffilm, ar y radio a hyd yn oed ar recordiau. Meistrolodd Goebbels y grefft o ddefnyddio propaganda yn y blynyddoedd hyn. Ni wnaeth yr Arlywydd Hindenburg ymgyrchu.

Methodd Hindenburg o drwch blewyn i ennill mwy na 50 y cant o'r pleidleisiau yn yr etholiad ac felly roedd yn rhaid cynnal ail rownd o bleidleisio. Llwyddodd Hitler i ennill llawer o bleidleisiau ym mhob rownd, er ei fod yn eithaf siomedig gyda'i berfformiad. Yn ôl Goebbels roedd y methiant i ennill yr arlywyddiaeth yn fuddugoliaeth oherwydd y bleidlais enfawr a gafodd Hitler a'r ganran gyffredinol o bleidleisiau a enillwyd.

Roedd y tactegau a ddefnyddiwyd gan Hitler a Goebbels yn llwyddo a chafwyd mwy o lwyddiant yn etholiadau'r *Reichstag* yng Ngorffennaf 1932 (gweler tudalen 130). Gofalodd Goebbels fod pobl yr Almaen yn gweld delwedd gadarnhaol o Hitler a'r Natsïaid. Parhaodd hefyd i chwarae ar eu hofnau, yn enwedig ofn comiwnyddiaeth.

Ffynhonnell D Ffotograff clawr y llyfr *'Hitler über Deutschland'* (Hitler dros yr Almaen), a gyhoeddwyd yn yr Almaen yn 1932

Ffynhonnell DD Poster etholiad 1932 y Natsïaid. Mae'n dweud 'Ein gobaith olaf – Hitler'

Ymgeisydd	Rownd gyntaf	Ail rownd
Hindenburg	18,650,000	19,360,000
Hitler (NSDAP)	11,340,000	13,420,000
Thälmann (KPD)	4,968,000	3,710,000

Canlyniadau'r etholiad arlywyddol

Ffynhonnell E Poster y Natsïaid yn 1932. Mae'n dweud 'Rydym ni'r ffermwyr yn cael gwared ar y tail – rydym yn pleidleisio dros y Natsïaid'. Mae'r tail yn cynrychioli'r Iddewon a'r sosialwyr

Ffynhonnell F O daflen etholiad 1932 y Natsïaid

Mae ffermwyr yr Almaen yn sefyll rhwng dau berygl mawr heddiw – un yw system gyfalafol UDA a'r llall yw system economaidd Farcsaidd **BOLSIEFICIAETH.** Mae Cyfalafiaeth a Bolsieficiaeth yn digwydd law yn llaw; maent yn deillio o syniadau Iddewig ac yn gwasanaethu cynllun yr Iddewon i reoli'r byd. Pwy yw'r unig rai a all achub y ffermwr rhag y peryglon hyn?

SOSIALAETH GENEDLAETHOL

TASGAU

4 Disgrifiwch y dulliau a ddefnyddiwyd gan Goebbels i ddenu pobl i gefnogi Natsïaeth. (Am arweiniad ar sut i ateb y cwestiwn hwn, edrychwch ar dudalen 175.)

5 Beth y mae Ffynhonnell D ar dudalen 125 yn ei ddweud wrthych am ddulliau ymgyrchu Hitler yn y 1930au cynnar? (Am arweiniad ar sut i ateb y cwestiwn hwn, edrychwch ar dudalen 118.)

6 Astudiwch Ffynonellau DD, E ac F. Ym mhob achos:

a) eglurwch pwy yw'r gynulleidfa darged

b) disgrifiwch y dulliau a ddefnyddir i ddenu eu cefnogaeth

c) eglurwch sut y mae'r ffynonellau yn cefnogi ei gilydd am y rhesymau pam yr oedd pobl wedi pleidleisio dros Hitler.

7 Ailddarllenwch dudalennau 123–126, yna edrychwch ar y tabl isod. Llenwch y blychau, gan roi o leiaf un rheswm i ddangos sut y gallai'r Natsïaid apelio at wahanol grwpiau o gymdeithas ar yr un pryd.

Dosbarth gweithiol	
Ffermwyr	
Dosbarth canol	
Dosbarth uchaf	

Cefnogaeth ariannol i'r Natsïaid

Ni allai Hitler a'r Natsïaid fod wedi cynnal eu hymgyrchoedd heb gefnogwyr ariannol. Gwelwyd un enghraifft o sut yr oedd arian yn hanfodol yn 1932, pan luniwyd 600,000 copi o'r rhaglen economaidd a'u dosbarthu adeg etholiad y *Reichstag* ym mis Gorffennaf. Derbyniodd y Blaid Natsïaidd arian gan ddiwydianwyr blaenllaw fel Thyssen, Krupp a Bosch. Roedd y **diwydianwyr** hyn yn ofni'r bygythiad comiwnyddol ac yn poeni hefyd am rym cynyddol yr **undebau llafur**. Roeddent yn gwybod bod Hitler yn casáu comiwnyddiaeth ac y byddai'n lleihau dylanwad yr undebau.

Hefyd, erbyn 1932 roedd y Natsïaid wedi dechrau datblygu cysylltiadau agos â Phlaid Genedlaethol Pobl yr Almaen (DNVP) ac roedd eu harweinydd, Alfred Hugenberg, yn berchennog papur newydd. Caniataodd i'r Natsïaid gyhoeddi erthyglau a oedd yn ymosod ar y Canghellor Brüning. Felly, roedd yn bosibl i Goebbels barhau â'r ymgyrch genedlaethol yn erbyn Weimar a chadw'r Natsïaid yn fyw ym meddyliau pobl.

Ffynhonnell FF Poster gwrth-Hitler gan gomiwnydd, John Heartfield. Ei enw gwreiddiol oedd Helmut Herzfeld, ond newidiodd ei enw fel protest yn erbyn y Natsïaid. Dihangodd o'r Almaen yn 1933. Mae'r pennawd yn dweud 'Ystyr saliwt Hitler. Arwyddair: mae miliynau yn sefyll y tu ôl i mi! Dyn bach yn gofyn am anrhegion mawr'

Y *Sturmabteilung* (SA)

Yn ei areithiau, honnodd Hitler nad oedd democratiaeth seneddol yn gweithio a dywedodd mai dim ond ef a'r NSDAP allai sefydlu'r llywodraeth gadarn oedd ei hangen ar yr Almaen. Defnyddiodd y Natsïaid eu byddin breifat, *Sturmabteilung* (SA), nid yn unig i amddiffyn eu cyfarfodydd ond hefyd i darfu ar gyfarfodydd eu gwrthwynebwyr, yn enwedig y Comiwnyddion. Cafodd Ernst Röhm ei ailbenodi yn arweinydd yr SA gan Hitler yn Ionawr 1931 ac ymhen y flwyddyn roedd yr aelodaeth wedi tyfu o 100,000 i 170,000. Y dynion hyn oedd 'bwlïau' y Blaid a oedd wrth eu bodd yn ymladd â'u gwrthwynebwyr gwleidyddol ar y strydoedd.

Roedd gan y Comiwnyddion eu byddin breifat eu hunain (*Die Rotfrontkämpfer* – Brwydrwyr y Rheng Goch) ac roedd llawer o frwydrau rhyngddynt a'r SA. Bu marwolaethau ar sawl achlysur. Ceisiodd Hitler ddangos i bobl yr Almaen y gallai gael gwared ar drais y Comiwnyddion a'u bygythiad o chwyldro. Roedd yr SA hefyd yn erlid ac ymosod ar unrhyw rai a fyddai'n gwrthwynebu'r Natsïaid yn agored.

Ffynhonnell NG Brwydr rhwng aelodau'r SA a Brwydrwyr Comiwnyddol y Rheng Goch yn 1932. Mae'r negeseuon 'Ymlaen â'r Chwyldro' a 'Rhyddhewch y carcharorion gwleidyddol' i'w gweld ar yr arwyddion.

Ffynhonnell G Canlyniadau etholiad cyffredinol Gorffennaf 1932

Plaid wleidyddol	Nifer seddi yn y *Reichstag*	Canran y bleidlais
Y Blaid Natsïaidd (NSDAP)	230	37.4
Plaid y Democratwyr Sosialaidd (SPD)	133	21.6
Y Blaid Gomiwnyddol (KPD)	89	14.3
Plaid y Canol (ZP)	75	12.5
Y Blaid Genedlaethol (DNVP)	37	5.9
Plaid y Bobl (DVP)	7	1.2
Y Blaid Ddemocrataidd (DDP)	4	1.0

TASGAU

8 Beth y mae Ffynhonnell FF yn ei ddangos i chi am y gefnogaeth i Hitler yn y 1930au cynnar? (Am arweiniad ar sut i ateb y math hwn o gwestiwn, edrychwch ar dudalen 118.)

9 Eglurwch pam y cynyddodd y gefnogaeth ariannol i'r Blaid Natsïaidd cyn etholiad 1932. (Am arweiniad ar sut i ateb y math hwn o gwestiwn, edrychwch ar dudalen 188.)

10 I ba raddau y mae Ffynhonnell NG yn cefnogi'r farn bod y sefyllfa wleidyddol yn yr Almaen yn mynd yn fwy treisgar yn ystod y 1930au cynnar? (Am arweiniad ar sut i ateb y math hwn o gwestiwn, edrychwch ar dudalen 141.)

11 Pa mor bwysig oedd yr SA yn ystod esgyniad Hitler i rym?

12 Astudiwch Ffynhonnell CH ar dudalen 124 a Ffynhonnell G ar y dudalen hon. Beth oedd y prif dueddiadau pleidleisio dros y tri etholiad cyffredinol?

Sut yr oedd Hitler wedi cyfrannu at y cynnydd yn y gefnogaeth i'r Natsïaid?

Roedd Hitler wedi datblygu'r grefft o siarad cyhoeddus yn nyddiau cynnar y NSDAP ac roedd ei areithiau bob amser yn denu llawer o bobl ac yn helpu i gynyddu aelodaeth y Blaid Natsïaidd. Cynorthwyodd i lunio'r Rhaglen 25 Pwynt (gweler tudalen 112) ac ar ôl y *Putsch* sylweddolodd fod yn rhaid iddo ddangos ei fod ef a'i blaid yn cydymffurfio â'r gyfraith ac yn ddemocrataidd. Roedd hefyd yn gwybod bod yn rhaid iddo allu cynnig rhywbeth i bob carfan o'r gymdeithas yn yr Almaen er mwyn llwyddo mewn unrhyw etholiad. Bu'n ffyddlon i'r pwyntiau hyn trwy gydol y ddwy flynedd cyn y daeth yn arweinydd ar yr Almaen.

Gallai Hitler fod yn bopeth i bawb. Roedd yn arwr rhyfel, yn achubwr ac yn ddyn cyffredin ar y stryd. Roedd y ddelwedd a grëwyd yn awgrymu iddo roi ei holl fywyd i'r Almaen ac y byddai'n ymroi'n llwyr i gyflawni ei amcanion. Roedd wedi creu syniadau y gallai pawb ei ddeall. Hefyd, roedd ei weledigaeth ar gyfer y dyfodol yn canolbwyntio ar wneud yr Almaen y genedl gryfaf yn y byd. Roedd gan Hitler rinwedd sy'n brin mewn gwleidyddion eraill – carisma.

Ffynhonnell A Rhan o araith Hitler ym München, Awst 1923

Fe ddaw y dydd pan fydd gan lywodraeth yr Almaen y dewrder i ddweud wrth y grymoedd tramor: 'Mae Cytundeb Versailles wedi'i seilio ar gelwydd. Rydym yn gwrthod cyflawni ei amodau o hyn ymlaen. Gwnewch fel y mynnoch! Os mai rhyfel yw eich dymuniad, cydiwch yn eich arfau! Cawn weld a allwch droi 70 miliwn o Almaenwyr yn gaethweision!' Bydd yr Almaen naill ai'n suddo ... neu gallwn fentro i fynd ati i frwydro yn erbyn marwolaeth a'r diafol ...

Ffynhonnell B Rali'r Blaid Natsïaidd yn Nürnberg (Nuremberg), 1927

Ffynhonnell C O'r llyfr *Inside the Third Reich* gan Albert Speer, a ysgrifennwyd yn 1970. Roedd Speer yn cofio cyfarfod yn Berlin yn 1930 lle y bu Hitler yn siarad. Darlithydd prifysgol oedd Speer a daeth, yn ddiweddarach, yn Weinidog Arfau yn yr Almaen o dan y Natsïaid

Cefais fy swyno gan don o frwdfrydedd (gan yr araith) … roedd yr araith yn dileu unrhyw amheuaeth neu ddrwgdybiaeth. Ni chafodd gwrthwynebwyr yr un cyfle i siarad. Roedd fel petai'n cynnig gobaith. Roedd ganddo ddelfrydau newydd, dealltwriaeth newydd, tasgau newydd. Llwyddodd Hitler i'n perswadio y gallai'r perygl o gomiwnyddiaeth a oedd fel petai'n sicr o ddod, gael ei ddileu, ac yn hytrach nag anobaith diweithdra, gallai'r Almaen symud ymlaen i adferiad economaidd.

Ffynhonnell CH Addasiad o ddyddiadur Luise Solmitz, 23 Mawrth 1932. Roedd yr athrawes yn ysgrifennu am fynychu cyfarfod yn Hamburg lle y bu Hitler yn siarad

Yno y safai Hitler mewn cot ddu syml, yn edrych dros y dorf o 120,000 o bobl o bob dosbarth a phob oed … agorodd fflyd o faneri swastica, a dangoswyd gorfoledd y funud gyda saliwt balch … Roedd y dorf yn rhoi eu ffydd yn Hitler ac yn ei barchu am ei allu i'w cynorthwyo, eu hachub, eu gwaredu rhag trallod annioddefol … Ef yw achubwr yr ysgolhaig, y ffermwr, y gweithiwr a'r di-waith.

Ffynhonnell D Ffotograff a dynnwyd i ddangos cariad Hitler at blant

Ffynhonnell DD Llun o Hitler a baentiwyd gan B Von Jacobs yn 1933

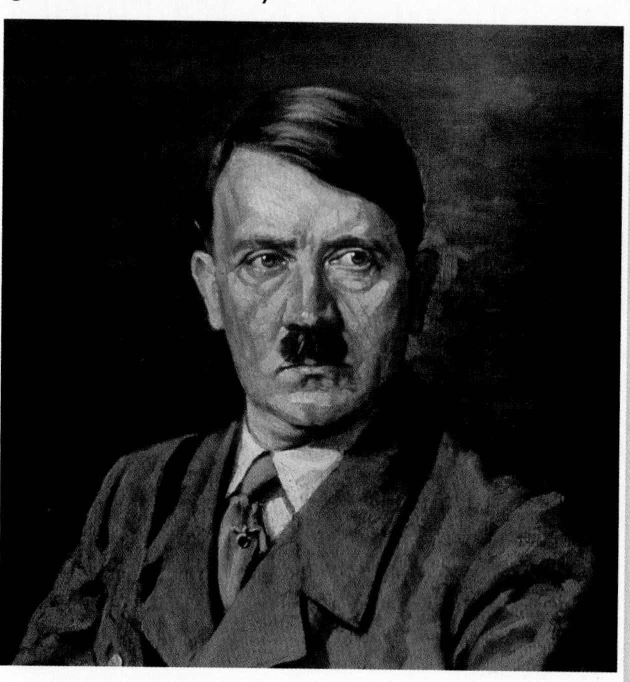

TASGAU

1. Defnyddiwch Ffynhonnell A a'ch gwybodaeth eich hun i egluro pam y penderfynodd cynifer o Almaenwyr bleidleisio dros y Blaid Natsïaidd. (Am arweiniad ar sut i ateb y math hwn o gwestiwn, edrychwch ar dudalen 132.)
2. Pa mor ddefnyddiol yw Ffynhonnell C i hanesydd sy'n astudio pam yr oedd pobl yn cael eu denu i bleidleisio dros y Blaid Natsïaidd? (Am arweiniad ar sut i ateb y math hwn o gwestiwn, edrychwch ar dudalennau 155–56.)
3. Astudiwch Ffynonellau B a DD. Beth y mae'r ffynonellau hyn yn ei ddangos i chi am Hitler a'r Blaid Natsïaidd?
4. Astudiwch Ffynhonnell D. Pam y byddai'r Blaid Natsïaidd eisiau i'r llun gael ei ddangos ar draws yr Almaen?
5. Lluniwch fap meddwl i ddangos pam yr oedd y Natsïaid wedi dod mor boblogaidd erbyn Gorffennaf 1932.

Sut y gwnaeth y digwyddiadau rhwng Gorffennaf 1932 ac Ionawr 1933 roi Hitler mewn grym?

Roedd Hitler wedi bod yn eithaf llwyddiannus yn yr etholiadau arlywyddol ym Mawrth ac Ebrill 1932. Roedd nawr yn arweinydd yr ail blaid fwyaf yn y *Reichstag* ac yn ffigwr amlwg iawn ar draws yr Almaen. Pan gafodd etholiad cyffredinol ei alw ar gyfer 31 Gorffennaf 1932, roedd y Natsïaid yn obeithiol am gynyddu nifer y pleidleisiau a enillwyd yn yr etholiad blaenorol ym Medi 1930.

Roedd llawer o drais wrth i'r etholiad agosáu. Lladdwyd tua 100 o bobl ac anafwyd dros 1125 mewn gwrthdaro rhwng y pleidiau gwleidyddol. Lladdwyd o leiaf 19 o bobl yn Hamburg ar 17 Gorffennaf.

Pleidleisiodd mwy o bobl ym mis Gorffennaf nag mewn unrhyw un o etholiadau blaenorol Weimar. Enillodd y Natsïaid 230 sedd ac yn ffurfio yn awr y blaid fwyaf yn y *Reichstag* (gweler Ffynhonnell NG, tudalen 127). Fodd bynnag, ni adawodd y Canghellor von Papen o Blaid y Canol ei swydd, er nad oedd wedi ennill y mwyafrif o seddi, a dechreuodd gynllwynio gyda'r Arlywydd Hindenburg. Mynnodd Hitler swydd y Canghellor ac, mewn cyfarfod gyda Hitler ym mis Awst, gwrthododd Hindenburg ystyried Hitler fel Canghellor, er ei fod yn arwain y blaid fwyaf yn y *Reichstag*.

Ffynhonnell A O'r llyfr *Hitler, 1889–1936: Hubris* gan yr Athro I Kershaw, hanesydd arbenigol, a ysgrifennwyd yn 1998

Yng nghyfarfod ym mis Awst, gwrthododd Hindenburg roi swydd y Canghellor i Hitler. Ni allai ateb, meddai, o flaen Duw, ei gydwybod a'r Famwlad pe bai'n trosglwyddo holl rym y llywodraeth i un blaid ac un a oedd mor anoddefgar o'r rhai hynny â gwahanol safbwyntiau.

Roedd yn amhosibl i unrhyw blaid ennill mwyafrif yn y *Reichstag* ac roedd yn amhosibl cynnal clymblaid. Diddymodd von Papen y *Reichstag* ym Medi 1932 a threfnwyd etholiadau newydd yn gynnar fis Tachwedd yr un flwyddyn. Credai von Papen fod y Natsïaid yn colli eu cefnogaeth a phe byddai'n dal ei afael y byddent yn diflannu'n raddol o'r byd gwleidyddol. Roedd yn wir eu bod yn colli cefnogaeth, fel y gwelwyd yng nghanlyniadau etholiad cyffredinol Tachwedd.

Bywgraffiad Paul von Hindenburg 1846–1934

1846 Ganed yn Posen
1866 Ymunodd â byddin Prwsia
1870–71 Brwydrodd yn Rhyfel Ffranco-Prwsiaidd
1903 Daeth yn gadfridog
1914 Arweiniodd fyddinoedd yr Almaen yn Nwyrain Prwsia. Buddugoliaethus ym Mrwydrau Tannenberg a Llynnoedd Masurian
1916 Penodwyd yn Bennaeth Staff Cyffredinol
1918 Ymddeolodd o'r fyddin
1919 Cyflwynodd ddamcaniaeth *Dolchstoss* (gweler tudalen 108)
1925–34 Arlywydd Gweriniaeth Weimar

Cynllwynio gwleidyddol

Fodd bynnag, ni allai von Papen ennill mwyafrif yn y *Reichstag*, Ar yr un pryd, parhaodd Hitler i fynnu swydd y Canghellor ar y sail mai'r Blaid Natsïaidd oedd y fwyaf yn y *Reichstag*. Pan awgrymodd von Papen y dylid diddymu Cyfansoddiad Weimar, llwyddodd von Schleicher, y Gweinidog Amddiffyn, i berswadio Hindenburg y gallai hynny arwain at ryfel cartref.

Ffynhonnell B Canlyniadau etholiad *Reichstag* Tachwedd 1932

Plaid wleidyddol	Nifer y seddi	Canran y bleidlais
Y Blaid Natsïaidd (NSDAP)	196	33.1
Plaid y Democratwyr Sosialaidd (SPD)	121	20.4
Y Blaid Gomiwnyddol (KPD)	100	16.9
Plaid y Canol (ZP)	70	11.9
Y Blaid Genedlaethol (DNVP)	52	8.8
Plaid y Bobl (DVP)	11	1.9
Y Blaid Ddemocrataidd (DDP)	2	1.0

Collodd von Papen hyder Hindenburg ac ymddiswyddodd. Cymerodd von Schleicher ei le. Roedd von Schleicher yn gobeithio cadw mwyafrif yn y *Reichstag* drwy ffurfio *Querfront*, sef 'croes-ffrynt', lle byddai'n dod â gwahanol elfennau o bleidiau chwith a de at ei gilydd.

Roedd von Papen yn benderfynol o adennill grym ac felly trefnodd i gyfarfod â Hitler yn gynnar yn

Ffynhonnell C Cartŵn o'r cylchgrawn Prydeinig, *Punch*, Ionawr 1933, sy'n dangos Hitler yn cael ei gario ar ysgwyddau Hindenburg a von Papen

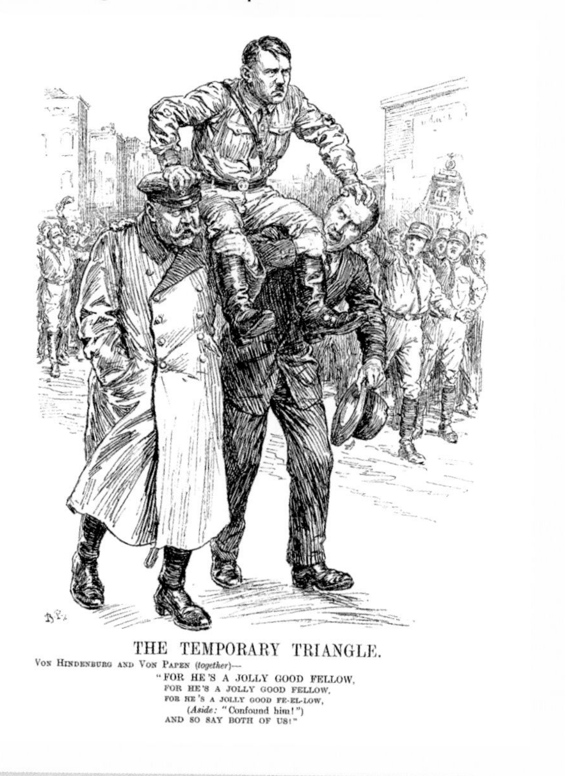

THE TEMPORARY TRIANGLE.
VON HINDENBURG AND VON PAPEN (*together*)—
"FOR HE'S A JOLLY GOOD FELLOW,
FOR HE'S A JOLLY GOOD FELLOW,
FOR HE'S A JOLLY GOOD FE-EL-LOW,
(*Aside:* "Confound him!")
AND SO SAY BOTH OF US!"

Ionawr 1933. Penderfynwyd y dylai Hitler arwain llywodraeth **Natsïaidd-Genedlaetholgar** gyda von Papen yn Is-ganghellor. Nawr cynllwynio oedd trefn y dydd nid trafodaethau gwleidyddol agored ac ystyrlon. Roedd y fyddin, y prif dirfeddianwyr ac arweinwyr diwydiant yn argyhoeddedig bod von Papen a Hitler yn achub yr Almaen rhag cynlluniau Schleicher a rhag rheolaeth gan y Comiwnyddion. Roedd y syniad y gallai llywodraeth Schleicher gynnwys sosialwyr yn eu cythruddo.

Llwyddodd von Papen i argyhoeddi'r Arlywydd Hindenburg y byddai llywodraeth glymblaid, gyda Hitler yn Ganghellor, yn achub yr Almaen ac yn sefydlogi'r wlad. Dywedodd von Papen y byddai'n gallu rheoli Hitler – 'byddai'n gwneud i Hitler wichian'.

Ar 30 Ionawr 1933, daeth Adolf Hitler yn Ganghellor yr Almaen. Roedd yn arweinydd y blaid fwyaf ac roedd wedi'i wahodd i fod yn arweinydd gan yr arlywydd. Roedd wedi cyflawni ei nod o ddod yn Ganghellor drwy ffyrdd cyfreithlon a democrataidd.

TASGAU

1 Pa mor ddefnyddiol yw Ffynhonnell A i hanesydd sy'n astudio agwedd Hindenburg at y Blaid Natsïaidd? (Am arweiniad ar sut i ateb y math hwn o gwestiwn, edrychwch ar dudalennau 155–56.)

2 Cymharwch ganlyniadau etholiadau Gorffennaf a Thachwedd 1932. Eglurwch sut a pham eu bod yn wahanol. (Mae canlyniadau etholiadau Gorffennaf ar dudalen 127.)

3 I ba raddau y mae Ffynhonnell C yn cefnogi'r farn nad oedd cyfeillgarwch Hitler â Hindenburg a von Papen yn gryf iawn? (Am arweiniad ar sut i ateb y math hwn o gwestiwn, edrychwch ar dudalen 141).

4 Darllenwch dudalennau 130–31 unwaith eto. Mae digwyddiadau 1932 yn gymhleth. Er mwyn eu symleiddio, cwblhewch y tabl isod. Ym mhob blwch ysgrifennwch y prif weithgareddau ar gyfer pob person rhwng canol 1932 a 1933.

Hitler	von Papen	von Schleicher	Hindenburg

5 Ai'r cynllwynio gwleidyddol yn 1932–33 oedd y rheswm pwysicaf dros benodi Hitler yn Ganghellor yr Almaen? Eglurwch eich ateb yn llawn.

Dylech roi safbwyntiau'r ddwy ochr i'r cwestiwn hwn:

- trafodwch sut oedd y cynllwynio gwleidyddol wedi creu'r sefyllfa
- trafodwch resymau eraill dros benodi Hitler yn Ganghellor

a dod i benderfyniad.

(Am arweiniad ar sut i ateb y math hwn o gwestiwn, edrychwch ar dudalennau 195–96.)

Arweiniad ar Arholiadau

Mae'r adran hon yn darparu arweiniad ar sut i ateb cwestiwn 1 (b) yn Unedau 1 a 2. Cwestiwn ar ddeall ffynhonnell yw hwn sy'n gysylltiedig â galw i gof eich gwybodaeth eich hun. Mae'n werth 4 marc.

Cwestiwn 1(b) – deall ffynhonnell a galw i gof eich gwybodaeth eich hun

Defnyddiwch y wybodaeth yn Ffynhonnell A a'ch gwybodaeth eich hun i egluro pam yr effeithiodd y Dirwasgiad Mawr ar fywyd yn yr Almaen (4 marc)

Ffynhonnell A Rhan o werslyfr ysgol

Cynyddodd diweithdra ar ôl 1929. Gostyngodd prisiau cynnyrch amaethyddol a nwyddau traul yn gyflym gan achosi problemau ariannol i ffermwyr, busnesau bach a'r hunangyflogedig. Roedd y Dirwasgiad Mawr yn achos caledi i filiynau o Almaenwyr.

Cyngor ar sut i ateb

- Darllenwch y ffynhonnell, gan danlinellu neu uwcholeuo'r pwyntiau allweddol.
- Yn eich ateb dylech geisio aralleirio ac egluro'r pwyntiau hyn yn eich geiriau eich hun.
- Ceisiwch ddefnyddio'r wybodaeth gefndir sydd gennych i ymhelaethu ar y pwyntiau hyn.
- Meddyliwch am unrhyw ffactorau perthnasol eraill nad ydynt wedi'u cynnwys yn y ffynhonnell a'u cynnwys yn eich ateb.
- I ennill marciau llawn, mae angen i chi wneud dau beth – cyfeirio at wybodaeth o'r ffynhonnell ac ychwanegu eich gwybodaeth eich hun am y pwnc hwn.

Ymateb ymgeisydd un

Effeithiodd yr argyfwng economaidd yn ddrwg ar yr Almaen. Mae Ffynhonnell A yn dangos sut y cynyddodd diweithdra. Roedd llawer yn gorfod ciwio am y dôl ac roedd angen swyddi ar lawer o Almaenwyr. Ffermwyr a diwydiant oedd yn dioddef fwyaf.

Sylwadau'r arholwr

Nid yw'r ateb hwn wedi'i ddatblygu'n ddigonol. Mae'r ymgeisydd wedi aralleirio'r wybodaeth sydd yn y ffynhonnell ac nid yw wedi ychwanegu llawer. Nid yw wedi darparu llawer o gyd-destun. Nid yw wedi derbyn sgôr uwch na hanner y marciau, 2 allan o 4.

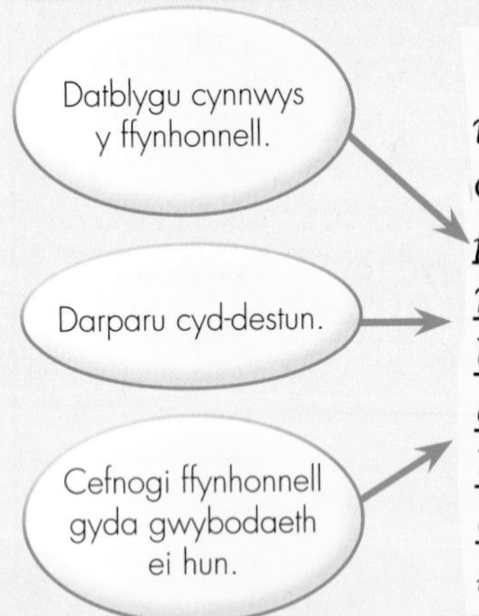

Ymateb ymgeisydd dau

Dioddefodd yr Almaen yn fawr iawn o effeithiau'r Dirwasgiad. Oherwydd y gostyngiad yn y galw am nwyddau traul, roedd ffatrïoedd yn colli arian ac yn gorfod diswyddo gweithwyr. Roedd llawer o ffermwyr yn colli pob elw o'u cynaeafau ac aeth llawer ohonynt i'r wal. Arweiniodd hyn at ddiweithdra enfawr a gyrhaeddodd uchafbwynt o dros 6 miliwn yn 1932. Roedd llywodraeth Weimar fel petai'n methu ag ymdopi â'r sefyllfa economaidd oedd yn gwaethygu. O ganlyniad, aeth llawer o bobl yr Almaen yn dlawd gan wynebu dirywiad cyflym yn ansawdd bywyd.

Sylwadau'r arholwr

Mae'r ateb hwn wedi'i ddatblygu'n dda. Mae'r ymgeisydd yn cyfeirio'n glir at yr hyn a ddywedir yn y ffynhonnell ac yn datblygu'r pwyntiau hyn ymhellach. Er enghraifft, mae'r cyfeiriad at fusnesau a ffermwyr yn wynebu caledi yn cael eu cefnogi gan sylwadau am ddiswyddo gweithwyr a chwmnïau a ffermydd yn fethdalwyr. Cyfeirir at 6 miliwn o bobl yn ddi-waith. Roedd y defnydd da o'r ffynhonnell a'r defnydd o wybodaeth bersonol yn golygu bod yr ateb hwn wedi ennill y marciau uchaf posibl o 4 pwynt.

Sut y gwnaeth y Natsïaid atgyfnerthu eu grym yn ystod 1933–34?

Ffynhonnell A Darn o 'Apêl i Bobl yr Almaen' gan Hitler ar 31 Ionawr 1933, y diwrnod ar ôl ei benodi yn Ganghellor yr Almaen

Yn y pedair blynedd ar ddeg diwethaf mae'r pleidiau Tachwedd wedi creu byddin o filiynau o bobl ddi-waith. Ni allwn ganiatáu i'r Almaen blymio i anarchiaeth Gomiwnyddol ... Mae gennym hyder di-ben-draw gan ein bod yn credu yn ein cenedl ac yn ei gwerthoedd tragwyddol ... Yn hytrach na dilyn ein greddfau terfysglyd, bydd y llywodraeth newydd yn gwneud i ddisgyblaeth genedlaethol reoli ein bywydau ... Nid ydym yn adnabod dosbarthiadau, dim ond pobl yr Almaen gyda'i miliynau o ffermwyr, dinasyddion a gweithwyr a fydd gyda'i gilydd yn trechu'r caledi hwn neu'n ildio iddo. Yn awr, bobl yr Almaen, rhowch bedair blynedd i ni ac yna gallwch ein beirniadu.

TASG

Defnyddiwch Ffynhonnell A a'ch gwybodaeth eich hun i egluro bwriadau Hitler ar ôl ei benodi yn Ganghellor yn Ionawr 1933. (Am arweiniad ar sut i ateb y math hwn o gwestiwn, edrychwch ar dudalen 132.)

Yn y cyfnod rhwng Ionawr 1933 ac Awst 1934, enillodd Hitler a'r Natsïaid reolaeth dros bob agwedd ar wladwriaeth yr Almaen. Erbyn Awst 1934, roedd Hitler wedi cyfuno swyddi'r Canghellor a'r Arlywydd ac yn gwybod bod ganddo gefnogaeth y fyddin. Hefyd, drwy wahardd pleidiau gwleidyddol, rheoli'r cyfryngau, undebau llafur a'r heddlu, sicrhawyd nad oedd llawer o wrthwynebiad, os o gwbl, i'r gyfundrefn Natsïaidd. Unwaith eto, pwysleisiodd Hitler ei fod yn gweithredu'n gyfreithlon bob tro.

Mae'r bennod hon yn ateb y cwestiynau canlynol:

- Beth oedd arwyddocâd Tân y *Reichstag*?
- Pam yr oedd y Ddeddf Alluogi yn bwysig i Hitler?
- Sut y llwyddodd y Natsïaid i gael gwared ar wrthwynebwyr i'w cyfundrefn?
- Beth oedd pwysigrwydd Noson y Cyllyll Hirion?
- Pam yr oedd cefnogaeth y fyddin yn bwysig i Hitler?

Arweiniad ar arholiadau

Drwy'r bennod hon byddwch yn cael cyfle i ymarfer cwestiynau arholiad o wahanol arddull a rhoddir arweiniad manwl ar sut i ateb cwestiwn 1(c) yn Unedau 1 a 2 y papur arholiad. Cwestiwn dadansoddi a gwerthuso ffynhonnell a galw i gof eich gwybodaeth eich hun yw hwn. Mae'n werth 5 marc.

Beth oedd arwyddocâd Tân y *Reichstag*?

Diwedd democratiaeth seneddol

Pan benodwyd Hitler yn Ganghellor, dim ond dau arall o blith 12 o'r cabinet oedd yn Natsïaid – Wilhelm Frick a Hermann Goering. Nid oedd sefyllfa Hitler yn gadarn oherwydd nid oedd gan y Natsïaid a'u cynghreiriaid, y **Blaid Genedlaethol**, fwyafrif yn y *Reichstag*. Hefyd, roedd yr Arlywydd Hindenburg yn ei gasáu. Fodd bynnag, daeth yn amlwg yn fuan fod honiad von Papen y byddai'n gallu rheoli Hitler yn hollol anghywir.

Galwodd Hitler etholiad cyffredinol ar unwaith ar gyfer 5 Mawrth, gan obeithio y byddai hyn yn rhoi mwyafrif clir iddo yn y *Reichstag*. Pe bai'n rheoli'r senedd gallai greu'r deddfau angenrheidiol ar gyfer cryfhau ei afael ar y genedl. Byddai hyn i gyd yn cael ei wneud yn ôl y gyfraith – y gyfraith Natsïaidd. Eto, cafwyd trais a therfysgaeth yn ystod ymgyrch yr etholiad a lladdwyd tua 70 o bobl yn yr wythnosau cyn diwrnod y pleidleisio. Unwaith eto, derbyniodd Hitler lawer o arian gan ddiwydianwyr blaenllaw i gefnogi ei ymgyrch. Trwy fanteisio ar y cyfryngau, roedd yn gwybod y byddai Goebbels yn gallu lledaenu neges y Natsïaid yn barhaus.

Wythnos cyn yr etholiad, ar 27 Chwefror, rhoddwyd adeilad y *Reichstag* ar dân (gweler Ffynhonnell A, tudalen 141). Nid ydym yn gwybod pwy ddechreuodd y tân, ond cafodd Marinus van der Lubbe, Comiwnydd o'r Iseldiroedd, ei arestio gan y Natsïaid. Manteisiodd Hitler a Goebbels i'r eithaf ar y cyfle gwych hwn, gan honni bod y Comiwnyddion ar fin cipio grym.

Ffynhonnell B Rhan o hunangofiant Rudolf Diels, Pennaeth Heddlu Prwsia yn 1933. Roedd yn ysgrifennu am ymateb Hitler i'r Tân yn y *Reichstag*. Roedd Diels yn ysgrifennu yn 1950

Roedd Hitler yn sefyll ar falconi yn syllu ar fôr coch o dân. Trodd tuag atom ... roedd ei wyneb yn goch i gyd gyda'r cyffro ... Yn sydyn, dechreuodd sgrechian ar dop ei lais: 'Fe ddangoswn ni iddyn nhw'n awr! Bydd unrhyw un sy'n ein rhwystro yn cael eu bwrw i lawr. Mae'r Almaenwyr wedi bod yn rhy wan yn rhy hir. Mae'n rhaid saethu pob arweinydd Comiwnyddol. Mae'n rhaid carcharu pob cyfaill i'r Comiwnyddion. Ac mae hynny'n wir am y Democratwyr Sosialaidd hefyd.'

Ffynhonnell A Marinus van der Lubbe o flaen ei well. Van der Lubbe sy'n gwisgo'r siaced streip

Ffynhonnell C Heddlu Berlin yn llosgi baneri coch ar ôl ymosod ar gartrefi Comiwnyddion, 26 Mawrth 1933

Bywgraffiad Franz von Papen 1879–1969

Gyrfa hyd at 1933

1879 Ganed yn Werl, Westfalen
1913 Ymunodd â'r gwasanaeth diplomyddol fel swyddog milwrol i lysgennad yr Almaen yn Washington DC
1917 Cynghorwr byddin yr Almaen i Dwrci a gwasanaethodd hefyd ym myddin Twrci ym Mhalestina
1918 Gadawodd fyddin yr Almaen. Dechreuodd ar ei yrfa wleidyddol ac ymunodd â Phlaid y Canolog Gatholig
1922 Etholwyd i'r *Reichstag*
1932 Penodwyd yn Ganghellor ym Mehefin. Cynllwyniodd gyda Hindenburg, gan gredu y gallai ddylanwadu ar Hitler a'r Natsïaid
1933 Penodwyd yn Is-ganghellor o dan Hitler. Credai y gallai reoli Hitler

TASGAU

1. Eglurwch pam y credai von Papen y gallai reoli Hitler. (Am arweiniad ar sut i ateb y math hwn o gwestiwn, edrychwch ar dudalen 188.)
2. Pa mor ddefnyddiol yw Ffynhonnell B i hanesydd sy'n astudio ymateb Hitler i'r Tân yn y *Reichstag*? (Am arweiniad ar sut i ateb y math hwn o gwestiwn, edrychwch ar dudalennau 155–56.)
3. Beth yw eich argraff o van der Lubbe wrth edrych ar Ffynhonnell A?
4. Meddyliwch am bennawd ar gyfer Ffynhonnell A i'w gyhoeddi mewn papur newydd Natsïaidd.
5. Ymchwil: gwnewch ymchwil pellach i gefndir ac achos Marinus van der Lubbe.
6. I ba raddau y mae Ffynhonnell C yn cefnogi'r farn bod democratiaeth seneddol wedi dod i ben yn yr Almaen erbyn Mawrth 1933? (Am arweiniad ar sut i ateb y math hwn o gwestiwn, edrychwch ar dudalen 141.)

Pam yr oedd y Ddeddf Alluogi yn bwysig i Hitler?

Ffynhonnell A Tabl o ganlyniadau etholiad, Mawrth 1933

Plaid wleidyddol	Nifer y seddi	Canran y bleidlais
Y Blaid Natsïaidd (NSDAP)	288	43.9
Y Blaid Genedlaethol (DNVP)	52	8.0
Plaid y Bobl (DVP)	2	1.1
Plaid y Canol (ZP)	92	13.9
Y Blaid Ddemocrataidd (DDP)	5	0.9
Plaid y Democratwyr Sosialaidd (SPD)	120	18.3
Y Blaid Gomiwnyddol (KPD)	81	12.3
Eraill	7	1.6

Yn dilyn Tân y *Reichstag*, perswadiodd Hitler Hindenburg i arwyddo'r 'Archddyfarniad i Amddiffyn y Bobl a'r Wladwriaeth'. Roedd yn gwahardd hawliau sifil sylfaenol ac yn caniatáu i'r Natsïaid garcharu llawer iawn o'u gwrthwynebwyr gwleidyddol. Gwaharddwyd y papurau newydd Comiwnyddol a Sosialaidd.

Yn etholiad Mawrth 1933, enillodd y Natsïaid 288 o seddi. Er iddynt garcharu llawer o Sosialwyr a Chomiwnyddion a mynnu'r holl fanteision o reoli'r cyfryngau, ni enillodd y Natsïaid fwyafrif o bleidleisiau. Felly, sefydlwyd clymblaid gyda'r Blaid Genedlaethol, gan sicrhau mwyafrif yn y *Reichstag*. Er bod ganddo fwyafrif, roedd Hitler yn siomedig gan ei fod angen dwy sedd o bob tair i allu newid y cyfansoddiad.

Ei gam nesaf oedd pasio'r Mesur Galluogi. Byddai hyn yn rhoi pwerau llawn iddo ef a'i lywodraeth am y pedair blynedd nesaf a byddai'r Mesur yn golygu y byddai'r *Reichstag* heb lais dros weithgareddau Natsïaidd. Cafodd y Mesur ei basio – ond drwy gynllwyn (gweler y diagram).

Cafodd y Mesur Galluogi ei basio ar 23 Mawrth 1933 a rhoddodd ddiwedd ar Gyfansoddiad Weimar a democratiaeth. Y Mesur oedd 'carreg sylfaen' y Drydedd Reich a bu'n ffordd i Hitler sicrhau rheolaeth dros y genedl. Arweiniodd yn gyflym at wahardd hawliau sifil, cychwyn ar sensoriaeth a rheoli'r wasg, dileu'r undebau llafur a'r pleidiau gwleidyddol i gyd ar wahân i'r Blaid Natsïaidd. Drwy wneud hyn, crëodd Hitler 'unbennaeth'.

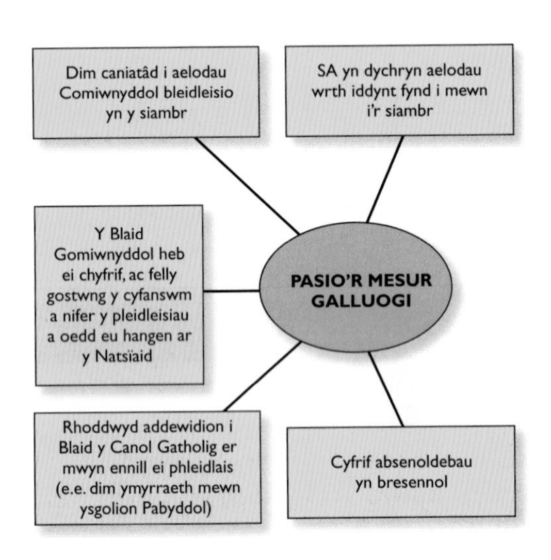

TASGAU

1. Gweithiwch mewn parau. Rydych yn gweithio fel newyddiadurwyr sy'n ymchwilio yn yr Almaen yn 1933. Ysgrifennwch erthygl sy'n datgelu'r cysylltiadau rhwng Tân y *Reichstag* (tudalen 134) a'r ffordd y cafodd y Ddeddf Alluogi ei phasio.
2. Eglurwch pam yr oedd y Ddeddf Alluogi yn bwysig i Hitler. (Am arweiniad ar sut i ateb y math hwn o gwestiwn, edrychwch ar dudalen 188.)

Sut y llwyddodd y Natsïaid i gael gwared ar wrthwynebwyr i'w cyfundrefn?

Gyda'r Ddeddf Alluogi newydd, roedd Hitler nawr mewn sefyllfa i sicrhau bod cymdeithas yr Almaen yn dilyn syniadau'r Natsïaid. Galwyd y polisi yn ***Gleichschaltung***. Byddai'n creu gwladwriaeth Sosialaidd Genedlaethol yn llwyr gyda phob elfen o fywyd cymdeithasol, gwleidyddol ac economaidd dinasyddion yr Almaen yn cael ei reoli a'i fonitro gan y Natsïaid.

Undebau llafur

Ar 2 Mai 1933, gwaharddwyd pob undeb llafur. Dywedodd y Natsïaid fod cymuned genedlaethol wedi'i chreu, ac felly nad oedd angen sefydliadau o'r fath mwyach. Sefydlwyd y Ffrynt Llafur Natsïaidd i gymryd lle'r undebau llafur a grwpiau o gyflogwyr hefyd. Y Ffrynt Llafur (*Deutsche Arbeitsfront*, DAF) fyddai'n pennu'r cyflogau a rhoddwyd llyfrau gwaith i'r gweithwyr i gofnodi eu gwaith. Roedd hi'n angenrheidiol cael llyfr gwaith er mwyn gallu cael swydd. Roedd mynd ar streic yn anghyfreithlon a byddai unrhyw wrthwynebwyr yn cael eu hanfon i'r carchardai newydd – gwersylloedd crynhoi ar gyfer ail-addysgu gwleidyddol. Anfonwyd rhai arweinwyr undebau i'r gwersylloedd crynhoi ar unwaith. Agorodd y gwersyll crynhoi cyntaf yn Dachau ym Mawrth 1933. Ni allai neb herio'r wladwriaeth Natsïaidd.

Llyfr gwaith gweithiwr o'r Almaen a oedd yn cofnodi ei fannau gwaith rhwng 1932 a 1940. Mae hyn yn dangos pa mor gryf oedd rheolaeth y Natsïaid.

Pleidiau gwleidyddol

Roedd y Blaid Gomiwnyddol (KPD) wedi'i gwahardd ar ôl y Tân yn y *Reichstag* a chipiwyd ei heiddo. Ar 10 Mai, cipiwyd pencadlys, eiddo a phapurau newydd Plaid y Democratwyr Sosialaidd hefyd. Chwalodd y pleidiau gwleidyddol eraill eu hunain yn wirfoddol ar ddiwedd Mehefin a dechrau Gorffennaf. Ar 14 Gorffennaf 1933, pasiwyd y Ddeddf yn Erbyn Creu Pleidiau, a oedd yn golygu mai'r Blaid Natsïaidd oedd yr unig blaid wleidyddol gyfreithlon yn yr Almaen. Felly, o fewn ychydig fisoedd roedd Hitler wedi ennill rheolaeth wleidyddol o'r wlad.

Yn etholiad cyffredinol Tachwedd 1933, pleidleisiodd 95.2 y cant o'r etholwyr ac enillodd y Natsïaid 39,638,000 o bleidleisiau. (Roedd rhywfaint o brotestiadau yn erbyn y Natsïaid – difethwyd tua 3 miliwn o bapurau pleidleisio.)

Rheolaeth llywodraeth y wladwriaeth (*Länder*)

Hefyd, llwyddodd Hitler i chwalu **strwythur ffederal** yr Almaen. Roedd deunaw ***Länder*** ac roedd gan bob un ei senedd ei hun. O bryd i'w gilydd yn ystod cyfnod Weimar, roedd rhai o'r *Länder* wedi achosi problemau i'r Arlywydd gan fod eu cyfansoddiad gwleidyddol yn wahanol ac roeddent yn gwrthod derbyn penderfyniadau a wnaed yn y *Reichstag*. Roedd yr Arlywydd Ebert wedi cyhoeddi mwy na 130 archddyfarniad brys i ennill rheolaeth dros rai o'r *Länder*. Penderfynodd Hitler y byddai'r *Länder* yn cael eu rhedeg gan lywodraethwyr y Reich a diddymwyd eu seneddau yn Ionawr 1934. Drwy wneud hyn, cafodd y wlad ei chanoli am y tro cyntaf ers ei chreu yn 1871.

TASGAU

1. Beth yw ystyr y term *Gleichschaltung*?
2. Disgrifiwch sut y cynyddodd Hitler ei reolaeth dros weithwyr yr Almaen. (Am arweiniad ar sut i ateb y math hwn o gwestiwn, edrychwch ar dudalen 175.)
3. Eglurwch pam yr oedd Hitler eisiau chwalu'r pleidiau gwleidyddol. (Am arweiniad ar sut i ateb y math hwn o gwestiwn, edrychwch ar dudalen 188.)

Beth oedd pwysigrwydd Noson y Cyllyll Hirion?

Ffynhonnell A Hitler a Röhm gyda milwyr yr SA

Noson y Cyllyll Hirion (a elwir hefyd yn 'Ymgyrch Hummingbird' neu'r 'Cliriad Gwaedlyd' oedd y noson pan gafodd Hitler wared ar ei wrthwynebwyr gwleidyddol a milwrol yn yr SA *Sturmabteilung*. Un rheswm dros gael gwared ar arweinwyr yr SA oedd ei angen i ennill cefnogaeth y fyddin (edrychwch ar dudalen 140). Fodd bynnag, yn ystod ei fisoedd cyntaf fel Canghellor, roedd Hitler yn ystyried yr SA yn fygythiad sylweddol.

Roedd yr SA wedi bod yn rhan allweddol o dwf y Natsïaid ac erbyn 1933 roeddent yn amlwg iawn ar draws yr Almaen. Roedd y mwyafrif o'r SA yn bobl dosbarth gweithiol a oedd yn cytuno â safbwyntiau sosialaidd rhaglen y Natsïaid. Eu gobaith oedd y byddai Hitler yn cyflwyno diwygiadau i gynorthwyo'r gweithwyr.

Hefyd, roedd Röhm, arweinydd yr SA, eisiau cynnwys y fyddin yn yr SA ac roedd yn siomedig gyda chysylltiadau agos Hitler â diwydianwyr ac arweinwyr y fyddin. Roedd Röhm eisiau gweld y llywodraeth yn ymyrryd mwy yn y ffordd yr oedd y wlad yn cael ei rhedeg er mwyn cynorthwyo'r dinesydd cyffredin. Roedd eisiau symud i ffwrdd oddi wrth strwythur dosbarth yr Almaen a sicrhau gwell cydraddoldeb. Mewn gwirionedd, roedd eisiau gweld chwyldro cymdeithasol. Roedd tensiwn pellach i Hitler oherwydd bod ei warchodwr personol, yr SS (*Schutzstaffel*), a arweiniwyd gan Heinrich Himmler, eisiau torri i ffwrdd o'r SA. Roedd Goering (Pennaeth y **Gestapo**) eisiau arwain y lluoedd arfog ac felly roedd yn ystyried Röhm yn wrthwynebydd.

Ffynhonnell B Rhan o *Hitler Speaks* gan H Rauschning, 1940. Swyddog Natsïaidd oedd Rauschning a adawodd yr Almaen yn 1934 i fyw yn UDA. Yma, mae'n disgrifio sgwrs gyda Röhm yn 1934. Roedd Röhm wedi meddwi

'Mae Adolf yn hen fochyn ... Dim ond gyda'r rhai ar y dde y mae'n cymdeithasu ... Nid yw ei hen ffrindiau'n ddigon da iddo. Mae Adolf yn troi yn ŵr bonheddig. Mae eisiau eistedd ar ben y bryn ac esgus mai ef yw Duw. Mae'n gwybod yn union beth fyddwn i'n ei hoffi ... Mae'r cadfridogion yn hen ffyliaid ... Fi yw cnewyllyn y fyddin newydd.'

Gweithredodd Hitler ym Mehefin, ar ôl derbyn gwybodaeth gan Himmler fod Röhm ar fin cipio grym. Ar 30 Mehefin 1934, saethwyd Röhm a phrif arweinwyr yr SA gan aelodau'r SS. Manteisiodd Hitler ar y cyfle i gael gwared ar rai o'i hen elynion – llofruddiwyd von Schleicher a Gregor Strasser, ffigwr allweddol ymysg y Natsïaid hynny oedd â safbwyntiau sosialaidd, yn debyg i Röhm. Llofruddiwyd tua 400 o bobl yn y cliriad.

Ffynhonnell C Rhan o adroddiad gan gabinet y Reich am Noson y Cyllyll Hirion, a argraffwyd yn y *Völkischer Beobachter* (papur newydd swyddogol y Natsïaid), 5 Gorffennaf 1934

Diolchodd y Gweinidog Amddiffyn, y Cadfridog von Blomberg, i'r Führer yn enw Cabinet y Reich a'r fyddin am weithredu'n benderfynol a dewr, a achubodd pobl yr Almaen rhag rhyfel cartref. Roedd y Führer wedi dangos ei fawredd fel gwladweinydd a milwr. Roedd hyn wedi creu yng nghalonnau'r Almaenwyr adduned o wasanaeth, ymroddiad a theyrngarwch yn yr awr fawr hon.

Ffynhonnell CH Rhan o araith Hitler i'r *Reichstag* ar 13 Gorffennaf 1934, yn cyfiawnhau ei gamau gweithredu yn erbyn yr SA

O dan yr amgylchiadau dim ond un penderfyniad y gallwn ei wneud. Os oeddem am osgoi trychineb, roedd yn rhaid i ni weithredu ar unwaith. Dim ond ymyrraeth ddidostur a gwaedlyd allai o bosibl rwystro lledaeniad y gwrthryfel. Os bydd unrhyw un yn gofyn i mi pam na ddefnyddiais y llysoedd cyfiawnder i roi'r troseddwyr o flaen eu gwell, y cwbl y gallaf ei ddweud yw – 'yn yr awr hon roeddwn yn gyfrifol am dynged pobl yr Almaen ac felly gweithredais fel barnwr goruchaf pobl yr Almaen.'

Effaith Noson y Cyllyll Hirion

Mae Noson y Cyllyll Hirion yn aml yn cael ei hystyried fel trobwynt i lywodraeth Hitler yn yr Almaen. Diddymodd ei wrthwynebwyr posibl a sicrhaodd gefnogaeth y fyddin. Rhoddwyd mân gyfrifoldebau i'r SA yn unig ac os oedd unrhyw amheuaeth wedi bod am deyrnasiad Hitler, roedd yn amlwg yn awr y byddai ofn a braw yn rhan bwysig ohoni.

Ffynhonnell D Cartŵn gan David Low a ymddangosodd yn y *London Evening Standard*, 3 Gorffennaf 1934. 'Maent yn saliwtio gyda'r ddwy law yn awr' yw'r pennawd. Mae Goering yn sefyll i'r dde i Hitler, wedi gwisgo fel arwr Llychlynnaidd, ac mae Goebbels ar ei liniau y tu ôl i Hitler. Ymddangosodd y geiriau 'Addewidion gwag' ar y papur o flaen yr SA a'r 'groes ddwbl' uwchben ac o dan fand braich Hitler.

THEY SALUTE WITH BOTH HANDS NOW.

TASGAU

1. Beth y mae Ffynhonnell A yn ei ddangos i chi am yr SA? (Am arweiniad ar sut i ateb y math hwn o gwestiwn, edrychwch ar dudalen 118.)
2. Eglurwch pam yr oedd Hitler yn dechrau gofidio am rôl yr SA. (Am arweiniad ar sut i ateb y math hwn o gwestiwn, edrychwch ar dudalen 188.)
3. Pam y mae gan Ffynonellau B ac C wahanol safbwyntiau ar rôl Hitler? (Am arweiniad ar sut i ateb y math hwn o gwestiwn, edrychwch ar dudalennau 165–66.)
4. Pa mor ddefnyddiol yw Ffynhonnell CH i hanesydd sy'n astudio Hitler a'i broblemau gyda'r SA? (Am arweiniad ar sut i ateb y math hwn o gwestiwn, edrychwch ar dudalennau 155–56.)
5. Eglurwch pam yr oedd Noson y Cyllyll Hirion mor bwysig i Hitler. (Am arweiniad ar sut i ateb y math hwn o gwestiwn, edrychwch ar dudalen 188.)
6. I ba raddau y mae Ffynhonnell D yn cefnogi'r farn fod Hitler wedi elwa ar Noson y Cyllyll Hirion? (Am arweiniad ar sut i ateb y math hwn o gwestiwn, edrychwch ar dudalen 141.)
7. Beth oedd canlyniadau Noson y Cyllyll Hirion? Gwnewch gylch gyda 'Noson y Cyllyll Hirion' yn y canol. Edrychwch ar y pwyntiau isod ac ystyriwch beth oedd canlyniadau'r cliriad fesul pwynt, gan benderfynu pwy oedd wedi elwa fwyaf a lleiaf ar Noson y Cyllyll Hirion a phwy a gollodd. Yna, nodwch yr enwau o amgylch y cylch, gan ddechrau gyda'r un a wnaeth elwa fwyaf ar y brig, a symud o amgylch y cylch gyda chyfeiriad y cloc.
   - Y fyddin
   - Yr SA
   - Gwrthwynebwyr Hitler
   - Yr SS
   - Safle Hitler ei hun
   - Himmler a Goering

Pam yr oedd cefnogaeth y fyddin yn bwysig i Hitler?

Roedd Hitler yn awyddus i ennill cefnogaeth y fyddin. Erbyn dechrau 1934, roedd rhai o aelodau'r Blaid Natsïaidd, fel Röhm, arweinydd yr SA, eisiau cynnwys y fyddin yn yr SA. Fodd bynnag, roedd Hitler yn gwybod y byddai'r cadfridogion yn gwrthwynebu ac y gallai hyn olygu her i'w safle ei hun. Hefyd, pe bai'n cael gwared ar yr SA, gallai ennill cefnogaeth y fyddin yn ei ymgais at fod yn arlywydd. Teimlai'r fyddin fygythiad yr SA ac nid oedd llawer o arweinwyr y fyddin yn hoffi natur sosialaidd yr SA. Roedd yr Arlywydd Hindenburg yn fregus iawn a dymunai Hitler gyfuno ei swydd ei hun gyda swydd yr arlywydd. Enillodd gefnogaeth y fyddin ar ôl Noson y Cyllyll Hirion pan lofruddiwyd arweinwyr yr SA.

Ar ôl marwolaeth Hindenburg yn Awst 1934, tyngodd y fyddin lw i Hitler a oedd nawr yn *Führer* ar ôl cyfuno swyddi'r Canghellor a'r Arlywydd. Fe'i penodwyd yn Gadbennaeth y Lluoedd Arfog. Penderfynodd Hitler bod angen iddo geisio cefnogaeth pobl yr Almaen pan gyfunodd y swyddi. Yn y refferendwm ar 19 Awst, cytunodd mwy na 90 y cant o'r pleidleiswyr (38 miliwn) gyda'i gamau gweithredu. Dim ond 4.5 miliwn a bleidleisiodd yn ei erbyn a difethodd 870,000 eu papurau pleidleisio.

Ffynhonnell A Llw teyrngarwch y fyddin i Hitler, Awst 1934

Tyngaf lw gerbron Duw i roi fy ufudd-dod diamod i Adolf Hitler, Führer y Reich a phobl yr Almaen, a rhoddaf fy ngair fel milwr dewr i gadw'r llw bob amser, hyd yn oed pan fo fy mywyd mewn perygl.

Ffynhonnell B Mudiad Ieuenctid Hitler ar achlysur y Refferendwm ar Uno Swyddi Arlywydd y Reich a Changhellor y Reich (19 Awst 1934). Mae'r geiriau ar ochr y lori'n dweud 'Mae'r *Führer* yn gorchymyn, rydym ni'n ei ddilyn! Pawb i ddweud Ie!'

TASGAU

1. Beth y mae Ffynhonnell B yn ei ddangos i chi am gefnogaeth Hitler yn Awst 1934? (Am arweiniad ar sut i ateb y math hwn o gwestiwn, edrychwch ar dudalen 118.)
2. Disgrifiwch sut y cynyddodd Hitler ei reolaeth dros yr Almaen ar ôl marwolaeth yr Arlywydd Hindenburg. (Am arweiniad ar sut i ateb y cwestiwn hwn, edrychwch ar dudalen 175).
3. Defnyddiwch Ffynonellau A a B a'ch gwybodaeth eich hun i egluro sut y defnyddiodd Hitler y fyddin i gynyddu ei rym. (Am arweiniad ar sut i ateb y math hwn o gwestiwn, edrychwch ar dudalen 132.)
4. Ai Noson y Cyllyll Hirion oedd y digwyddiad pwysicaf a gynorthwyodd Hitler i atgyfnerthu ei rym yn yr Almaen? Eglurwch eich ateb yn llawn.

Dylech roi safbwyntiau'r ddwy ochr i'r cwestiwn hwn:

- trafodwch bwysigrwydd Noson y Cyllyll Hirion
- trafodwch ffactorau eraill a atgyfnerthodd rym Hitler yn yr Almaen

a dod i benderfyniad.

(Am arweiniad ar sut i ateb y math hwn o gwestiwn, edrychwch ar dudalennau 195–96.)

Arweiniad ar arholiadau

Mae'r adran hon yn rhoi arweiniad ar sut i ateb cwestiwn 1 (c) yn Unedau 1 a 2. Mae'n gwestiwn dadansoddi a gwerthuso ffynhonnell a galw i gof eich gwybodaeth eich hun. Mae'n werth 5 marc.

Cwestiwn 1(c) – dadansoddi a gwerthuso ffynhonnell a galw i gof eich gwybodaeth eich hun

I ba raddau y mae Ffynhonnell A yn cefnogi'r farn mai nod y Natsïaid oedd dinistrio democratiaeth seneddol yn yr Almaen? (5 marc)

Ffynhonnell A Mae'r ffotograff hwn yn dangos y *Reichstag* (Senedd yr Almaen) ar dân ar noson 27 Chwefror 1933. Cyhuddwyd Comiwnydd o'r Iseldiroedd, Marinus van der Lubbe, o ddechrau'r tân

Sylwadau'r arholwr

Ateb rhesymegol sy'n delio â'r mater allweddol. Mae'r ymgeisydd wedi datblygu ac ymhelaethu ar y wybodaeth a ddarperir yn y ffynhonnell ac wedi defnyddio ei wybodaeth ei hun i ddarparu cyd-destun ar gyfer y digwyddiad. Mae ymgais glir i ddarparu dyfarniad rhesymegol a rhoddwyd y marciau llawn (5) i'r ateb.

Cyngor ar sut i ateb

Gall y cwestiwn hwn ymwneud â ffynhonnell weledol neu ysgrifenedig.

- Os yw'n ffynhonnell weledol dylech geisio dethol manylion perthnasol o'r hyn y gallwch ei weld yn yr enghraifft ac, yr un mor bwysig, o'r pennawd sy'n cefnogi'r ffynhonnell. Mae'n ddefnyddiol ysgrifennu nodiadau o amgylch y ffynhonnell.
- Os yw'n ffynhonnell ysgrifenedig, dylech danlinellu neu uwcholeuo'r pwyntiau allweddol.
- Yn eich ateb dylech ddefnyddio'r manylion hyn, gan eu hegluro yn eich geiriau eich hun a'u cysylltu'n uniongyrchol â'r cwestiwn.
- Dylech ddefnyddio eich gwybodaeth eich hun am y pwnc hwn i ymhelaethu ar y pwyntiau hyn a darparu deunydd ychwanegol nad yw ar gael yn y ffynhonnell.
- I ennill y marciau llawn, mae'n rhaid i chi gofio rhoi dyfarniad rhesymol sy'n ateb y cwestiwn. Er enghraifft, 'Mae'r/ Nid yw'r ffynhonnell yn cefnogi'r farn bod ... oherwydd ...'

Ymateb gan ymgeisydd

Mae'r ffynhonnell yn cefnogi'r farn mai nod y Natsïaid oedd dinistrio democratiaeth seneddol yn yr Almaen gan ei bod yn dangos llosgi adeilad senedd yr Almaen ar 27 Chwefror 1933. Cafodd yr adeilad ei ddifrodi'n ddrwg gan dân. Cafodd Comiwnydd o'r Iseldiroedd o'r enw Marinus van der Lubbe ei arestio wrth adael yr adeilad a'i gyhuddo yn ddiweddarach o ddechrau'r tân. Defnyddiodd Hitler y digwyddiad i ddweud bod y Comiwnyddion yn ceisio dinistrio democratiaeth. Fodd bynnag, credir mai'r Natsïaid ddechreuodd y tân mewn gwirionedd gan ddefnyddio'r digwyddiad i feio'r Comiwnyddion er mwyn gwanhau eu cefnogaeth yn etholiad Mawrth. Felly, mae'r ffynhonnell yn cefnogi'r farn bod y tân yn rhan o ymosodiad Hitler ar ddemocratiaeth seneddol.

Adran B

Newidiadau ym mywyd pobl yr Almaen, 1933–39

Ffynhonnell A Rhan o araith gan Hitler yn 1939 lle mae'n amlinellu ei fwriadau ar gyfer ieuenctid yr Almaen

Yn fy ngwaith mawr ym maes addysg, rwyf yn dechrau gyda'r ifanc. Rydym ni'r rhai hŷn wedi hen flino. Rydym yn bwdr hyd at fêr ein hesgyrn. Ond beth am fy mhobl ifanc rhagorol! A oes gwell rhai yn y byd? Gyda nhw gallaf wneud byd newydd. Mae fy athrawiaeth yn galed. Mae'n rhaid cael gwared ar eu gwendidau. Ieuenctid treisgar, brwd, gormesol, penderfynol, creulon, dyna yw fy nymuniad.

Ffynhonnell B Robert Ley, arweinydd y Ffrynt Llafur, yn egluro'r gafael oedd gan y Blaid Natsïaidd ar bobl yr Almaen

Rydym yn dechrau ar ein gwaith pan fydd y plentyn yn dair oed. Cyn gynted ag y mae'n dechrau meddwl, rhoddir baner fach yn ei law. Yna daw'r ysgol, Mudiad Ieuenctid Hitler, Byddin y Storm. Nid yw'r un enaid byw yn cael dianc, ac ar ôl iddynt fynd drwy hynny i gyd, mae'r Ffrynt Llafur sy'n eu meddiannu ar ôl iddynt dyfu i fyny a byth yn gollwng gafael arnynt, pa beth bynnag eu dymuniad.

Mae'r adran hon yn edrych ar y polisïau cartref a gyflwynwyd gan y Natsïaid rhwng 1933 a 1939 tuag at fenywod, yr ifanc, pobl ddi-waith a grwpiau lleiafrifol, yn enwedig yr Iddewon.

Gweithredodd y Natsïaid bolisïau a oedd yn adlewyrchu eu credoau eu hunain am rôl grwpiau amrywiol yn yr Almaen. Aeth menywod yn ôl at eu gwaith teuluol traddodiadol. Trwythwyd yr ifanc mewn syniadau Natsïaidd (edrychwch ar Ffynhonnell A). Aildrefnwyd yr economi i baratoi'r Almaen ar gyfer rhyfel a chael gwared ar ddiweithdra (edrychwch ar Ffynhonnell B). Hefyd, rheolodd y Natsïaid y byd gwleidyddol drwy sensoriaeth, propaganda a sefydlu gwladwriaeth heddlu. Yn olaf, erlidiwyd yr Iddewon, am nad oeddent yn rhan o ddamcaniaeth hiliol y Natsïaid, a'u gorfodi i adael yr Almaen.

Mae pob pennod yn egluro mater allweddol ac yn archwilio sawl trywydd ymholi pwysig fel yr amlinellir isod:

Pennod 13: Pa effaith a gafodd polisi economaidd a chymdeithasol y Natsïaid ar fywyd yn yr Almaen?

- Pa fesurau a ddefnyddiwyd i reoli'r economi, lleihau diweithdra a rheoli'r gweithlu?
- Beth oedd rôl menywod?
- Pa mor llwyddiannus oedd y polisïau hyn?
- Sut yr oedd addysg a mudiadau ieuenctid wedi llwyddo i reoli'r bobl ifanc?
- Pa mor llwyddiannus oedd y polisïau hyn?

Pennod 14: Pa effaith a gafodd polisi gwleidyddol y Natsïaid ar fywyd yn yr Almaen?

- Beth oedd y wladwriaeth heddlu?
- Sut yr estynnodd y Natsïaid eu rheolaeth dros lywodraeth ganolog a lleol?
- Sut y defnyddiwyd propaganda a sensoriaeth?

Pennod 15: Pa effaith a gafodd polisi hiliol a chrefyddol y Natsïaid ar fywyd yn yr Almaen?

- Beth oedd polisi hiliol y Natsïaid?
- Pam a sut yr erlidiodd y Natsïaid yr Iddewon?
- Sut y newididodd y Natsïaid eu cysylltiadau â'r Eglwysi Pabyddol a Phrotestannaidd?

13 Pa effaith a gafodd polisi economaidd a chymdeithasol y Natsïaid ar fywyd yn yr Almaen?

Ffynhonnell A Poster Natsïaidd yn 1937 yn dangos rôl ganolog menywod. Mae'n dweud: 'Mae'r Blaid Natsïaidd yn amddiffyn y gymuned genedlaethol'

Roedd plant a phobl ifanc yn bwysig iawn i'r Natsïaid. Nhw oedd dyfodol y Drydedd Reich ac felly roedd angen rheoli eu haddysg a'u gweithgareddau'n ofalus. Hefyd, ceisiodd y Natsïaid newid rôl menywod mewn cymdeithas yn sylweddol. Roeddent yn gwrthwynebu'r cynnydd roedd menywod wedi'i wneud ac eisiau iddynt ddychwelyd i rôl draddodiadol yn y cartref. I ba raddau y cyflawnwyd hyn? Roedd Hitler yn benderfynol o gadw at ei addewid i leihau diweithdra ond, ar yr un pryd, rheoli'r gweithlu. Hefyd, cyflwynodd y Natsïaid fesurau i reoli'r economi, yn enwedig Cynllun Pedair Blynedd Goering, mewn ymgais i greu *autarky* (hunangynhaliaeth).

Mae'r bennod hon yn ateb y cwestiynau canlynol:

- Pa fesurau a ddefnyddiwyd i reoli'r economi, lleihau diweithdra a rheoli'r gweithlu?
- Beth oedd rôl menywod?
- Pa mor llwyddiannus oedd y polisïau hyn?
- Sut yr oedd addysg a mudiadau ieuenctid wedi llwyddo i reoli'r bobl ifanc?
- Pa mor llwyddiannus oedd y polisïau hyn?

TASG

Beth y mae Ffynhonnell A yn ei ddangos am rôl menywod yn yr Almaen o dan y Natsïaid? (Am arweiniad ar sut i ateb y math hwn o gwestiwn, edrychwch ar dudalen 118.)

Arweiniad ar arholiadau

Drwy'r bennod hon byddwch yn cael cyfle i ymarfer cwestiynau arholiad o wahanol arddull a rhoddir arweiniad manwl ar sut i ateb cwestiwn 1(ch) yn Unedau 1 a 2 y papur arholiad. Cwestiwn dadansoddi a gwerthuso ffynhonnell yw hwn sy'n werth 6 marc.

Pa fesurau a ddefnyddiwyd i reoli'r economi, lleihau diweithdra a rheoli'r gweithlu?

Erbyn Ionawr 1933 pan ddaeth Hitler yn Ganghellor, roedd yr Almaen wedi profi mwy na thair blynedd o **ddirwasgiad** gyda 6 miliwn o bobl yn ddi-waith. Cyflwynodd Hitler gyfres o fesurau i leihau diweithdra.

Y Corfflu Gwasanaeth Llafur Cenedlaethol (RAD)

Cynllun oedd hwn i ddarparu swyddi gwaith llaw i ddynion ifanc. O 1935, roedd yn rhaid i bob dyn 18 i 25 oed wasanaethu yn y **RAD** am chwe mis. Roedd gweithwyr yn byw mewn gwersylloedd, yn gwisgo lifrai, yn derbyn cyflogau isel iawn ac yn cyflawni dril milwrol yn ogystal â'r gwaith.

Ffynhonnell A Ymwelydd o Awstria yn disgrifio gwersyll gwasanaeth llafur yn 1938

Mae'r gwersylloedd wedi'u trefnu'n filwrol iawn. Mae'r ieuenctid yn gwisgo lifrai fel milwyr. Yr unig wahaniaeth yw eu bod yn cario rhaw yn hytrach na reiffl ac yn gweithio yn y caeau.

Cynlluniau creu swyddi

Yn y dechrau gwariodd Hitler filiynau ar gynlluniau creu swyddi, o 18.4 biliwn marc yn 1933 i 37.1 biliwn marc bum mlynedd yn ddiweddarach. Roedd y Natsïaid yn rhoi cymhorthdal i gwmnïau preifat, yn enwedig yn y diwydiant adeiladu. Hefyd, cyflwynwyd rhaglen adeiladu ffyrdd enfawr i ddarparu 7000 km o *autobahns* (traffyrdd) yn yr Almaen, yn ogystal â chynlluniau gwaith cyhoeddus eraill, fel adeiladu ysbytai, ysgolion a thai.

TASGAU

1 Beth y mae Ffynhonnell B yn ei ddangos i chi am y dulliau a ddefnyddiwyd gan y Natsïaid i leihau diweithdra? (Am arweiniad ar sut i ateb y math hwn o gwestiwn, edrychwch ar dudalen 118.)

2 Pa mor ddefnyddiol yw Ffynhonnell A i hanesydd sy'n astudio mudiad y RAD? (Am arweiniad ar sut i ateb y math hwn o gwestiwn, edrychwch ar dudalennau 155–56.)

Ffynhonnell B Ffotograff swyddogol o weithwyr yn ymgynnull i ddechrau gweithio ar yr autobahn cyntaf, Medi 1933

Mesurau i reoli'r economi

Yn 1934 penodwyd Hjalmar Schacht yn Weinidog yr Economi. Defnyddiodd y **gwariant diffygiol** (*deficit spending*) i hybu'r economi. Yn arbennig, aeth i gyflwyno Biliau Mefo i ariannu cynnydd mewn gwariant cyhoeddus heb achosi **chwyddiant**. Papurau credyd y *Reichsbank* oedd y Biliau Mefo a oedd yn cael eu gwarantu gan y llywodraeth. Byddent yn cael eu troi yn *Reichsmarks*, gyda llog, ar ôl pum mlynedd. Erbyn 1937, roedd y llywodraeth wedi talu gwerth 12 biliwn *Reichsmarks* mewn Biliau Mefo.

Ymddiswyddodd Schacht fel Gweinidog yr Economi yn 1937. Y flwyddyn flaenorol, roedd Goering wedi llunio'r Cynllun Pedair Blynedd ar gyfer yr economi. Roedd gan y cynllun dargedau llawer uwch ar gyfer yr economi a oedd yn sicrhau bod yr Almaen yn symud yn llawer agosach at ***autarky***, neu hunangynhaliaeth, gan wneud yr Almaen yn llai dibynnol ar fewnforio nwyddau crai. Cynhaliwyd arbrofion i geisio cynhyrchu cynhyrchion artiffisial i gymryd lle'r nwyddau crai a oedd yn cael eu mewnforio o dramor. Er enghraifft, talwyd y cwmni cemegol IG Farben i geisio datblygu dull o echdynnu olew o lo. Serch hynny, ni lwyddodd yr ymdrechion hyn i leihau mewnforion i'r Almaen.

Diweithdra anweledig

Roedd y Natsïaid yn defnyddio rhai dulliau amheus i leihau ffigurau diweithdra. Nid oedd y ffigurau swyddogol yn cynnwys y canlynol:

- Iddewon a gafodd eu diswyddo.
- Dynion dibriod dan 25 oed a anfonwyd i gynlluniau Llafur Cenedlaethol.
- Menywod a gafodd eu diswyddo neu a roddodd y gorau i weithio i briodi.
- Gwrthwynebwyr y gyfundrefn Natsïaidd a oedd yn cael eu cadw mewn gwersylloedd crynhoi.

Roedd y ffigurau hefyd yn nodi bod gweithwyr rhan amser yn cael eu cyflogi'n llawn amser.

TASGAU

3 Disgrifiwch sut y lleihaodd Hitler ddiweithdra yn yr Almaen rhwng 1933 a 1939. (Am arweiniad ar sut i ateb y cwestiwn hwn, edrychwch ar dudalen 175.)

4 Mae'r Natsïaid yn honni bod eu polisïau wedi arwain at ostyngiad dramatig yn nifer y bobl ddi-waith yn yr Almaen. Pa mor gywir yw hyn?

Ailarfogi

Roedd Hitler yn benderfynol o gynyddu'r lluoedd arfog yn barod i ryfel yn y dyfodol. O ganlyniad, roedd hyn, hefyd, yn lleihau'r ffigurau diweithdra.

- Pan ailgyflwynwyd **consgripsiwn** yn 1935, gorfodwyd miloedd o ddynion ifanc i ymuno â'r gwasanaeth milwrol. Cynyddodd y fyddin o 100,000 yn 1933 i 1,400,000 erbyn 1939.
- Ehangwyd diwydiant trwm i fodloni anghenion ailarfogi. Dyblodd y defnydd o lo a chemegau rhwng 1933 a 1939; treblodd y defnydd o olew, haearn a dur.
- Gwariwyd biliynau yn cynhyrchu tanciau, awyrennau a llongau. Yn 1933, gwariwyd 3.5 biliwn marc ar ailarfogi. Roedd y ffigur wedi cynyddu i 26 biliwn marc erbyn 1939.

Rheoli'r gweithlu

Roedd y Natsïaid yn benderfynol o reoli'r gweithlu er mwyn osgoi streiciau a sicrhau bod diwydiant yn bodloni anghenion yr ymgyrch ailarfogi. Roedd dau fudiad wedi helpu i newid hyn sef, y Ffrynt Llafur a'r Mudiad Cryfder trwy Lawenydd.

Mudiad Cryfder trwy Lawenydd (Kraft durch Freude, KdF)

Sefydlwyd y mudiad hwn gan Ffrynt Llafur yr Almaen i gymryd lle'r undebau llafur. Ceisiodd y KdF wella amser hamdden gweithwyr yr Almaen drwy noddi llawer o wahanol deithiau hamdden a diwylliannol. Roedd y rhain yn cynnwys cyngherddau, ymweliadau â'r theatr, teithiau amgueddfa, digwyddiadau chwaraeon, teithiau penwythnos, gwyliau a mordeithiau. Roedd y gweithgareddau'n rhad, ac yn rhoi cyfle i weithwyr cyffredin wneud pethau y byddai pobl mwy cyfoethog fel arfer yn eu mwynhau.

Roedd Prydferthwch Llafur (*Beauty of Work*) yn adran o'r KdF a oedd yn ceisio gwella amodau gwaith. Roedd yn trefnu'r gwaith o adeiladu ffreuturau, pyllau nofio a chyfleusterau chwaraeon. Roedd hefyd yn gosod gwell goleuadau yn y gweithle.

Ffynhonnell C Darn o gylchgrawn *Cryfder trwy Lawenydd*, 1936

Mae KdF nawr yn cynnal teithiau wythnosol o gefn gwlad i'r theatr ym München. Mae trenau arbennig ar gyfer y theatr yn dod i München yn ystod yr wythnos o fannau mor bell â 120 km i ffwrdd. Felly mae llawer o'n cyfeillion a oedd yn arfer bod yn y Clwb Awyr Agored, er enghraifft, yn manteisio ar y cyfle i fynd ar deithiau gyda'r KdF. Nid oes dewis arall. Mae teithiau cerdded yn boblogaidd iawn hefyd.

Ffynhonnell CH Ffigurau swyddogol gan y Blaid Natsïaidd yn dangos y niferoedd a gymerodd ran mewn gweithgareddau KdF yn 1938

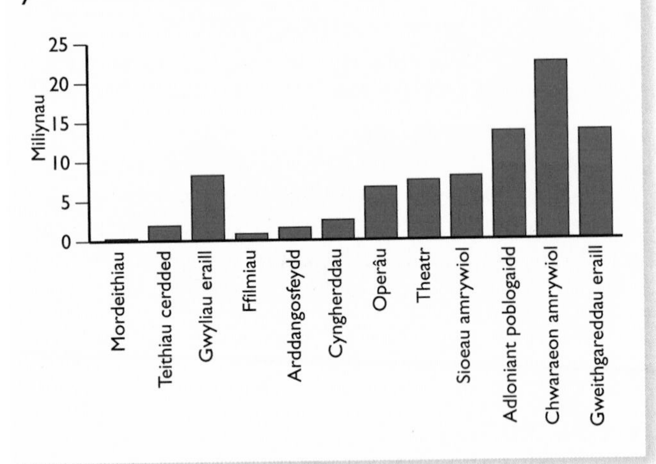

Ffynhonnell D Llyfr log Ffrynt Llafur yr Almaen (DAF) yn perthyn i weithiwr o'r Almaen, yn dangos ei fod wedi gweithio ar gynlluniau'r llywodraeth trwy gydol 1935

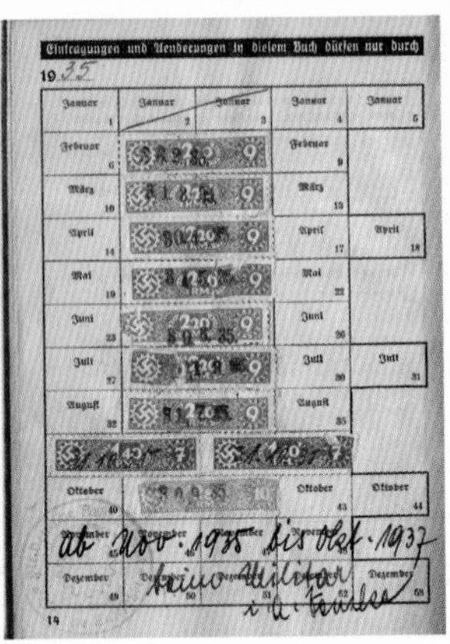

Ffrynt Llafur yr Almaen (Deutsche Arbeitsfront, DAF)

Ar 2 Mai 1933, i osgoi'r streiciau a chamau gweithredu diwydiannol eraill, gwaharddwyd pob undeb llafur gan y Natsïaid. Daeth Ffrynt Llafur yr Almaen i gymryd eu lle o dan ei arweinydd, Robert Ley.

- Roedd y cyflogwyr a'r gweithwyr yn perthyn i DAF ac roedd y mudiad i fod i gynrychioli buddiannau'r ddau grŵp.
- Gwaharddwyd pob streic a'r Ffrynt Llafur oedd yn penderfynu ar gyflogau.
- Roedd gweithwyr yn cael cyflogau cymharol uchel, swyddi diogel a rhaglenni cymdeithasol a hamdden.
- Roedd y gweithwyr yn cael llyfrau gwaith i gofnodi eu cofnod gweithio. Roedd gweithio yn dibynnu ar gael llyfr gwaith.
- Er mai dewis gwirfoddol oedd ymuno â DAF, byddai unrhyw weithiwr mewn unrhyw faes o ddiwydiant neu fasnach yr Almaen wedi cael trafferth i gael gwaith heb fod yn aelod.
- I ymaelodi, roedd yn rhaid talu ffi rhwng 15 *pfennig* a 3 *Reichsmark*, yn dibynnu ar y categori yr oedd y gweithiwr yn perthyn iddo o'r 20 grŵp aelodaeth.

Cynllun Volkswagen

Yn 1938, trefnodd Ffrynt Llafur yr Almaen y cynllun Volkswagen (car y bobl), gan roi cyfle i weithwyr danysgrifio 5 marc yr wythnos i brynu eu car eu hunain. Twyll oedd hyn. Erbyn i'r rhyfel ddechrau yn 1939, nid oedd yr un cwsmer wedi derbyn car. Ni chafodd neb yr arian yn ôl.

TASGAU

5 Disgrifiwch waith Ffrynt Llafur yr Almaen (DAF). (Am arweiniad ar sut i ateb y math hwn o gwestiwn, edrychwch ar dudalen 175.)

6 Pa mor ddefnyddiol yw Ffynhonnell C i hanesydd sy'n astudio gwaith y KdF? (Am arweiniad ar sut i ateb y math hwn o gwestiwn, edrychwch ar dudalennau 155–56.)

7 I ba raddau y mae Ffynhonnell CH yn cefnogi'r farn fod gweithwyr yr Almaen wedi elwa o fod yn aelodau o'r KdF? (Am arweiniad ar sut i ateb y math hwn o gwestiwn, edrychwch ar dudalen 141.)

8 Lluniwch eich poster eich hun i berswadio gweithwyr yr Almaen i gymryd rhan yn y rhaglen Volkswagen.

Beth oedd rôl menywod?

Newidiadau yn ystod Gweriniaeth Weimar

Cynnydd gwleidyddol	Cynnydd economaidd	Cynnydd cymdeithasol
Cafodd menywod dros 20 oed yr hawl i bleidleisio. Dangosodd menywod fwy o ddiddordeb mewn gwleidyddiaeth. Erbyn 1933, yr oedd un o bob deg aelod o'r *Reichstag* yn fenywod.	Dechreuodd llawer ar yrfaoedd yn y proffesiynau, yn enwedig y gwasanaeth sifil, y gyfraith, meddygaeth a dysgu. Roedd y menywod a oedd yn gweithio yn y gwasanaeth sifil yn ennill yr un faint â dynion. Erbyn 1933, roedd 100,000 o fenywod yn athrawon a 3000 yn feddygon.	Yn gymdeithasol, byddent yn mynd allan ar eu pen eu hunain ac yn yfed ac ysmygu yn gyhoeddus, roeddent yn denau ac yn ymwybodol o ffasiwn. Yn aml, byddent yn gwisgo sgertiau byr, yn torri eu gwallt yn gwta ac yn gwisgo colur.

Roedd menywod wedi gwneud cynnydd sylweddol yn eu safle yng nghymdeithas yr Almaen yn ystod y 1920au, fel y mae'r tabl uchod yn ei ddangos.

Ffynhonnell A Menywod o'r Almaen mewn bar, 1930

TASGAU

1. Beth y mae Ffynhonnell A yn ei ddangos i chi am safle menywod yn yr Almaen yn ystod cyfnod Weimar? (Am arweiniad ar sut i ateb y math hwn o gwestiwn, edrychwch ar dudalen 118.)
2. Pa mor ddefnyddiol yw Ffynhonnell B i hanesydd sy'n astudio barn y Natsïaid ar rôl menywod? (Am arweiniad ar sut i ateb y math hwn o gwestiwn, edrychwch ar dudalennau 155–56.)

Delfrydau Natsïaidd

Roedd gan y Natsïaid farn draddodiadol iawn ar rôl y fenyw, a oedd yn wahanol iawn i safle menywod mewn cymdeithas yn y 1920au. Roedd menyw ddelfrydol y Natsïaid:

- ddim yn gwisgo colur
- yn olau, gyda chluniau mawr ac yn athletaidd
- yn gwisgo esgidiau sodlau isel a sgert lawn
- ddim yn ysmygu
- ddim yn mynd allan i weithio
- yn gwneud yr holl ddyletswyddau cartref, yn enwedig coginio a magu eu plant
- ddim yn dangos unrhyw ddiddordeb mewn gwleidyddiaeth.

Ffynhonnell B Goebbels yn disgrifio rôl menywod mewn araith yn 1929

Cenhadaeth menywod yw bod yn hardd a dod â phlant i'r byd. Mae'r iâr yn gwneud ei hun yn hardd ar gyfer ei phartner ac yn dodwy wyau ar ei gyfer. Ar y llaw arall, mae'r gwryw yn gofalu am gasglu'r bwyd, yn gwarchod y nyth ac yn cadw'r gelyn draw.

Ffynhonnell C Rhigwm o'r Almaen ar gyfer menywod

Cydiwch mewn tegell, ysgubell a phadell,
Yna'n siŵr fe ddaliwch ŵr!
Nid mewn siop ac nid mewn swyddfa,
Gwaith pob gwraig yw cadw cartra'.

Newidiadau o dan bolisïau'r Natsïaid

Cyflwynodd y Natsïaid gyfres o fesurau i newid rôl menywod.

Priodas a theulu

Roedd y Natsïaid yn bryderus iawn am y gostyngiad yn y gyfradd genedigaethau. Yn 1900, roedd mwy na 2 filiwn o enedigaethau byw y flwyddyn, ond gostyngodd y ffigur hwn i lai na 1 miliwn yn 1933.

- Lansiwyd ymgyrch bropaganda enfawr i hyrwyddo mamolaeth a theuluoedd mawr.
- Yn 1933, cyflwynwyd y Ddeddf Annog Priodas. Nod y Ddeddf hon oedd cynyddu'r gyfradd ddiffygiol o enedigaethau yn yr Almaen drwy roi benthyciadau i helpu parau ifanc i briodi, ar yr amod bod y wraig yn gadael ei swydd. Caniatawyd i barau gadw chwarter y benthyciad am bob plentyn a anwyd, hyd at bedwar o blant.
- Ar ben-blwydd mam Hitler (12 Awst), rhoddwyd medalau i fenywod gyda theuluoedd mawr.
- Yn 1938, newidiodd y Natsïaid y ddeddf ysgaru – roedd ysgaru yn bosibl pe na bai gŵr neu wraig yn gallu cael plant.

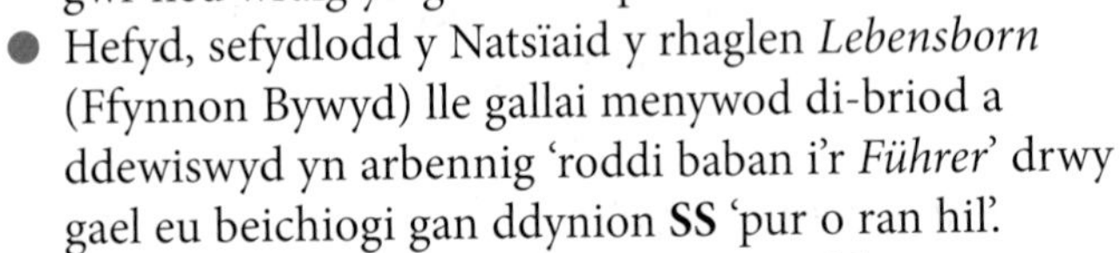

- Hefyd, sefydlodd y Natsïaid y rhaglen *Lebensborn* (Ffynnon Bywyd) lle gallai menywod di-briod a ddewiswyd yn arbennig 'roddi baban i'r *Führer*' drwy gael eu beichiogi gan ddynion **SS** 'pur o ran hil'.
- Trefnodd sefydliad cenedlaethol newydd, Menter Menywod yr Almaen, ddosbarthiadau a sgyrsiau radio ar bynciau cadw tŷ a sgiliau mamolaeth.

Swyddi

Yn hytrach na mynd i'r gwaith, gofynnwyd i fenywod gadw at y 'tri K' – *Kinder, Küche, Kirche* – 'plant, cegin, eglwys'. Roedd gan y Natsïaid gymhelliant arall i berswadio menywod i roi'r gorau i weithio. Roeddent wedi'u hethol yn rhannol oherwydd eu bod wedi addo mwy o swyddi. Roedd pob swydd a ddaeth yn wag wrth i fenyw ddychwelyd i'r cartref ar gael i ddyn.

Gorfodwyd menywod a oedd yn feddygon, gweision sifil ac athrawon i adael eu swyddi. Hyfforddwyd merched ysgol ar gyfer gwaith yn y cartref (gweler tudalen 151) gan eu perswadio i beidio â mynd ymlaen i addysg uwch.

Fodd bynnag, o 1937 ymlaen roedd yn rhaid i'r Natsïaid newid y polisïau hyn eto. Roedd yr Almaen yn ailarfogi a'r dynion yn ymuno â'r fyddin. Nawr roedd angen i'r menywod fynd allan i weithio. Dilëwyd y benthyciadau priodas a chyflwynwyd 'blwyddyn ddyletswydd' orfodol ar gyfer pob menyw a oedd yn dechrau gweithio. Fel arfer, golygai hyn helpu ar fferm neu mewn cartref teuluol, gan dderbyn gwely a bwyd ond dim cyflog. Nid oedd y polisi newydd hwn yn llwyddiannus iawn. Erbyn 1939, roedd llai o fenywod yn gweithio nag yng nghyfnod Gweriniaeth Weimar.

Ymddangosiad

Anogwyd menywod i gadw'n iach a phlethu neu wisgo eu gwallt mewn byn. Nid oeddent yn cael eu hannog i wisgo trowsus, sodlau uchel a cholur, lliwio neu steilio eu gwallt, na cholli pwysau, gan fod hyn yn cael ei ystyried yn wael ar gyfer geni plant.

Ffynhonnell CH Poster Natsïaidd o 1937 yn dangos y ddelwedd ddelfrydol o fenyw Almaenig

TASGAU

3 Tynnwch frasluniau o ddwy fenyw.

- Labelwch y braslun cyntaf gyda nodweddion 'menyw fodern' yn ystod y 1920au.
- Labelwch yr ail fraslun gyda nodweddion y Natsïaid ar gyfer y fenyw.

4 Disgrifiwch agwedd y Natsïaid at rôl menywod. (Am arweiniad ar sut i ateb y math hwn o gwestiwn, edrychwch ar dudalen 175.)

Ffynhonnell D Cartŵn Almaenig o'r 1930au. Mae'r pennawd yn dweud 'A dyma Frau Müller sydd wedi dod â 12 plentyn i'r byd hyd yma'

Ffynhonnell DD Pamffled Natsïaidd a anfonwyd at fenywod ifanc Almaenig

1. Cofiwch mai Almaenes ydych chi.
2. Os ydych yn iach yn enetig, dylech briodi.
3. Cadwch eich corff yn bur.
4. Cadwch eich meddwl a'ch ysbryd yn bur.
5. **Priodwch am gariad yn unig.**
6. Fel Almaenes, dewiswch ŵr sydd o waed tebyg neu sydd o waed sy'n perthyn.
7. Wrth ddewis gŵr, gofynnwch am ei hynafiaid.
8. Mae iechyd yn hanfodol ar gyfer harddwch corfforol.
9. Peidiwch ag edrych am gydchwaraewr. Edrychwch am gymar mewn priodas.
10. Dylech eisiau cael cymifer o blant ag sy'n bosibl.

Ffynhonnell E Roedd Marianne Gartner yn aelod o Gynghrair Morwynion yr Almaen ac yma mae'n cofio un o'r cyfarfodydd yn 1936

Mewn un cyfarfod cododd yr arweinydd tîm ei llais. 'Nid oes gwell anrhydedd i fenyw Almaenig na geni plentyn ar gyfer y Führer ac ar gyfer y Famwlad! Mae'r Führer wedi gorchymyn na fydd unrhyw deulu yn gyflawn heb o leiaf bedwar plentyn. Ni chaiff menyw Almaenig wisgo colur! Ni chaiff menyw Almaenig ysmygu! Mae ganddi ddyletswydd i gadw'n heini ac iach! Unrhyw gwestiynau? 'Pam nad yw'r Führer yn briod ac yn dad ei hun?' gofynnais.

TASGAU

5 Beth y mae Ffynhonnell CH yn ei ddangos i chi am rôl menywod yng nghymdeithas yr Almaen? (Am arweiniad ar sut i ateb y math hwn o gwestiwn, edrychwch ar dudalen 118.)

6 I ba raddau y mae Ffynhonnell D yn cefnogi'r farn bod gan fenywod le pwysig yng nghymdeithas yr Almaen? (Am arweiniad ar sut i ateb y math hwn o gwestiwn, edrychwch ar dudalen 141.)

7 Defnyddiwch Ffynhonnell DD a'ch gwybodaeth eich hun i egluro rôl menywod yn yr Almaen o dan y Natsïaid. (Am arweiniad ar sut i ateb y math hwn o gwestiwn, edrychwch ar dudalen 132.)

8 Pam y byddai Ffynhonnell E, o bosibl, wedi'i sensro gan y Natsïaid?

9 Lluniwch fap meddwl fel yr un isod i ddangos beth oedd yn ddisgwyliedig gan fenywod a oedd yn byw yn yr Almaen o dan y Natsïaid. Mae'r blwch cyntaf wedi'i gwblhau i chi.

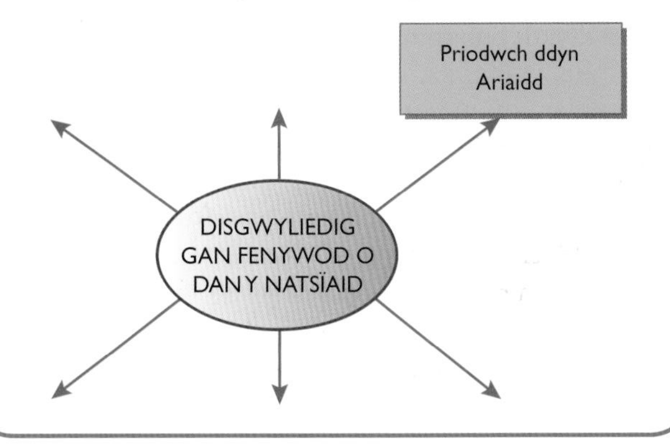

Pa mor llwyddiannus oedd y polisïau hyn?

Ffynhonnell A Darn o lythyr oddi wrth nifer o fenywod i bapur newydd Leipzig yn 1934

Heddiw, mae dyn yn cael ei addysgu nid o blaid, ond yn erbyn priodas. Rydym yn gweld ein merched yn tyfu i fyny yn gwbl ddigyfeiriad gyda fawr o obaith o gael dyn a chael plant. Mae mab, hyd yn oed yn ifanc iawn, yn chwerthin yn wyneb ei fam. Mae'n edrych arni fel ei forwyn ac mae menywod yn gyffredinol yn ddim mwy nag offer parod er mwyn cyflawni ei ddyheadau.

Ffynhonnell B Rhan o erthygl papur newydd gan Judith Grunfeld, newyddiadurwraig Americanaidd, 1937

Faint o weithwyr benywaidd a anfonwyd gartref gan y Führer? Yn ôl ystadegau Adran Llafur yr Almaen, ym Mehefin 1936, roedd 5,470,000 o fenywod yn cael eu cyflogi, neu 1,200,000 yn fwy nag yn Ionawr 1933. Nid yw ymgyrch y Natsïaid wedi llwyddo i leihau nifer y menywod sy'n gweithio, ond mae wedi eu gwasgu o'r swyddi ar gyflogau da i mewn i swyddi llafur caled. Mae'r math hwn o waith gyda chyflogau gwael ac oriau hir yn beryglus iawn i iechyd menywod ac yn diraddio'r teulu.

Ffynhonnell C Atgofion Wilhelmine Haferkamp a oedd yn 22 oed yn 1933. Roedd yn byw yn ninas ddiwydiannol Oberhausen

Pan roedd gan rywun ddeg o blant, wel nid deg ond llwyth ohonynt, roedd yn rhaid i rywun ymuno â'r Blaid Natsïaidd. Yn 1933 roedd gennyf dri phlentyn yn barod a'r pedwerydd ar y ffordd. Os oedd rhywun â llawer o blant yn ymuno â'r Blaid roedd gan y plant gyfle gwych i ddatblygu. Cefais 30 marc y plentyn gan lywodraeth Hitler ac 20 marc y plentyn gan y ddinas. Roedd hynny'n llawer o arian. Weithiau, byddai arian y plant yn fwy na chyflog fy ngŵr.

Ffynhonnell CH Rhan o erthygl papur newydd gan Toni Christen, newyddiadurwr Americanaidd, 1939

Siaradais â Mrs Schmidt, menyw tua 50 oed, wrth iddi ddod allan o'r siop. 'Nid yw menywod hŷn yn dda i ddim yn yr Almaen,' meddai. 'Nid ydym yn gallu cael plant. Nid oes gennym unrhyw werth i'r wladwriaeth. Nid ydynt yn poeni amdanom ni fel mamau neu neiniau nawr. Rydym wedi gwneud ein gwaith, ac yn cael ein rhoi o'r neilltu.'

Ffynhonnell D Cyflogaeth menywod (miliynau)

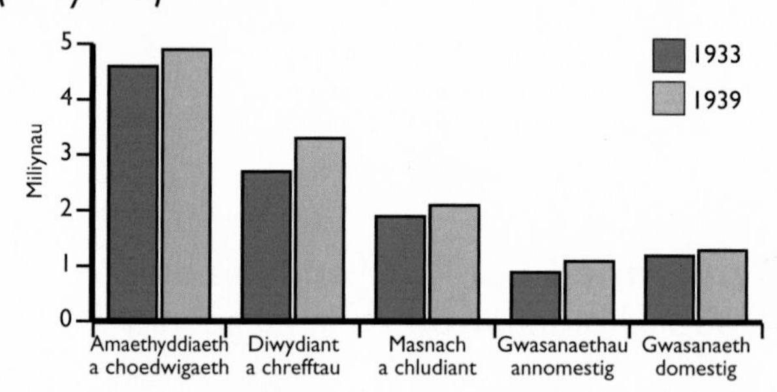

TASGAU

1 Gwnewch gopi o'r tabl canlynol. Nodwch a yw Ffynonellau A–D yn llwyddiant neu'n fethiant o safbwynt polisïau Natsïaidd ym meysydd priodas/teulu a swyddi. Wrth gwblhau'r tabl, rhowch esboniad gyda phob dewis. Mae un wedi'i wneud ar eich cyfer.

	Llwyddiant	Methiant
Priodas a theulu		Ffynhonnell B gan nad oedd y Natsïaid yn gwerthfawrogi menywod hŷn
Swyddi		

2 Rydych yn newyddiadurwr o Brydain a fu'n ymweld â'r Almaen o dan y Natsïaid yn 1938 i ymchwilio i rôl menywod. Defnyddiwch y gwaith rydych wedi'i wneud yn Nhasg 1 i ysgrifennu erthygl yn egluro llwyddiannau a methiannau polisïau'r Natsïaid. Dylech feddwl am bennawd bachog. Gallech gynnwys cyfweliadau dychmygol.

Sut yr oedd addysg a mudiadau ieuenctid wedi llwyddo i reoli'r bobl ifanc?

Pobl ifanc oedd dyfodol y Drydedd Reich ym marn Hitler. Roedd yn rhaid eu troi tuag at ddelfrydau Natsïaidd. Cyflawnwyd hyn drwy reoli addysg a thrwy **Mudiad Ieuenctid Hitler**.

Addysg

Roedd yn rhaid i bawb yn yr Almaen fynd i'r ysgol tan eu bod yn 14 oed. Ar ôl hynny, nid oedd rhaid mynd i'r ysgol. Roedd bechgyn a merched yn mynd i wahanol ysgolion.

Athrawon

Roedd yn rhaid i athrawon dyngu llw o ffyddlondeb i Hitler ac ymuno â Chynghrair Athrawon y Natsïaid. Roedd yn rhaid i athrawon hyrwyddo syniadau'r Natsïaid yn yr ystafell ddosbarth.

Cwricwlwm

Newidiwyd y cwricwlwm er mwyn paratoi myfyrwyr at eu rolau yn y dyfodol. Yn ôl Hitler dylai dynion a menywod fod yn iach a heini felly neilltuwyd pymtheg y cant o'r amser yn yr ysgol i addysg gorfforol. Gyda'r bechgyn, roedd y pwyslais ar baratoi at y fyddin. Roedd merched yn dysgu gwnïo a chrefftau cartref, yn enwedig coginio, er mwyn bod yn wraig tŷ a mam dda. Cyflwynwyd pynciau newydd fel astudiaethau hil (edrychwch ar dudalen 168) i ledaenu syniadau'r Natsïaid ar hil a rheoli'r boblogaeth. Dysgwyd plant sut i fesur eu penglogau ac i adnabod hiliau gwahanol. Cawsant eu dysgu hefyd fod **Ariaid** yn uwchraddol ac na ddylent briodi hiliau israddol fel yr Iddewon.

Gwerslyfrau

Ailysgrifenwyd y gwerslyfrau i gyd-fynd â barn y Natsïaid ar hanes a phurdeb hiliol. Roedd *Mein Kampf* yn werslyfr cyffredin.

Gwersi

Ar ddechrau a diwedd y wers byddai'r myfyrwyr yn saliwtio ac yn dweud *'Heil Hitler'*. Cyflwynwyd themâu Natsïaidd drwy bob pwnc. Roedd problemau mathemateg yn mynd i'r afael â materion cymdeithasol. Defnyddiwyd gwersi daearyddiaeth i ddangos sut roedd yr Almaen wedi'i hamgylchynu â chymdogion gelyniaethus. Mewn gwersi hanes, dysgwyd myfyrwyr am ddrygioni **comiwnyddiaeth** a Chytundeb Versailles.

Ffynhonnell A Cwestiwn o werslyfr mathemateg Natsïaidd, 1933

Mae'r Iddewon yn estroniaid yn yr Almaen. Yn 1933, roedd 66,060,000 o drigolion o ***Reich*** *yr Almaen ac roedd 499,862 o'r rhain yn Iddewon. Beth yw canran yr estroniaid yn yr Almaen?*

TASGAU

1. Eglurwch pam yr oedd y Natsïaid eisiau rheoli addysg. (Am arweiniad ar sut i ateb y math hwn o gwestiwn, edrychwch ar dudalen 188.)
2. Pa mor ddefnyddiol yw Ffynhonnell A i hanesydd sy'n astudio addysg yn yr Almaen o dan y Natsïaid? (Am arweiniad ar sut i ateb y math hwn o gwestiwn, edrychwch ar dudalennau 155–56.)
3. Disgrifiwch sut y newidiodd y cwricwlwm ysgol o dan reolaeth y Natsïaid. (Am arweiniad ar sut i ateb y math hwn o gwestiwn, edrychwch ar dudalen 175.)

Mudiad Ieuenctid Hitler

Roedd y Natsïaid hefyd eisiau rheoli pobl ifanc yn eu horiau hamdden. Llwyddwyd i wneud hyn drwy Fudiad Ieuenctid Hitler.

- Gwaharddwyd pob mudiad ieuenctid arall.
- O 1939, roedd yn rhaid ymaelodi.
- Erbyn 1939 roedd 7 miliwn o aelodau.

TASGAU

4 Beth y mae Ffynhonnell B yn ei ddangos i chi am Fudiad Ieuenctid Hitler? (Am arweiniad ar sut i ateb y math hwn o gwestiwn, edrychwch ar dudalen 118.)

5 Disgrifiwch weithgareddau Mudiad Ieuenctid Hitler. (Am arweiniad ar sut i ateb y math hwn o gwestiwn, edrychwch ar dudalen 175.)

6 Mae eich grŵp Ieuenctid Hitler lleol wedi gofyn i chi lunio poster yn hyrwyddo'r mudiad. Dylech ddefnyddio Ffynhonnell B neu C fel y llun ar gyfer eich poster a chael mwy o syniadau o Ffynhonnell A ar y dudalen nesaf.

Bechgyn Mudiad Ieuenctid Hitler

Ffynhonnell B Poster recriwtio ar gyfer Mudiad Ieuenctid Hitler, 1933

Ymunodd bechgyn â Phobl Ifanc yr Almaen (Jungvolk) yn ddeg oed. Rhwng 14 ac 18 oed, roeddent yn aelodau o Fudiad Ieuenctid Hitler (Hitler Jugend). Byddai'r aelodau'n dysgu caneuon a syniadau Natsïaidd ac yn cymryd rhan mewn athletau, heicio a gwersylla. Wrth dyfu'n hŷn byddent yn ymarfer gorymdeithio, darllen mapiau a sgiliau milwrol. Roedd llawer yn mwynhau'r frawdoliaeth. Mae hefyd yn bosibl eu bod yn mwynhau'r ffaith fod eu gwersylloedd yn aml yn agos i rai Cynghrair Merched yr Almaen.

Merched Mudiad Ieuenctid Hitler

Ffynhonnell C Poster recriwtio ar gyfer y Merched Ifanc, sy'n dweud 'Pob merch deg oed i ni'

Ymunodd merched â'r Merched Ifanc (Jungmädel) yn ddeg oed. Rhwng 14 ac 18 oed, roeddent yn ymuno â Chynghrair Merched yr Almaen (Bund Deutsche Mädchen). Byddent yn gwneud yr un pethau â'r bechgyn i bob pwrpas ond eu bod hefyd yn dysgu sgiliau domestig i'w paratoi at fagu plant a phriodi. Roedd llawer llai o bwyslais ar hyfforddiant milwrol.

Pa mor llwyddiannus oedd y polisïau hyn?

Er bod llawer o Almaenwyr ifanc wedi ymuno â Mudiad Ieuenctid Hitler, nid oedd yn boblogaidd ymysg rhai o'i aelodau. Heriodd rhai pobl ifanc syniadau Natsïaidd drwy chwarae eu cerddoriaeth eu hunain, gwisgo dillad o'u dewis eu hunain a thyfu eu gwallt yn hir. Un o'r grwpiau hyn oedd Môr-ladron Edelweiss (edrychwch ar dudalen 190).

Ffynhonnell A Atgofion arweinydd Mudiad Ieuenctid Hitler a roddwyd mewn cyfweliad yn yr 1980au

Yr hyn roeddwn yn ei hoffi am Fudiad Ieuenctid Hitler oedd y cyfeillgarwch. Roeddwn yn llawn brwdfrydedd pan ymunais â'r Bobl Ifanc yn ddeg oed. Gallaf gofio hyd heddiw y wefr a deimlais wrth glywed arwyddeiriau'r clwb: 'Mae pobl ifanc yn galed. Maent yn gallu cadw cyfrinach. Maent yn ffyddlon. Maent yn gyfeillion.' Ac wedyn, roedd y teithiau! A oes unrhyw beth gwell na mwynhau ysblander y famwlad yng nghwmni eich cyfaill?

Ffynhonnell B O erthygl ar Fudiad Ieuenctid Hitler a gyhoeddwyd mewn cylchgrawn Prydeinig yn 1938

Ymddengys nad oes llawer o frwdfrydedd dros Fudiad Ieuenctid Hitler, gyda'r aelodaeth yn gostwng. Mae llawer yn dymuno i beidio â dilyn gorchmynion nawr, maent am wneud fel y mynnont. Fel arfer dim ond traean o'r grŵp sy'n ymddangos adeg cofrestru. Mewn cyfarfodydd min nos, mae'n wyrth os daw 20 allan o 80, ond dim ond 10 neu 12 sy'n dod fel arfer.

TASGAU

1. Eglurwch pam yr oedd rhai aelodau wedi gwrthryfela yn erbyn Mudiad Ieuenctid Hitler. (Am arweiniad ar sut i ateb y math hwn o gwestiwn, edrychwch ar dudalen 188.)
2. Pam y mae gan Ffynonellau A a B wahanol safbwyntiau ar Fudiad Ieuenctid Hitler? Yn eich ateb dylech gyfeirio at gynnwys y ffynonellau a'r awduron. (Am arweiniad ar sut i ateb y math hwn o gwestiwn, edrychwch ar dudalennau 165–66.)

Ffynhonnell C Aelodau o Gynghrair Merched yr Almaen yn mynd ar daith, 1936

Ffynhonnell CH Athrawes gyda'i disgyblion yn ystod gwers hanes, tua 1933

Ffynhonnell D Llythyr a ysgrifennwyd gan aelod o Fudiad Ieuenctid Hitler i'w rieni yn 1936

Sut oedden ni'n byw yng Ngwersyll S – sydd i fod yn esiampl ar gyfer y gwersylloedd eraill? Prin ein bod yn cael munud o'r diwrnod i'n hunain. Nid bywyd gwersyll yw hwn, dim o gwbl! Mae fel bywyd mewn gwersyll milwrol! Mae'r dril yn dechrau yn syth ar ôl brecwast annigonol. Byddai'n braf cael cyfle i wneud athletau ond nid oes cyfle. Yr unig beth a wnawn yw ymarferion milwrol, i lawr yn y mwd, nes eich bod yn sychedig iawn. A dim ond un dymuniad sydd gennym: cysgu, cysgu …

Ffynhonnell DD Rhan o hunangofiant, a ysgrifennwyd yn y 1960au, gan Almaenwr a oedd yn fyfyriwr yn y 1930au

Ni ddarllennodd neb yn ein dosbarth ni Mein Kampf. Fe ddefnyddiais i'r llyfr ar gyfer dyfyniadau, dyna'r cwbl. Yn gyffredinol, nid oeddem yn gwneud llawer am syniadau Natsïaidd. Ni chafwyd fawr o sôn am ***wrth-Semitiaeth*** *gan ein hathrawon, heblaw am draethawd Richard Wagner, 'Iddewon mewn Cerddoriaeth'. Fodd bynnag, fe wnaethom ni lawer o addysg gorfforol a choginio.*

TASGAU

3 Pa mor ddefnyddiol yw Ffynhonnell D i hanesydd sy'n astudio poblogrwydd Mudiad Ieuenctid Hitler? (Am arweiniad ar sut i ateb y math hwn o gwestiwn, edrychwch ar dudalennau 155–56.)

4 A yw Ffynonellau A–DD (tudalennau 153–54) yn awgrymu bod polisïau Natsïaidd yn boblogaidd ymysg yr ifanc? I ateb y cwestiwn hwn gwnewch gopi o'r tabl canlynol a'i gwblhau. Mae un enghraifft yn barod ar eich cyfer. Rhowch esboniad cryno am bob penderfyniad.

Poblogaidd	Amhoblogaidd	Ddim yn gwybod
		Ffynhonnell CH oherwydd er ei bod yn dangos gorymdaith, nid yw'r merched yn edrych yn frwdfrydig.

Yn awr, ysgrifennwch dri pharagraff.

- Y paragraff cyntaf yn egluro'r ffynonellau sy'n cytuno eu bod yn boblogaidd.
- Yr ail baragraff yn egluro'r ffynonellau sy'n anghytuno.
- Y trydydd paragraff yn egluro'r ffynonellau sy'n cytuno ac anghytuno.

Arweiniad ar arholiadau

Mae'r adran hon yn rhoi arweiniad ar sut i ateb cwestiwn 1 (ch) yn Unedau 1 a 2. Mae'n gwestiwn sy'n dadansoddi a gwerthuso pa mor ddefnyddiol yw'r ffynhonnell. Mae'n werth 6 marc.

Cwestiwn 1(ch) – dadansoddi a gwerthuso pa mor ddefnyddiol yw'r ffynhonnell

Pa mor ddefnyddiol yw Ffynhonnell A i hanesydd sy'n astudio'r rhesymau dros y gostyngiad mewn diweithdra yn yr Almaen ar ôl 1933? Eglurwch eich ateb drwy ddefnyddio'r ffynhonnell a'ch gwybodaeth eich hun. (6 marc)

Rhoddir enghreifftiau o ymatebion ar dudalen 156.

Ffynhonnell A Norman Thomas, newyddiadurwr Americanaidd a fu'n byw yn yr Almaen hyd at 1936. Roedd yn arbenigwr ar faterion Almaenig. Ysgrifennodd yr erthygl mewn cylchgrawn Americanaidd, *Foreign Affairs*, yn 1936

O dan y Natsïaid mae llawer o 'ddiweithdra cudd' wedi bod. Mae llawer o Iddewon yn ddi-waith ac mae'r nifer yn cynyddu, ond nid yw'r rhain yn cael eu cyfrif yn ddi-waith. Rheswm arall dros y 'diweithdra cudd' yw diswyddo menywod a dynion di-briod dan 25 oed. Nid yw'r rhain wedi'u cynnwys ymysg y di-waith yn yr ystadegau swyddogol.

Cyngor ar sut i ateb

Bydd y cwestiwn hwn yn gofyn am waith dadansoddi a gwerthuso ffynhonnell wreiddiol neu eilaidd.

- Yn eich ateb bydd angen i chi werthuso defnyddioldeb y ffynhonnell hon o ran ei **chynnwys**, ei **tharddiad** a'i **phwrpas**.

Cynnwys	**Tarddiad**	**Pwrpas**
Beth y mae'r ffynhonnell yn ei ddweud?	Pwy ddywedodd hynny? Pryd y dywedwyd hynny?	Pam y dywedwyd hynny? Wrth bwy a pham y dywedwyd hynny? A yw'n dangos tuedd?

- Dylech geisio ysgrifennu dwy neu dair brawddeg am gynnwys y ffynhonnell, gan roi'r wybodaeth yn eich geiriau eich hun ac ychwanegu gwybodaeth berthnasol eich hun.
- Yna, dylech roi sylwadau ar awdur y ffynhonnell, gan nodi pryd yr ysgrifennwyd y ffynhonnell ac o dan ba amgylchiadau.
- Dylech ystyried pam yr ysgrifennwyd y ffynhonnell ac a yw hyn yn golygu bod y ffynhonnell yn unochrog. Cofiwch y gall ffynhonnell sy'n dangos unochr hefyd fod yn ddefnyddiol iawn i'r hanesydd felly peidiwch â'i diystyru.
- I ennill y marciau llawn, mae'n rhaid i'ch ateb gynnwys sylwadau rhesymegol ar bob un o'r tair elfen. Os byddwch yn ysgrifennu am gynnwys y ffynhonnell yn unig, peidiwch â disgwyl ennill mwy na hanner y marciau.

Rhowch gynnig arni

Pa mor ddefnyddiol yw Ffynhonnell B i hanesydd sy'n astudio effaith polisïau Natsïaidd ar fywyd yn yr Almaen? Eglurwch eich ateb drwy ddefnyddio'r ffynhonnell a'ch gwybodaeth eich hun. (6 marc)

Ffynhonnell B Margrit Fischer, Almaenes, yn rhoi sylwadau ar ei bywyd ar ôl 1933. Cafodd ei chyfweld yn yr 1980au ar gyfer rhaglen deledu ar fywyd yn y Drydedd Reich

Gwellodd pethau ar ôl 1933. Roedd trefn ac roedd gwaith. Ni welwyd rhagor o'r rhesi afiach hynny o bobl ddi-waith. Yn sicr, roedd o leiaf 80 y cant yn byw yn gynhyrchiol ac yn gadarnhaol drwy gydol y cyfnod hwnnw. Roedden nhw'n flynyddoedd da. Cawsom flynyddoedd hyfryd.

Aralleirio'r darn. Nid oes llawer o ymgais i egluro'r wybodaeth.

Dechrau defnyddio gwybodaeth bersonol sydd yn ddigon i godi'r ateb i'r ystod lefel ganolig.

Ymateb ymgeisydd un

Mae Ffynhonnell A yn ddefnyddiol iawn i hanesydd oherwydd ei bod wedi'i hysgrifennu gan Norman Thomas, newyddiadurwr Americanaidd. Roedd yn arbenigwr ar faterion Almaenig a bu'n byw yn yr Almaen hyd at 1936 felly byddai wedi cael profiad personol o'r newidiadau a oedd wedi digwydd yn yr Almaen. Ysgrifennwyd y ffynhonnell yn 1936 ac mae'n dystiolaeth wreiddiol. Cyhoeddwyd yr erthygl mewn cylchgrawn Americanaidd a oedd yn golygu nad oedd sensoriaeth Natsïaidd yn effeithio arni. Mae hyn yn golygu ei bod yn ffynhonnell ddefnyddiol i haneswyr.

Sylwadau'r arholwr: Mae'r ymgeisydd wedi rhoi ymgais ar ddwy elfen o'r dadansoddiad – y **tarddiad** ac i raddau llai, y **pwrpas**, ond mae wedi anwybyddu unrhyw gyfeiriad at **gynnwys** y ffynhonnell yn llwyr. Mae llawer o'r ateb wedi'i aralleirio ac felly wedi'i gyfyngu i'r lefel isaf o'r cynllun marciau. Tua'r diwedd, mae'r ymgeisydd yn dechrau cyflwyno rhywfaint o'i wybodaeth ei hun ac mae'r cyfeiriad at sensoriaeth yn codi'r ateb i'r ystod lefel ganolig. Enillodd hanner y marciau, 3 allan o 6.

Ymdrin â **tharddiad** y ffynhonnell.

Datblygu **cynnwys** y ffynhonnell a darparu rhywfaint o **gyd-destun**.

Datblygu'r **tarddiad** ymhellach a rhoi peth ystyriaeth i'r **pwrpas**.

Ymateb ymgeisydd dau

Mae Ffynhonnell A yn ddefnyddiol i haneswyr oherwydd ei bod yn dystiolaeth wreiddiol sy'n rhoi gwybodaeth am y ffordd yr oedd Hitler wedi gostwng diweithdra yn yr Almaen. Newyddiadurwr cyfoes oedd wedi ysgrifennu'r erthygl, Americanwr o'r enw Norman Thomas, a oedd yn arbenigwr ar faterion Almaenig. Bu'n byw yn yr Almaen hyd at 1936 a byddai wedi ennill profiad ei hun o sut yr oedd y Natsïaid yn delio â diweithdra. Mae Thomas yn honni bod y ffigurau'n anghywir ac nad oeddent yn cynnwys grwpiau fel Iddewon, menywod a dynion ifanc di-briod a oedd wedi'u tynnu allan o'r gweithle i ddarparu swyddi ar gyfer dynion di-waith yr Almaen. Nid oedd Hitler nawr yn cyfrif Iddewon fel dinasyddion Almaenig felly nid oeddent yn cael eu cynnwys yn yr ystadegau. Ysgrifennodd Thomas y darn hwn yn 1936 ar ôl iddo adael yr Almaen a chyhoeddwyd yr erthygl mewn cylchgrawn Americanaidd, Foreign Affairs. Nid oedd y cylchgrawn hwn yn destun sensoriaeth ac felly gallai Thomas ddweud y gwir am yr hyn a oedd yn digwydd mewn gwirionedd, yn wahanol i ohebwyr yr Almaen a oedd yn cael eu rheoli o ran yr hyn yr oeddent yn ei ysgrifennu. Felly, roedd Thomas eisiau i'w ddarllenwyr wybod y gwir am yr hyn a oedd yn digwydd yn yr Almaen.

Sylwadau'r arholwr: Gwerthusiad trylwyr o ddefnyddioldeb y ffynhonnell hon. Mae'r ymgeisydd wedi egluro ystyr yr hyn a ddywedodd Thomas ac wedi gosod y ffynhonnell yn ei chyd-destun drwy ddefnyddio gwybodaeth gefndir i gefnogi a datblygu'r pwyntiau a wnaed yn y ffynhonnell. Gwnaeth ymdrech glir i ystyried **tarddiad** y ffynhonnell ac i awgrymu'r **pwrpas** wrth wraidd yr hyn a ysgrifennodd Thomas. Gwerthusiad gorffenedig a gyrhaeddodd y lefel uchaf gan ennill marciau llawn (6).

Pa effaith a gafodd polisi gwleidyddol y Natsïaid ar fywyd yn yr Almaen?

Ffynhonnell A Yr heddlu yn arestio **comiwnyddion** ar orchymyn Hitler, 1933

TASG

Beth y mae Ffynhonnell A yn ei ddangos i chi am y wladwriaeth heddlu? (Am arweiniad ar sut i ateb y math hwn o gwestiwn, edrychwch ar dudalen 118.)

Un elfen allweddol wrth gynnal unbennaeth Natsïaidd oedd creu awyrgylch o ofn – i ddychryn pobl rhag gwrthwynebu'r wladwriaeth Natsïaidd. Llwyddwyd i wneud hyn drwy sefydlu gwladwriaeth heddlu, gan gynnwys heddlu cudd, y **Gestapo**, yr SS, y Natsïaid yn rheoli'r llysoedd barn a sefydlu gwersylloedd crynhoi. Ar ôl i Hitler gael gwared ar ei wrthwynebwyr, roedd yn rhaid iddo greu gwladwriaeth a oedd yn credu ac yn cefnogi syniadau'r Natsïaid. Cyflawnwyd hyn drwy ddulliau medrus Goebbels o ddefnyddio propaganda, ac roedd Gweinyddiaeth Propaganda Goebbels yn rheoli pob agwedd ar y cyfryngau, y celfyddydau ac adloniant.

Mae'r bennod hon yn ateb y cwestiynau canlynol:

- Beth oedd y wladwriaeth heddlu?
- Sut yr estynnodd y Natsïaid eu rheolaeth dros lywodraeth ganolog a lleol?
- Sut y defnyddiwyd propaganda a sensoriaeth?

Arweiniad ar arholiadau

Drwy'r bennod hon byddwch yn cael cyfle i ymarfer cwestiynau arholiad o wahanol arddull a rhoddir arweiniad manwl ar sut i ateb cwestiwn 1(d) yn Unedau 1 a 2 y papur arholiad. Cwestiwn dehongli hanesyddol trwy ddadansoddi, gwerthuso a chroesgyfeirio dwy ffynhonnell yw hwn sy'n werth 8 marc.

Beth oedd y wladwriaeth heddlu?

Roedd y wladwriaeth heddlu Natsïaidd yn gweithredu trwy drais a braw. Defnyddiodd y Natsïaid eu mudiadau eu hunain i ddychryn pobl yr Almaen. Yr **SS** (*Schutzstaffel*), **SD** (*Sicherheitsdienst*, y Gwasanaeth Diogelwch) a'r Gestapo oedd y prif fudiadau, ac yn 1936 daethant i gyd o dan reolaeth Heinrich Himmler.

Bywgraffiad Heinrich Himmler 1900–45

1900 Ganed ger München
1918 Ymunodd â'r fyddin
1923 Ymunodd â'r Blaid Natsïaidd a chymerodd ran yn *Putsch* München
1929 Penodwyd yn arweinydd yr SS
1930 Etholwyd yn aelod seneddol
1934 Trefnodd Noson y Cyllyll Hirion
1936 Pennaeth pob asiantaeth heddlu yn yr Almaen
1945 Lladdodd ei hun

Ffynhonnell A Heddwas cynorthwyol (yr SA wedi'i ddrafftio i'r heddlu) yn gwarchod comiwnyddion wedi'u harestio

Rôl yr SS (*Schutzstaffel*)

Sefydlwyd yr SS yn 1925 i fod yn uned i warchod Hitler. Heinrich Himmler oedd yn arwain yr SS ar ôl 1929. Aeth Himmler ati i ddatblygu'r SS gan sefydlu hunaniaeth weledol glir ar ei gyfer – roedd yr aelodau i gyd yn gwisgo du, ac yn ufuddhau'n llwyr i'r *Führer*. Erbyn 1934 roedd gan yr SS fwy na 50,000 o aelodau a fyddai'n enghreifftiau gwych o'r hil Ariaidd ac roedd disgwyl iddynt briodi gwragedd pur o ran hil.

Ar ôl Noson y Cyllyll Hirion, daeth yr SS yn gyfrifol am gael gwared ar holl wrthwynebwyr y Natsïaid o fewn yr Almaen. Roedd gan yr SS Wasanaeth Diogelwch (SD), a'u tasg oedd cynnal diogelwch o fewn y blaid a'r wlad.

Y Gestapo

Sefydlwyd y Gestapo (***Ge****heime* ***Sta****ats* ***Po****lizei* – heddlu gwladwriaeth cudd) yn 1933 gan Goering. Yn 1936 daeth dan reolaeth yr SS, gyda dirprwy Himmler, Richard Heydrich yn ei goruchwylio. Erbyn 1939, y Gestapo oedd adran heddlu bwysicaf y wladwriaeth Natsïaidd. Gallai arestio a charcharu pobl oedd yn cael eu hamau o wrthwynebu'r wladwriaeth. Byddai'r rhan fwyaf ohonynt yn cael eu hanfon i wersyll crynhoi a oedd yn cael ei redeg gan yr SS. Erbyn 1939, amcangyfrifwyd bod tua 160,000 wedi'u harestio am droseddau gwleidyddol.

Ffynhonnell B Digwyddiad a gofnodwyd yn y Rheindir, Gorffennaf 1938

Mewn caffi, dywedodd menyw 64 oed wrth ei chyfaill wrth y bwrdd: 'Mae gan Mussolini [arweinydd yr Eidal] fwy o synnwyr gwleidyddol yn un o'i esgidiau na sydd gan Hitler yn ei ymennydd.' Clywodd rhywun y sylw ac o fewn pum munud roedd y fenyw wedi'i harestio gan y Gestapo ar ôl cael galwad ffôn.

Y system gyfreithiol

Er bod y Natsïaid yn rheoli'r *Reichstag* ac yn gallu pasio deddfau, roedd Hitler eisiau gwneud yn siŵr bod pob deddf yn cael ei dehongli mewn ffordd Natsïaidd. Felly, bu'n rhaid i'r llysoedd barn fynd drwy'r broses ***Gleichschaltung***, yr un fath â phob rhan arall o gymdeithas. Cafwyd gwared ar rai barnwyr ac roedd yn rhaid iddynt i gyd ymaelodi â'r Gynghrair Sosialwyr Cenedlaethol ar gyfer Cynnal y Gyfraith. Golygai hyn fod syniadau'r Natsïaid yn cael eu gweithredu yn y llysoedd. Yn Hydref 1933, sefydlwyd Ffrynt Cyfreithwyr yr Almaen ac roedd mwy na 10,000 o aelodau erbyn diwedd y flwyddyn.

Yn 1934 sefydlwyd Llys y Bobl i wrando ar achosion o frad. Roedd y barnwyr yn Natsïaid teyrngar, ac yn gwybod y byddai'r Gweinidog Cyfiawnder yn cadw golwg ar eu penderfyniadau. Byddai Hitler weithiau'n newid dedfryd os credai ei bod yn rhy ysgafn.

Erbyn diwedd 1934 roedd Hitler yn rheoli'r *Reichstag*, y fyddin a'r system gyfreithiol. Roedd heddlu a sefydliadau diogelwch y Natsïaid wedi treiddio i galon y gymdeithas ac yr oedd bron yn amhosibl i neb ddianc rhag grym a gafael y Natsïaid yn awr.

Ffynhonnell C Y Barnwr Roland Freisler, Ysgrifennydd Gwladol Gweinyddiaeth Gyfiawnder y Reich. Yma, mae'n llywyddu mewn Llys y Bobl

Ffynhonnell CH Eglurhad o rôl y barnwr, gan arbenigwr cyfreithiol y Natsïaid, yr Athro Karl Eckhardt yn 1936

Bydd y barnwr yn diogelu trefn y gymuned hiliol, yn erlyn pob gweithred sy'n niweidiol i'r gymuned a chyfaddawdu mewn anghytundebau. Ideoleg y Sosialwyr Cenedlaethol, fel ag y maent yn cael eu mynegi'n benodol yn rhaglen y blaid ac yn areithiau ein Führer, yw'r sail ar gyfer dehongli ffynonellau cyfreithiol.

Gwersylloedd crynhoi

Roedd gan yr SA a'r SS nifer o garchardai newydd o'r enw gwersylloedd crynhoi. Agorwyd y cyntaf o'r rhain yn Ebrill 1933 yn Dachau, ger München. Agorwyd mwy ar ôl hynny, gan gynnwys rhai yn Buchenwald, Mauthausen a Sachsenhausen. Roedd gwahanol gategorïau ar gyfer y carcharorion, a thriongl o wahanol liwiau i'w gwisgo er mwyn dynodi categori'r carcharor.

Byddai gwrthwynebwyr i'r gyfundrefn yn cael eu eu hanfon i wersylloedd crynhoi i gael eu cwestiynu, eu harteithio a chyflawni llafur caled. Cafodd y carcharorion eu trin yn greulon iawn. Pe bai rhywun yn cael eu lladd mewn gwersyll crynhoi, byddai eu teuluoedd yn derbyn nodyn yn dweud bod y carcharor wedi marw o glefyd neu wedi'i saethu wrth geisio dianc. Nid oedd llawer yn goroesi'r profiad. Ar ben hynny, defnyddiwyd y carcharorion fel caethweision, i echdynnu nwyddau crai a chynhyrchu arfau yn bennaf.

TASGAU

1. Beth y mae Ffynhonnell A yn ei ddangos i chi am ddulliau heddlu'r Natsïaid? (Am arweiniad ar sut i ateb y math hwn o gwestiwn, edrychwch ar dudalen 118.)
2. Defnyddiwch y wybodaeth yn Ffynhonnell B a'ch gwybodaeth eich hun i egluro pam yr oedd y Gestapo mor effeithiol yn yr Almaen o dan y Natsïaid. (Am arweiniad ar ateb y math hwn o gwestiwn, ewch i dudalen 132.)
3. Eglurwch pam yr oedd gan yr SS a'r Gestapo rôl bwysig yn y wladwriaeth heddlu Natsïaidd. (Am arweiniad ar sut i ateb y math hwn o gwestiwn, edrychwch ar dudalen 188.)
4. Beth y mae Ffynhonnell C yn ei ddangos i chi am lysoedd y Natsïaid? (Am arweiniad ar sut i ateb y math hwn o gwestiwn, edrychwch ar dudalen 118.)
5. Defnyddiwch Ffynhonnell CH a'ch gwybodaeth eich hun i egluro pam yr oedd y Natsïaid eisiau rheoli'r system gyfreithiol. (Am arweiniad ar sut i ateb y math hwn o gwestiwn, edrychwch ar dudalen 132.)
6. Disgrifiwch waith y gwersylloedd crynhoi. (Am arweiniad ar sut i ateb y math hwn o gwestiwn, edrychwch ar dudalen 175.)

Sut yr estynnodd y Natsïaid eu rheolaeth dros lywodraeth ganolog a lleol?

Ar ôl pasio'r Mesur Galluogi ym Mawrth 1933 (gweler tudalen 136), ad-drefnodd Hitler system wleidyddol yr Almaen er mwyn sicrhau bod pob rhan ohoni, ar lefel ganolog a rhanbarthol, o dan reolaeth y Natsïaid.

Y *Reichstag*

O ganlyniad i'r Mesur Galluogi trosglwyddwyd y grym ar gyfer pasio deddfau o'r *Reichstag* i'r Canghellor. Cafodd ei adnewyddu bob pedair blynedd. Dim ond saith deddf arall a basiwyd gan y *Reichstag*. Anaml iawn y byddai'n cyfarfod ac roedd yn cael ei ddefnyddio fel peiriant cymeradwyo ar gyfer areithiau arweinwyr y Natsïaid.

Y Cabinet

Cadwodd Hitler y Cabinet ond, fel y *Reichstag*, collodd ei holl ddylanwad yn raddol. Yn 1933, gwnaeth y Cabinet gyfarfod 72 gwaith ac roedd yn cynnwys nifer o bobl nad oeddent yn Natsïaid. Erbyn 1938, roedd yr holl aelodau nad oeddent yn Natsïaid wedi gorfod gadael a dim ond unwaith y cynhaliwyd cyfarfod wedi hynny, yn Chwefror y flwyddyn honno.

Y *Führer*

Yn y wladwriaeth Natsïaidd roedd y grym i gyd yn dod oddi wrth Hitler. Ef oedd yr awdurdod pennaf ac wrth i'r wladwriaeth ddatblygu, y *Führer* oedd yn gwneud mwy a mwy o'r deddfau. Hitler oedd â'r gair olaf ym mhob anghydfod ac ef oedd yn gwneud yr holl benderfyniadau allweddol. 'Ewyllys y *Führer*' oedd yn rheoli'r Almaen.

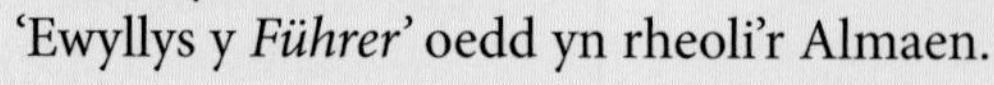

Llys Canghellor y Reich

Ysgwyddodd y llys hwn lawer o waith y Cabinet. Arweinydd y llys oedd Hans-Heinrich Lammers, a ddylanwadodd yn fawr ar Hitler yn y blynyddoedd cyn yr Ail Ryfel Byd. Lluniodd lawer o'r deddfau newydd.

Y Gwasanaeth Sifil

Nid oedd llawer o'r gweision sifil yn awyddus i gefnogi democratiaeth a Gweriniaeth Weimar, felly roeddent yn eithaf bodlon trosglwyddo i'r Drydedd Reich. Fodd bynnag, trodd y Gwasanaeth Sifil yn fwy Natsïaidd, yn rhannol oherwydd bod Natsïaid wedi'u penodi. Yn 1939 daeth yn orfodol i bob gwas sifil fod yn aelod o'r Blaid Natsïaidd.

Llywodraethau'r taleithiau

Ar 31 Mawrth 1933, cafodd pob un o seneddau'r taleithiau eu cau gan y Natsïaid. Ar ôl eu had-drefnu, sicrhawyd bod gan y Natsïaid fwyafrif ym mhob senedd. Rhannwyd y wlad yn rhanbarthau (*Gau*), gyda phob un yn cael eu harwain gan Lywodraethwr y Reich (*Gauleiter*). Roedd gan y dynion hyn y grym i benodi a diswyddo swyddogion y taleithiau a gwneud cyfreithiau ar gyfer y taleithiau.

Ffynhonnell A Ysgrifennwyd gan aelod blaenllaw o'r Blaid Natsïaidd yn 1935

Y Führer sy'n cynnal ewyllys y bobl. Mae'n annibynnol ar bob grŵp, cymdeithas a budd ond mae wedi'i rwymo gan ddeddfau sy'n reddfol yn natur ei bobl. Trwy ei ewyllys ef, mae ewyllys y bobl yn cael ei gwireddu. Mae'n llunio ewyllys unedig y bobl oddi mewn iddo'i hun.

TASGAU

1. Pa mor ddefnyddiol yw Ffynhonnell A i hanesydd sy'n astudio rôl y *Führer* yn yr Almaen o dan y Natsïaid? ? (Am arweiniad ar sut i ateb y math hwn o gwestiwn, edrychwch ar dudalennau 155–56.)
2. Disgrifiwch sut yr aeth y Natsïaid ati i reoli'r llywodraeth ganolog a rhanbarthol. (Am arweiniad ar sut i ateb y cwestiwn hwn, edrychwch ar dudalen 175.)

Sut y defnyddiwyd propaganda a sensoriaeth?

Ym Mawrth 1934, sefydlodd Josef Goebbels y Weinyddiaeth Oleuo a Phropaganda i reoli meddyliau, credoau a safbwyntiau pobl yr Almaen. Er lles dyfodol y Drydedd Reich yn y tymor hir roedd hi'n bwysig bod y mwyafrif o'r boblogaeth yn credu yn syniadau'r Blaid Natsïaidd. Roedd y cyfryngau yn cael eu sensro a'u rheoli'n fedrus gan Goebbels. Defnyddiodd ddulliau amrywiol.

Ffynhonnell A Goebbels yn egluro'r defnydd o bropaganda, mewn cylchgrawn Natsïaidd

Nid yw'r math gorau o bropaganda yn amlwg o gwbl. Y propaganda gorau yw'r un sy'n gweithio'n anweledig, gan dreiddio i bob cell o fywyd heb i'r cyhoedd gael unrhyw syniad o fwriadau'r propagandydd.

TASG

1 Pa mor ddefnyddiol yw Ffynhonnell A i hanesydd sy'n astudio'r defnydd o bropaganda yn yr Almaen o dan y Natsïaid? (Am arweiniad ar sut i ateb y math hwn o gwestiwn, edrychwch ar dudalennau 155–56.)

PAPURAU NEWYDD

Cafodd papurau newydd a chylchgronau nad oedd yn rhai Natsïaidd eu cau. Dywedwyd wrth olygyddion pa ddeunydd i'w argraffu, ac felly, dim ond gwybodaeth roedd y Natsïaid yn caniatáu iddynt ei ddarllen oedd ar gael i'r Almaenwyr. Pe bai golygyddion yn gwrthod cydymffurfio, byddent yn cael eu harestio a'u hanfon i wersyll crynhoi.

Ffynhonnell B Gorchmynion swyddogol o'r Weinyddiaeth Bropaganda, 1935

Yn y dyfodol, ni ddylid argraffu ffotograffau yn dangos aelodau llywodraeth y Reich yn eistedd wrth fyrddau bwyta o flaen rhesi o boteli. Mae hyn wedi rhoi'r argraff gwbl wirion fod aelodau'r llywodraeth yn byw bywyd moethus.

RADIO

Roedd pob gorsaf radio yn cael ei rheoli gan y Natsïaid. Masgynhyrchwyd setiau radio rhad a'u gwerthu. Byddai radio ym mhob caffi a ffatri ac uchelseinyddion ar y strydoedd. Roedd yn bwysig bod pawb yn clywed neges y Natsïaid. Roedd Hitler a Goebbels yn darlledu'n rheolaidd.

Ffynhonnell C Gweithwyr yn gwrando ar ddarllediad gan Hitler

SINEMA

Sylweddolodd Goebbels pa mor boblogaidd oedd y sinema. Roedd mwy na 100 o ffilmiau'n cael eu gwneud bob blwyddyn ac roedd cyfanswm y cynulleidfaoedd yn fwy na 250 miliwn yn 1933. Goebbels oedd un o'r bobl gyntaf i sylweddoli potensial y sinema ar gyfer propaganda. Dangoswyd pob plot ffilm iddo cyn iddynt gael eu cynhyrchu. Sylweddolodd fod llawer o Almaenwyr wedi diflasu gyda ffilmiau rhy wleidyddol. Yn lle hynny, rhoddwyd negeseuon o blaid y Natsïaid mewn ffilmiau rhamantus a chyffrous. Un o'r rhai mwyaf enwog oedd *Hitlerjunge Quex* (1933) sy'n adrodd hanes bachgen a dorrodd i ffwrdd oddi wrth deulu comiwnyddol i ymuno â Mudiad Ieuenctid Hitler, cyn cael ei lofruddio gan gomiwnyddion. Bob tro y dangoswyd ffilm, darlledwyd ffilm newyddion swyddogol 45 munud a oedd yn clodfori Hitler a'r Almaen ac yn rhoi cyhoeddusrwydd i lwyddiannau'r Natsïaid.

RALÏAU

Cynhaliwyd rali anferth bob blwyddyn yn Nürnberg i hysbysebu grym y wladwriaeth Natsïaidd. Ar achlysuron arbennig eraill trefnwyd gorymdeithiau mawreddog. Arweiniwyd ralïau a gorymdeithiau lleol gan yr SA a **Mudiad Ieuenctid Hitler**.

POSTERI

Defnyddiwyd posteri yn glyfar iawn i gyfleu neges y Natsïaid, gan dargedu pobl ifanc yn benodol.

Ffynhonnell D Poster propaganda o 1934 sy'n dweud 'Teyrngarwch, Anrhydedd a Threfn'

LLYFRAU

Roedd pob llyfr yn cael ei sensro'n ofalus a'i reoli er mwyn cyfleu neges y Natsïaid. Ar ôl cael eu hannog gan Goebbels, llosgodd myfyrwyr yn Berlin 20,000 o lyfrau a oedd wedi'u hysgrifennu gan Iddewon, comiwnyddion, ac athrawon prifysgol gwrth-Natsïaidd mewn coelcerth enfawr ym Mai 1933. Cafodd llawer o awduron eu perswadio neu eu gorfodi i ysgrifennu llyfrau a oedd yn canmol llwyddiannau Hitler.

Ffynhonnell CH Myfyrwyr a stormfilwyr yn llosgi llyfrau yn Berlin ym Mai 1933

TASGAU

2 Beth y mae Ffynhonnell CH yn ei ddangos am sensoriaeth yn yr Almaen o dan y Natsïaid? (Am arweiniad ar sut i ateb y math hwn o gwestiwn, edrychwch ar dudalen 118.)

3 a) Pa mor effeithiol fyddai pob dull o bropaganda neu sensoriaeth (ar dudalennau 161–63) wedi bod yn eich barn chi? Gwnewch gopi o'r tabl canlynol a rhowch eich barn ar bob dull, gydag eglurhad cryno. Mae un enghraifft wedi'i gwneud i chi.

	Effeithiol iawn	Effeithiol	Eithaf effeithiol	Aneffeithiol
Radio	*Ar gael yn y rhan fwyaf o gartrefi.*			
Papurau newydd				
Sinema				
Posteri				
Llyfrau				
Ralïau				
Jôcs				

b) Pa un fyddai wedi cael yr effaith fwyaf yn eich barn chi? Pam?

JÔCS!

Yn 1934, pasiwyd 'Deddf yn Erbyn Clebran Maleisus' yn gwahardd adrodd jôcs a straeon gwrth-Natsïaidd. Y gosb am gael eich dal oedd dirwy neu garchar.

Ffynhonnell DD O adroddiad ar farn gyhoeddus yn yr Almaen, a ysgrifennwyd yn 1936

Nid yw rhan fawr o'r boblogaeth yn darllen papurau newydd mwyach. Yn syml, nid oes gan y boblogaeth ddiddordeb yn y papurau newydd. Mae'r Natsïaid yn ceisio troi pawb yn Sosialwyr Cenedlaethol ymroddedig. Ni fyddant byth yn llwyddo i wneud hynny. Mae pobl yn dueddol o droi eu cefnau ar bropaganda Natsïaidd. Ni ellir dweud bod brwdfrydedd poblogaidd dros Natsïaeth.

Ffynhonnell E Hitler ac Ernst Röhm, 1933

Ffynhonnell F Hitler gyda phlant

TASGAU

4 Disgrifiwch y dulliau a ddefnyddiwyd gan y Natsïaid i reoli'r cyfryngau yn 1933–39. (Am arweiniad ar sut i ateb y cwestiwn hwn, edrychwch ar dudalen 175.)

5 Pam y mae gan Ffynonellau C a DD wahanol safbwyntiau ar effeithiolrwydd propaganda Natsïaidd? Yn eich ateb dylech gyfeirio at gynnwys y ffynonellau a'r awduron. (Am arweiniad ar sut i ateb y math hwn o gwestiwn, edrychwch ar dudalennau 165–66.)

6 Rydych yn gweithio i'r Weinyddiaeth Bropaganda yn 1938. Rydych wedi cael dewis o ffotograffau/lluniau (Ffynonellau C, CH, E ac F) i'w defnyddio fel propaganda. Gwnewch gopi o'r tabl canlynol.

Ffynhonnell	Ie	Na	Pennawd

Yn eich tabl:

- Nodwch pa rai rydych wedi'u dewis, gydag esboniad cryno.
- Ysgrifennwch bennawd propaganda cryno ar gyfer pob un.
- Eglurwch yn gryno y ffotograffau/lluniau rydych wedi'u gwrthod.

7 Mae'r erthygl papur newydd ganlynol wedi'i rhoi i chi ar gyfer ei sensro.

Ddoe, gan edrych yn flinedig y tu ôl i'w sbectol, bu ein Führer yn cyfarfod ag aelodau o Fudiad Ieuenctid Hitler. Fodd bynnag, dim ond criw bach a ddaeth i'w weld ac nid oedd gan ein harweinydd amser i siarad â mwy nag un neu ddau. Yn ddiweddarach mynychodd barti i ddathlu pen-blwydd ei benodi'n Ganghellor. Yfwyd llawer o win.

a) Beth fyddwch chi'n ei ddileu neu'n ei newid?

b) Ail-ysgrifennwch yr erthygl ar gyfer ei chyhoeddi.

Natsïaid yn rheoli'r celfyddydau

Defnyddiodd y Natsïaid y celfyddydau a chwaraeon hefyd ar gyfer propaganda. Sefydlodd Goebbels Siambr Diwylliant y Reich. Roedd yn rhaid i gerddorion, awduron ac actorion fod yn aelodau o'r Siambr. Gwaharddwyd unrhyw un y tybiwyd eu bod yn anaddas. Gadawodd lawer yr Almaen fel protest yn erbyn yr amodau hyn.

Cerddoriaeth

Roedd Hitler yn casáu cerddoriaeth fodern. Ystyriwyd jazz, a oedd yn gerddoriaeth 'ddu', yn israddol o ran hil a chafodd ei wahardd. Yn lle hynny, roedd y Natsïaid yn cymeradwyo cerddoriaeth werin Almaenig draddodiadol ynghyd â cherddoriaeth glasurol Bach a Beethoven.

Theatr

Roedd yn rhaid i'r theatr ganolbwyntio ar ddramâu gwleidyddol a hanes yr Almaen. Roedd tocynnau theatr rhad ar gael er mwyn annog pobl i weld y dramâu hyn, a oedd yn aml yn cynnwys thema hiliol neu wleidyddol Natsïaidd.

Pensaernïaeth

Roedd gan Hitler ddiddordeb arbennig mewn pensaernïaeth. Roedd yn annog yr 'arddull anferthol' ar gyfer adeiladau cyhoeddus. Roedd yr adeiladau hyn wedi'u gwneud o garreg ac roeddent yn aml yn efelychu arddull Groegaidd neu Rufeinig hynafol er mwyn dangos grym y Drydedd Reich. Hefyd, defnyddiwyd yr 'arddull gwledig' – adeiladau traddodiadol gyda chaead ar ffenestri ar gyfer cartrefi teuluol a hostelau er mwyn annog pobl i ymfalchïo yng ngorffennol yr Almaen.

Celf

Roedd Hitler wedi ennill bywoliaeth fel artist a chredai ei fod yn arbenigwr yn y maes. Roedd yn casáu celf fodern (unrhyw gelf a oedd wedi'i ddatblygu o dan Weriniaeth Weimar), a oedd yn gyntefig, anwlatgar ac Iddewig yn ei farn ef. Gwaharddwyd hyn. Yn ei le, bu'n annog celf a oedd yn dathlu mawredd a chryfder yr Almaen yn y gorffennol a grym y Drydedd Reich. Roedd eisiau i gelf ymwrthod â'r gwan a'r hyll, a chlodfori arwyr iach, cryf.

Roedd paentiadau'n dangos:

- syniad y Natsïaid o fywyd gwerinol syml
- bod gwaith caled yn arwrol
- yr Ariad perffaith – dynion a menywod ifanc Almaenig gyda chyrff perffaith
- menywod yn eu hoff waith fel gwragedd tŷ a mamau.

Ffynhonnell FF *Y Teulu*. Paentiwyd hwn yn 1938 gan artist Natsïaidd, Walter Willrich

TASGAU

8 I ba raddau y mae Ffynhonnell FF yn darlunio'r ddelwedd ar gyfer y teulu Almaenig traddodiadol yn ystod cyfnod y Natsïaid? (Am arweiniad ar sut i ateb y math hwn o gwestiwn, edrychwch ar dudalen 141.)

9 Eglurwch pam yr oedd yn bwysig i'r Natsïaid reoli'r celfyddydau. (Am arweiniad ar sut i ateb y math hwn o gwestiwn, edrychwch ar dudalen 188.)

10 Ai sensoriaeth a phropaganda oedd y prif ddulliau a ddefnyddiwyd gan y Natsïaid i reoli pobl yr Almaen? Eglurwch eich ateb yn llawn.

Dylech roi safbwyntiau'r ddwy ochr i'r cwestiwn hwn:

- trafodwch rôl sensoriaeth a phropaganda wrth reoli pobl yr Almaen
- trafodwch ddulliau eraill a ddefnyddiwyd gan y Natsïaid i gadw rheolaeth

a dod i benderfyniad.

(Am arweiniad ar sut i ateb y math hwn o gwestiwn, edrychwch ar dudalennau 195–96.)

Arweiniad ar arholiadau

Mae'r adran hon yn rhoi arweiniad ar sut i ateb cwestiwn 1(d) yn Unedau 1 a 2. Mae'r cwestiwn yn ymwneud â dehongli hanesyddol drwy ddadansoddi, gwerthuso a chroesgyfeirio dwy ffynhonnell.

Cwestiwn 1(d) – gwahanol safbwyntiau

Pam y mae Ffynonellau A a B yn mynegi safbwyntiau gwahanol am sut yr effeithiodd propaganda ar bobl yr Almaen? Dylech gyfeirio at gynnwys y ffynonellau a'r awduron yn eich ateb.

(8 marc)

Mae Ffynonellau A a B yn dweud pethau gwahanol am rôl ac effaith propaganda. Mae'r ymgeisydd wedi tanlinellu'r pwyntiau pwysicaf. Mae ymateb yr ymgeisydd ar dudalen 166.

Ffynhonnell A Greta, menyw o'r Almaen, yn cofio sut y cafodd ei mam ei hymdrwytho gan y Natsïaid. Gwnaeth y sylwadau hyn yn ystod cyfweliad â'r BBC yn 1980

Roedd fy mam yn credu yn y Führer fel achubwr a chafodd ei hudo'n llwyr ganddo. Ar un achlysur rhoddodd dusw o flodau i Hitler a dyna oedd uchafbwynt ei bywyd. Roedd wedi'i hargyhoeddi bod popeth yr oedd y Natsïaid yn ei wneud yn iawn ac yn hanfodol. Ni fyddai unrhyw beth yn torri ei ffydd yn Hitler, roedd wedi'i hymdrwytho. Derbyniodd yr eglurhad a gafodd gan y Blaid am yr angen am wersylloedd crynhoi – bod yn rhaid cael gwared ar y gwehilion oddi ar y stryd.

Ffynhonnell B Rhan o *Weimar and Nazi Germany*, gan yr hanesydd Eric Wilmot, 1997

Roedd y Natsïaid yn rheoli pobl yr Almaen drwy gyfuniad o berswâd a braw. Trwy bropaganda ac ymdrwytho gorfodwyd y bobl i gydymffurfio â syniadau'r Natsïaid, tra bod yr ofn o gael eu harestio a'u hanfon i wersylloedd crynhoi yn ddigon i wneud i'r mwyafrif o Almaenwyr gydymffurfio. Roedd llawer yn gefnogwyr anfodlon.

Cyngor ar sut i ateb

Mae angen i chi gyfeirio at gynnwys y ddwy ffynhonnell, ei gysylltu â'ch gwybodaeth eich hun am y cyfnod hwn ac ystyried priodoliad y ddwy ffynhonnell. I wneud hyn, bydd angen i chi ddadansoddi'r ddwy ffynhonnell yn drylwyr.

- Mae angen i chi ddarllen y ddwy ffynhonnell yn ofalus, a thanlinellu neu uwcholeuo'r manylion pwysicaf. Gallwch hefyd ysgrifennu nodiadau wrth ymyl y ffynhonnell am sut y mae'n cysylltu â'ch gwybodaeth am y cyfnod hwn.
  - A yw'n cadarnhau eich gwybodaeth?
  - A yw'n cyfeirio at ran o'r ateb yn unig ac a oes rhai pwyntiau pwysig ar goll?
  - A yw'n cytuno neu'n anghytuno â'r hyn sy'n cael ei ddweud yn y ffynhonnell arall?

  Bydd hyn yn eich galluogi i gymharu â chyferbynnu'r ddwy ffynhonnell o ran gwerth eu cynnwys.
- Yn awr mae'n rhaid i chi ystyried tarddiad pob ffynhonnell, gan nodi pwy yw'r awduron a phryd y gwnaed y sylwadau hyn. Er enghraifft, a ydynt yn ffynonellau gwreiddiol neu eilaidd?
- Wedyn dylech ystyried pwrpas pob ffynhonnell, gan nodi o dan ba amgylchiadau y cawsant eu hysgrifennu. Er enghraifft, ai hanesydd modern neu rywun o'r cyfnod sydd wedi ysgrifennu'r ffynhonnell? A yw'r awdur yn mynegi safbwynt unochrog ac os ydyw, pam?

I ennill y marciau llawn mae angen i chi roi ateb cytbwys sy'n cael ei gefnogi'n dda gan y ddwy ffynhonnell a'ch gwybodaeth eich hun. Mae angen ystyried priodoliadau pob ffynhonnell hefyd.

Ystyried tarddiad Ffynhonnell A ac yn archwilio'r pwrpas ac a yw'n ddibynadwy.

Ystyried tarddiad Ffynhonnell B ac yn archwilio'r pwrpas ac a yw'n ddibynadwy.

Egluro cynnwys Ffynhonnell A, gan ddyfynnu o'r ffynhonnell ac ychwanegu gwybodaeth bersonol.

Egluro cynnwys Ffynhonnell B, gan ddyfynnu o'r ffynhonnell ac ychwanegu gwybodaeth bersonol. Gorffen gyda chyfeiriad at y ddwy ffynhonnell.

Ymateb yr ymgeisydd

Mae Ffynhonnell A yn ffynhonnell wreiddiol. Mae'n rhan o gyfweliad yn 1980 gyda menyw o'r Almaen sy'n cofio sut y cafodd ei mam ei hymdrwytho gan beiriant propaganda'r Natsïaid. Cynhaliwyd y cyfweliad bron 50 mlynedd ar ôl y digwyddiad, felly mae'r fenyw sy'n cael ei chyfweld wedi cael amser i fyfyrio ar sut y cafodd ei mam ei thwyllo i feddwl bod y Natsïaid yn dda i'r Almaen. Gan fod y cyfweliad hwn wedi'i roi i'r BBC, sydd ag enw da am ohebu cytbwys, mae'n debyg bod y fenyw yn bod yn onest yn ei hatgofion.

Mae Ffynhonnell B yn ffynhonnell eilaidd ac yn ddarn o werslyfr hanes ysgol a ysgrifennwyd yn 1997. Teitl y llyfr yw 'Weimar and Nazi Germany' ac mae'n eithaf manwl gan ei fod yn ymdrin â'r Almaen yn unig. Bydd yr awdur wedi cael amser i droi at amrywiaeth o ddeunyddiau gwreiddiol ac eilaidd a bydd hyn wedi ei ganiatáu i ysgrifennu adroddiad mwy cytbwys. Mae ganddo'r fantais ei fod yn ysgrifennu ar ôl y digwyddiadau pan oedd y straeon gwir am y dulliau propaganda a ddefnyddiwyd gan y Natsïaid wedi cael eu harchwilio. Bydd amgylchiadau Ffynonellau A a B felly'n effeithio ar pam y maent yn wahanol o ran eu dehongliad.

Mae Ffynhonnell A yn disgrifio sut y cafodd menyw o'r Almaen ei hudoli'n llwyr gan y Blaid Natsïaidd. Roedd yn credu popeth yr oedd y Blaid yn ei ddweud wrthi oherwydd ei bod wedi'i hymdrwytho gan eu propaganda. Roedd yn credu bod y gwersylloedd crynhoi yn angenrheidiol er mwyn cadw'r gwehilion oddi ar y strydoedd. Nid oedd hi'n gwybod y gwir am y ffordd roeddent yn cael eu defnyddio oherwydd nad oedd neb wedi dweud hynny wrthi. Roedd y fenyw hon yn ddall i'r hyn a oedd mewn gwirionedd yn digwydd o'i chwmpas oherwydd iddi glywed dim ond y wybodaeth yr oedd y Natsïaid am iddi ei wybod.

Mae Ffynhonnell B yn cyfleu neges wahanol. Mae'n dweud bod llawer o bobl yr Almaen yn 'gefnogwyr anfodlon' o bolisïau Natsïaidd. Roeddent yn cydymffurfio oherwydd eu bod 'ofn cael eu harestio a'u hanfon i wersylloedd crynhoi'. Mae'n dweud bod y dulliau propaganda ac ymdrwytho a ddefnyddiwyd yn gwneud i bobl gydymffurfio. Roedd yr Almaen wedi'i throi yn wladwriaeth heddlu ac roedd y bobl yn cael eu rheoli. Mae hyn yn groes i'r hyn sy'n cael ei ddweud yn Ffynhonnell A, sy'n honni bod y fenyw o'r Almaen wedi cydweithredu o'i gwirfodd.

Sylwadau'r arholwr: Dyma ateb cytbwys gyda chefnogaeth dda o'r ddwy ffynhonnell. Mae cynnwys y ddwy ffynhonnell yn cael ei egluro, a'i gefnogi gan ddyfyniadau dilys, a'i wella drwy gynnwys gwybodaeth bersonol. Fodd bynnag, gellid fod wedi datblygu'r ateb ymhellach i ennill marciau llawn. Roedd ystyriaeth gytbwys o briodoliadau, gan gyfeirio at darddiad a phwrpas pob ffynhonnell. Mae'r ymgeisydd yn gorffen gyda phenderfyniad sy'n gysylltiedig â'r cwestiwn. Eto, gellid bod wedi datblygu hyn ymhellach. Fodd bynnag, roedd hwn yn ateb da sy'n haeddu 7 marc allan o 8.

Pa effaith a gafodd polisi hiliol a chrefyddol y Natsïaid ar fywyd yn yr Almaen?

Ffynhonnell A Rhan o lythyr preifat gan ffoadur Iddewig, 1933

Ar y diwrnod duaf o bob Sadwrn, roedd tryciau mawr ar batrôl ar strydoedd Berlin gyda'r Natsïaid yn gweiddi: 'I'r diawl â'r Iddewon', 'Lladdwch yr hen foch'. Un o ganeuon mwyaf poblogaidd y dihirod creulon hyn oedd: 'Os yw gwaed yr Iddew yn llifo o'r gyllell, bydd pethau'n llawer gwell'. Ysgrifennwyd geiriau'r gân hon gan fardd Natsïaidd.

Mae'r ffynhonnell hon yn darparu tystiolaeth o'r gwrth-Semitiaeth a oedd yn nodweddiadol o'r Almaen o dan y Natsïaid. Er mwyn ennill cefnogaeth yn y blynyddoedd cyn 1932, roedd Hitler wedi defnyddio Iddewon fel bwch dihangol ar gyfer llawer o broblemau'r Almaen, gan gynnwys colli'r Rhyfel Byd Cyntaf a Chytundeb Versailles. Ar ôl dod i rym, defnyddiwyd peiriant propaganda'r Natsïaid i droi mwy a mwy o Almaenwyr yn erbyn yr Iddewon a chyfiawnhau polisi o erledigaeth. Hefyd, roedd Hitler yn benderfynol o leihau dylanwad Eglwysi Pabyddol a Phrotestannaidd yr Almaen. Roedd syniadau Cristnogol yn hollol groes i rai'r Blaid Natsïaidd.

TASG

Pa mor ddefnyddiol yw Ffynhonnell A i hanesydd sy'n astudio agweddau at Iddewon yn yr Almaen o dan y Natsïaid? (Am arweiniad ar sut i ateb y math hwn o gwestiwn, edrychwch ar dudalennau 155–56.)

Mae'r bennod hon yn ateb y cwestiynau canlynol:

- Beth oedd polisi hiliol y Natsïaid?
- Pam a sut yr erlidiodd y Natsïaid yr Iddewon?
- Sut y newidiodd y Natsïaid eu cysylltiadau â'r Eglwysi Pabyddol a Phrotestannaidd?

Arweiniad ar yr arholiad

Drwy'r bennod hon byddwch yn cael cyfle i ymarfer cwestiynau arholiad o wahanol arddull a rhoddir arweiniad manwl ar sut i ateb cwestiynau 2(b) a 3(b) yn Unedau 1 a 2 y papur arholiad. Cwestiwn disgrifio yw hwn sy'n werth 5 marc.

Beth oedd polisi hiliol y Natsïaid?

Roedd creu gwladwriaeth Almaenig bur yn ganolog i bolisi'r Natsïaid. Roedd hyn yn golygu trin pob grŵp nad oeddent yn Almaenwyr, yn enwedig Iddewon, fel dinasyddion eilradd. Roedd damcaniaeth hil Hitler yn seiliedig ar y syniad o'r 'hil oruchaf' a'r 'is-ddynol'. Ceisiodd ategu'r ddamcaniaeth hon drwy ddweud bod y Beibl yn dangos mai dim ond dwy hil oedd yn bodoli – yr Iddewon a'r Ariaid – a bod gan Dduw bwrpas arbennig ar gyfer yr Ariaid.

Yr hil oruchaf

Roedd y Natsïaid yn credu bod yr Almaenwyr yn hil bur o linach Ariaidd – o'r *Herrenvolk* neu'r hil oruchaf. Mewn gwaith celf gallech eu gweld fel pobl olau, gyda llygaid glas, tal, tenau ac athletaidd – pobl oedd yn addas i fod yn feistri'r byd. Fodd bynnag, roedd yr hil hon wedi'i llygru gan yr 'is-ddynol'.

Is-ddynol

Ar y llaw arall, yr Iddewon neu'r Slafiaid oedd yr *Untermenschen* neu'r is-ddynol. Roedd propaganda Natsïaidd yn portreadu'r Iddewon fel benthycwyr arian drwg. Roedd Hitler yn ystyried yr Iddewon fel y grym drwg ac roedd yn siŵr eu bod yn cyfrannu at gynllwyn byd-eang i ddinistrio gwareiddiad.

Ffynhonnell A Poster o arddangosfa a ddefnyddiwyd gan y Natsïaid i droi pobl yn erbyn yr Iddewon, gyda'r pennawd 'Yr Iddew Tragwyddol'

Creu yr hil oruchaf

Roedd Hitler yn credu bod dyfodol yr Almaen yn dibynnu ar greu gwladwriaeth hiliol Ariaidd bur. Gellid cyflawni hyn drwy'r canlynol:

- bridio detholus
- dinistrio'r Iddewon.

Roedd bridio detholus yn golygu atal unrhyw un nad oedd yn cydymffurfio â'r hil Ariaidd rhag cael plant. Roedd yr SS yn rhan o'r ymgyrch dros fridio detholus. Roeddent yn recriwtio dynion tal o waed Ariaidd, gyda gwallt golau a llygaid glas. Roedd eu gwragedd yn gorfod bod yn fenywod o waed Ariaidd.

Ffynhonnell B Rhan o araith a roddwyd gan Hitler i gefnogwyr y Natsïaid yn 1922

Ni fydd cyfaddawd. Dim ond dau beth sy'n bosibl. Naill ai buddugoliaeth yr Hil Oruchaf Ariaidd neu ddifodiad yr Ariaid a buddugoliaeth yr Iddew.

TASGAU

1. Disgrifiwch ddamcaniaeth hiliol y Natsïaid. (Am arweiniad ar sut i ateb y cwestiwn hwn, edrychwch ar dudalen 175.)
2. Pa mor ddefnyddiol yw Ffynhonnell B i hanesydd sy'n astudio agweddau'r Natsïaid at yr Iddewon? (Am arweiniad ar sut i ateb y math hwn o gwestiwn, edrychwch ar dudalennau 155–56.)
3. I ba raddau y mae Ffynhonnell A yn cefnogi'r safbwynt bod y Blaid Natsïaidd yn casáu'r Iddewon? (Am arweiniad ar sut i ateb y math hwn o gwestiwn, edrychwch ar dudalen 141.)

Pam a sut yr erlidiodd y Natsïaid yr Iddewon?

Nid Hitler a'r Blaid Natsïaidd oedd y cyntaf i ystyried yr Iddewon fel bodau gwahanol a'u trin fel gelynion ac estroniaid. Roedd gwrth-Semitiaeth yn bodoli yn yr Oesoedd Canol.

Ffynhonnell A Rhan o *Mein Kampf* a ysgrifennwyd gan Hitler yn 1924

A oedd yna unrhyw fath o lygredd neu drosedd heb fod o leiaf un Iddew a'i fys yn y cyfan? Os ewch ati i ganfod gwraidd y drwg, fe ddowch o hyd i Iddew fel cynrhonyn mewn corff sy'n pydru, yn aml yn cael ei ddallu gan y golau.

Pam yr erlidiwyd yr Iddewon? →

Mae'r Iddewon wedi'u herlid ar hyd yr oesoedd, er enghraifft yn Lloegr yn ystod yr Oesoedd Canol. Mae hyn oherwydd yr oedd yr Iddewon yn sefyll allan fel pobl wahanol mewn rhanbarthau ar draws Ewrop. Roedd ganddynt wahanol grefydd a gwahanol arferion. Roedd rhai Cristnogion yn beio'r Iddewon am ddienyddiad Crist ac yn dadlau y dylid cosbi Iddewon am byth. Aeth rhai Iddewon yn fenthycwyr arian a dod yn gymharol gyfoethog. O ganlyniad, roedd mwy o bobl yn eu casáu a'u drwgdybio am eu bod mewn dyled iddynt neu'n genfigennus o'u llwyddiant. →

Roedd Hitler wedi treulio blynyddoedd lawer yn Wien (Vienna) lle'r oedd traddodiad hir o wrth-Semitiaeth. Bu'n byw fel cardotyn ac roedd yn casáu cyfoeth llawer o'r Iddewon yn Wien. Yn y 1920au, yr Iddewon oedd ei fwch dihangol am holl broblemau cymdeithas. Beiodd yr Iddewon am fethiant yr Almaen yn y Rhyfel Byd Cyntaf, am orchwyddiant yn 1923 a Dirwasgiad 1929. →

Roedd Hitler yn benderfynol o greu gwladwriaeth hiliol bur. Nid oedd lle ynddi i'r 100,000 o Iddewon a oedd yn byw yn yr Almaen. Roedd eisiau dileu'r Iddewon o gymdeithas yr Almaen. Serch hynny, nid oedd ganddo gynllun penodol i gyflawni hynny, a hyd at ddechrau'r Ail Ryfel Byd, yr oedd llawer o bolisïau'r Natsïaid ar gyfer yr Iddewon yn ddi-gyswllt.

TASGAU

1. Defnyddiwch Ffynhonnell A a'ch gwybodaeth eich hun i egluro pam yr oedd Hitler yn credu bod yr Iddewon yn elynion yr Almaen. (Am arweiniad ar sut i ateb y math hwn o gwestiwn, edrychwch ar dudalen 132.)
2. Beth y mae Ffynhonnell B yn ei ddangos i chi am agweddau'r Natsïaid tuag at yr Iddewon? (Am arweiniad ar sut i ateb y math hwn o gwestiwn, edrychwch ar dudalen 118.)
3. Eglurwch pam yr erlidiodd y Natsïaid yr Iddewon. (Am arweiniad ar sut i ateb y math hwn o gwestiwn, edrychwch ar dudalen 188.)

Ffynhonnell B Cartŵn Natsïaidd gyda'r teitl 'Octopws y siop adrannol Iddewig'

Gwrth-Semitiaeth mewn ysgolion

Ni ddechreuwyd erlid yr Iddewon ar unwaith. Roedd angen i Hitler sicrhau bod ganddo gefnogaeth pobl yr Almaen i'w bolisïau gwrth-Semitiaeth. Enillwyd eu cefnogaeth drwy bropaganda a thrwy ddefnyddio ysgolion. Anogwyd pobl ifanc yn arbennig i gasáu Iddewon, gyda gwersi a gwerslyfrau ysgol yn lledaenu safbwyntiau gwrth-Semitig.

Roedd gwerslyfrau ysgol a deunyddiau dysgu yn cael eu rheoli gan Weinyddiaeth Addysg y llywodraeth. Roedd y llywodraeth yn gallu rhoi deunydd gwrth-Semitig ym mhob ystafell ddosbarth. Hefyd, pasiwyd deddfau i gyfyngu ar gyfleoedd addysg i Iddewon. Yn Hydref 1936, gwaharddwyd athrawon Iddewig rhag rhoi hyfforddiant preifat i fyfyrwyr Almaenig. Yn Nhachwedd 1938, cafodd plant Iddewig eu diarddel o ysgolion yr Almaen.

Ffynhonnell C Plant Iddewig yn cael eu bychanu o flaen eu cyd-ddisgyblion. Mae'r bwrdd yn dweud 'Yr Iddewon yw'n gelynion pennaf!' a 'Gwyliwch rhag yr Iddewon!'

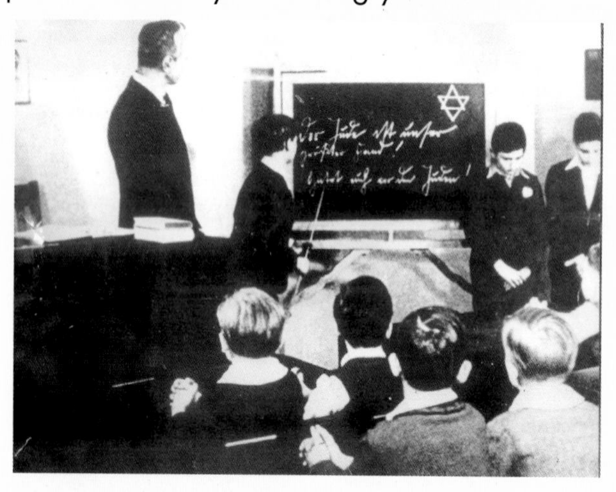

Ffynhonnell CH Rhan o hunangofiant mam o'r Almaen, a ysgrifennwyd ar ôl yr Ail Ryfel Byd

Un diwrnod daeth fy merch gartref wedi cael ei bychanu. 'Roedd pethau'n annifyr iawn heddiw'. Gofynnais 'Beth ddigwyddodd?' Roedd yr athro wedi anfon y plant Ariaidd i un ochr o'r ystafell ddosbarth, a'r plant eraill i'r ochr arall. Yna, dywedodd yr athro wrth yr Ariaid am edrych yn ofalus ar y plant eraill a dangos beth oedd nodweddion eu hil Iddewig. Roeddent yn sefyll ar wahân fel pe bai bwlch mawr rhyngddynt, plant a oedd wedi bod yn chwarae gyda'i gilydd fel ffrindiau y diwrnod cynt.

Ffynhonnell D Darn o werslyfr ysgol a ddefnyddiwyd yn yr Almaen yn y 1930au

TASGAU

4 Beth y mae Ffynhonnell C yn ei ddangos i chi am y ffordd yr oedd plant ysgol Iddewig yn cael eu trin? (Am arweiniad ar sut i ateb y math hwn o gwestiwn, edrychwch ar dudalen 118.)

5 Defnyddiwch Ffynhonnell CH a'ch gwybodaeth eich hun i egluro pam y newidiodd bywyd i blant ysgol Iddewig o dan y Natsïaid. (Am arweiniad ar sut i ateb y math hwn o gwestiwn, edrychwch ar dudalen 132.)

6 I ba raddau y mae Ffynhonnell D yn cefnogi'r safbwynt fod addysg yn annog casineb tuag at yr Iddewon? (Am arweiniad ar sut i ateb y math hwn o gwestiwn, edrychwch ar dudalen 141.)

Mesurau a gymerwyd yn erbyn yr Iddewon

1933

Ebrill — Trefnodd yr SA foicot o siopau a busnesau Iddewig. Paentiwyd 'Jude' (Iddew) ar ffenestri a cheisiwyd perswadio'r cyhoedd i beidio â mynd i mewn. Diswyddwyd miloedd o weision sifil, cyfreithwyr ac athrawon prifysgol Iddewig.

Mai — Roedd deddf newydd yn gwahardd Iddewon rhag cymryd swyddi yn y llywodraeth. Llosgwyd llyfrau Iddewig.

Medi — Gwaharddwyd Iddewon rhag etifeddu tir.

1934 — Gwaharddwyd Iddewon gan gynghorau lleol rhag mynd i fannau cyhoeddus fel parciau, meysydd chwarae a phyllau nofio.

1935

Mai — Rhoddwyd y gorau i ddrafftio Iddewon i mewn i'r fyddin.

Mehefin — Gwaharddwyd Iddewon o bob tŷ bwyta yn yr Almaen.

Medi — Roedd Deddfau Nürnberg yn gyfres o fesurau yn erbyn yr Iddewon a basiwyd ar 15 Medi. Roedd y gyfres yn cynnwys Deddf y Reich ar Ddinasyddiaeth, a oedd yn nodi mai dim ond pobl o waed Almaenig allai fod yn ddinasyddion Almaenig. Collodd Iddewon eu dinasyddiaeth, yr hawl i bleidleisio a gweithio mewn swyddi yn y llywodraeth. Roedd y Ddeddf er Amddiffyn Gwaed Almaenig ac Anrhydedd yr Almaen yn gwahardd priodas neu berthynas rywiol rhwng Iddewon ac Almaenwyr.

1936

Ebrill — Rhoddwyd gwaharddiad neu gyfyngiad ar weithgareddau proffesiynol Iddewon – roedd hyn yn cynnwys milfeddygon, deintyddion, cyfrifyddion, syrfewyr, athrawon a nyrsys.

Gorff–Awst — Tawelodd yr ymgyrch wrth-Iddewig yn fwriadol wrth i'r Almaen gynnal y gemau Olympaidd er mwyn creu argraff dda ar weddill y byd.

1937

Medi — Am y tro cyntaf mewn dwy flynedd, ymosododd Hitler yn gyhoeddus ar yr Iddewon. Meddiannwyd mwy a mwy o fusnesau Iddewig.

1938

Mawrth — Roedd yn rhaid i Iddewon gofrestru eu heiddo, er mwyn ei gwneud yn haws i'w meddiannu.

Gorff — Roedd yn rhaid i Iddewon gario cardiau adnabod. Gwaharddwyd meddygon, deintyddion a chyfreithwyr Iddewig rhag trin Ariaid.

Awst — Roedd yn rhaid i ddynion Iddewig ychwanegu'r enw 'Israel' at eu henwau, ac roedd yn rhaid i fenywod Iddewig ychwanegu'r enw 'Sarah' i'w bychanu ymhellach.

Hydref — Rhoddwyd stamp coch gyda'r llythyren 'J' (*Jude*) ar bob pasport Iddewig.

Tach — *Kristallnacht* (gweler tudalen 172). Cafodd plant Iddewig eu gwahardd o ysgolion a phrifysgolion.

TASGAU

7 Gwnewch gopi o'r tabl isod a rhowch enghreifftiau o fesurau a oedd yn dileu hawliau gwleidyddol, cymdeithasol neu economaidd yr Iddewon. Mae un enghraifft wedi'i gwneud i chi.

Gwleidyddol	Economaidd	Cymdeithasol
	Boicot ar siopau	

8 Defnyddiwch ddiagram llif i ddangos newidiadau allweddol ym mywydau Iddewon yn yr Almaen 1933–39.

9 Eglurwch pam y newidiodd safle Iddewon yn yr Almaen yn ystod y blynyddoedd 1933–38. (Am arweiniad ar sut i ateb y math hwn o gwestiwn, edrychwch ar dudalen 188.)

Kristallnacht (9 Tachwedd 1938) ac wedi hynny

Ar 8 Tachwedd 1938 cerddodd Iddew Pwylaidd ifanc, Herschel Grynszpan, i mewn i Lysgenhadaeth yr Almaen ym Mharis a saethu'r swyddog cyntaf a welodd. Roedd yn protestio yn erbyn y ffordd y cafodd ei rieni eu trin yn yr Almaen cyn eu halltudio i Wlad Pwyl.

Defnyddiodd Goebbels hyn fel cyfle i drefnu gwrthdystiadau gwrth-Iddewig, a oedd yn cynnwys ymosodiadau ar eiddo, siopau, cartrefi a synagogau Iddewig ar draws yr Almaen. Oherwydd bod cymaint o ffenestri wedi cael eu torri yn yr ymgyrch ar 9–10 Tachwedd, galwyd y noson yn *Kristallnacht*, sef 'Noson Grisial' neu 'Noson Torri'r Gwydr'. Lladdwyd tua 100 o Iddewon ac anfonwyd 20,000 i wersylloedd crynhoi.

Roedd llawer o Almaenwyr yn anghytuno'n llwyr â'r *Kristallnacht*. Nid oedd Hitler a Goebbels yn awyddus i hyn gael ei gysylltu â gwaith y Natsïaid. Dywedwyd mai gweithred wirfoddol o ddial ydoedd gan Almaenwyr.

Ffynhonnell DD Adroddiad ar *Kristallnacht* a gyhoeddwyd yn y *Daily Telegraph*, papur newydd o Brydain, ar 12 Tachwedd 1938

Cyfraith y dorf oedd yn rheoli yn Berlin drwy'r prynhawn a'r nos wrth i dorfeydd o hwliganiaid gymryd rhan mewn gweithredoedd o ddinistr. Nid wyf erioed wedi gweld ymosodiad gwrth-Iddewig mor atgas. Gwelais fenywod mewn dillad ffasiynol yn curo dwylo a sgrechian mewn gorfoledd tra bod mamau parchus yn dal eu babanod yn yr awyr er mwyn iddynt allu gweld yr 'hwyl'. Ni chafwyd unrhyw ymdrech gan yr heddlu i atal y terfysgwyr.

Aeth Hitler ati'n swyddogol i feio'r Iddewon am sbarduno'r ymosodiadau a defnyddiodd hyn fel esgus i gynyddu'r ymgyrch yn eu herbyn. Cyflwynodd y mesurau hyn:

- Yr Iddewon i gael dirwy o 1 biliwn *Reichmark* fel iawndal am y difrod a achoswyd.
- Ni chaiff Iddewon reoli na bod yn berchen ar fusnesau neu siopau na chyflogi gweithwyr.
- Ni all plant Iddewig fynychu ysgolion Ariaidd o hyn ymlaen.

Parhaodd yr erlid yn 1939.

- Yn Ionawr sefydlwyd Swyddfa Ymfudo Iddewon y Reich gyda Reinhard Heydrich yn rheolwr. Nawr, yr SS oedd yn gyfrifol am gael gwared ar Iddewon o'r Almaen drwy ymfudo gorfodol. Roeddent eisiau i wledydd eraill eu cymryd fel ffoaduriaid a chynhaliwyd trafodaethau i'w hanfon i Madagascar hyd yn oed.
- Yn y misoedd canlynol, roedd yn ofynnol i Iddewon ildio metelau a gemwaith gwerthfawr.
- Ar 30 Ebrill, cafodd Iddewon eu troi allan o'u cartrefi a'u gorfodi i fynd i lety Iddewig dynodedig neu **getos**.
- Ym mis Medi, gorfodwyd Iddewon i ildio eu setiau radio er mwyn sicrhau na allent wrando ar newyddion tramor.

Ffynhonnell E Adroddiad ar *Kristallnacht* a gyhoeddwyd yn *Der Stürmer*, papur newydd Almaenig gwrth-Semitig, ar 10 Tachwedd 1938

Mae marwolaeth aelod teyrngar o'r blaid gan y llofrudd Iddewig wedi sbarduno pobl i drefnu gwrthdystiadau gwrth-Iddewig drwy'r Reich. Chwalwyd siopau Iddewig mewn sawl lle. Rhoddwyd synagogau ar dân, fel na ellir lledaenu credoau sy'n gwrthwynebu'r wladwriaeth a'r bobl. Llongyfarchiadau i'r Almaenwyr hynny sydd wedi cymryd camau i ddial am lofruddiaeth Almaenwr diniwed.

TASGAU

10 Pam y mae safbwyntiau Ffynhonnell DD ar ddigwyddiadau'r *Kristallnacht* yn wahanol i'r rhai yn Ffynhonnell E? (Am arweiniad ar sut i ateb y math hwn o gwestiwn, edrychwch ar dudalennau 165–66.)

11 I ba raddau yr oedd y mesurau canlynol wedi bygwth sefyllfa'r Iddewon yn yr Almaen o dan y Natsïaid? Rhowch raddfa o 1–10 iddynt, gyda 10 yn ddifrifol iawn.

- Boicotio siopau Iddewig 1933
- Deddfau Nürnberg
- *Kristallnacht* 1938
- Alltudiaeth 1939

12 Ai boicotio siopau Iddewig oedd y broblem waethaf i wynebu Iddewon yn yr Almaen yn y blynyddoedd 1933–39?

Dylech roi safbwyntiau'r ddwy ochr i'r cwestiwn hwn:
- trafodwch ddifrifoldeb y boicotio fel problem a oedd yn wynebu Iddewon yn yr Almaen
- trafodwch broblemau eraill a effeithiodd ar Iddewon a oedd yn byw yn yr Almaen

a dod i benderfyniad.

(Am arweiniad ar sut i ateb y math hwn o gwestiwn, ewch i dudalennau 195–196.)

Sut y newidiodd y Natsïaid eu cysylltiadau â'r Eglwysi Pabyddol a Phrotestannaidd?

Roedd delfrydau'r Natsïaid yn groes i gredoau a gwerthoedd yr Eglwys Gatholig.

Natsïaeth	Cristnogaeth
Clodfori cryfder a thrais.	Dysgu cariad a maddeuant.
Casáu pobl wan.	Cynorthwyo pobl wan.
Credu mewn rhagoriaeth hiliol.	Parch at bawb.
Ystyried Hitler fel ffigwr tebyg i Dduw.	Credu yn Nuw.

Fodd bynnag, ni aeth Hitler ati ar unwaith i erlid Cristnogaeth neu Eglwysi'r Almaen oherwydd gwlad Gristnogol yn bennaf oedd yr Almaen. Roedd bron i ddwy ran o dair o'r boblogaeth yn Brotestaniaid, ac roedd y mwyafrif ohonynt yn byw yn y gogledd. Roedd bron i draean yn Babyddion, ac roedd y mwyafrif ohonynt yn byw yn y de. Roedd llawer yn teimlo bod Natsïaeth yn diogelu rhag anffyddiaeth gomiwnyddol ac yn cynnal gwerthoedd teuluol a moesau traddodiadol, yn groes i agweddau anfoesol cyfnod Weimar.

Cysylltiadau â'r Eglwysi Pabyddol a Phrotestannaidd

I ddechrau reodd Hitler yn cydweithredu â'r Eglwysi Pabyddol a Phrotestannaidd. Ond yn raddol gwrthwynebwyd ymdrechion i'w rheoli.

Yr Eglwys Babyddol

Yn 1933 roedd Hitler yn ystyried yr Eglwys Babyddol yn fygythiad i'w wladwriaeth Natsïaidd:

- Roedd prif deyrngarwch y Pabyddion i'r Pab, nid i Hitler. Felly, roedd eu teyrngarwch yn rhanedig.
- Roedd negeseuon ysgolion a mudiadau ieuenctid Pabyddol i bobl ifanc yn groes i negeseuon y Blaid Natsïaidd.
- Roedd y Pabyddion yn cefnogi Plaid y Canol yn gyson. Roedd Hitler yn bwriadu cael gwared ar y blaid hon.

Yn 1933, penderfynodd Hitler weithio gyda'r Eglwys Babyddol ac arwyddodd goncordat, neu gytundeb, gyda'r Pab. Cytunodd y Pab y byddai'r Eglwys Babyddol yn cadw'n glir o wleidyddiaeth pe bai Hitler yn cytuno i roi llonydd i'r Eglwys. O fewn ychydig fisoedd, roedd Hitler wedi torri'r cytundeb:

- Cafodd offeiriaid eu poeni a'u harestio. Beirniadodd llawer ohonynt y Natsïaid ac fe'u hanfonwyd i wersylloedd crynhoi.
- Ymyrrwyd ag ysgolion Pabyddol ac fe'u caewyd yn y pen draw.
- Caewyd mudiadau ieuenctid Pabyddol.
- Caewyd mynachlogydd.

Yn 1937, gwnaeth y Pab Pius XI ei ddatganiad enwog 'Gyda Phryder Mawr' lle ymosododd ar y system Natsïaidd a'r ffordd yr oeddent yn torri hawliau dynol. Yn sgil hynny, arestiwyd hyd at 400 o offeiriaid Pabyddol a'u hanfon i wersyll crynhoi Dachau.

Ffynhonnell A Rhan o adroddiadau'r heddlu yn Bafaria yn 1937 a 1938

Mae dylanwad yr Eglwys Babyddol ar y boblogaeth mor gryf fel na all yr ysbryd Natsïaidd dreiddio. Mae'r boblogaeth leol yn parhau i gael eu dylanwadu'n gryf gan yr offeiriaid. Mae'n well gan y bobl hyn gredu beth y mae'r offeiriad yn ei ddweud o'r pulpud na geiriau siaradwyr gorau'r Natsïaid.

Yr Eglwys Brotestannaidd

Roedd llawer o Brotestaniaid yn gwrthwynebu Natsïaeth. Roedd yn gwbl groes i'w credoau Cristnogol eu hunain, yn ogystal â'r Eglwys Reich newydd. Roeddent yn cael eu harwain gan y Gweinidog Martin Niemöller, comander llong danfor yn y Rhyfel Byd Cyntaf. Yn Rhagfyr 1933 aethant ati i sefydlu Cynghrair Argyfwng y Gweinidogion ar gyfer y rhai a oedd yn gwrthwynebu Hitler gan sefydlu Eglwys Gyffes eu hunain yn y flwyddyn ganlynol. Arestiwyd Niemöller yn 1937 a chafodd ei anfon i wersyll crynhoi. Gwaharddwyd yr Eglwys Gyffes.

Ffynhonnell B Rhan o werslyfr hanes ysgol am yr Almaen o dan y Natsïaid, a ysgrifennwyd yn 1997

Ni wnaeth y Natsïaid ddinistrio'r Eglwysi sefydledig yn yr Almaen. Roeddent yn ei gwneud yn anodd i Gristnogion addoli, ond arhosodd drysau'r Eglwysi ar agor a chynhaliwyd gwasanaethau. Fodd bynnag, llwyddodd ymdrechion Hitler i wanhau'r Eglwysi fel dylanwad a oedd yn ffynhonnell o wrthwynebiad i'w bolisïau.

Eglwys Genedlaethol y Reich

Roedd rhai Protestaniaid yn edmygu Hitler, sef 'Cristnogion Almaenig'. Roeddent yn gwisgo lifrai Natsïaidd ac yn defnyddio'r cyfarchiad Almaeneg '*Heil Hitler*'. '**Swastica** ar y frest a'r Groes yn y galon' oedd eu slogan.

Ffynhonnell C Gweinidog Protestannaidd yn siarad mewn eglwys 'Gristnogol Almaenig' yn 1937

Rydym i gyd yn gwybod pe bai'r Drydedd Reich yn dymchwel heddiw y byddai Comiwnyddiaeth yn dod yn ei le. Felly, mae'n rhaid i ni ddangos teyrngarwch i'r Führer sydd wedi ein hachub rhag Comiwnyddiaeth a rhoi gwell dyfodol i ni. Cefnogwch yr Eglwys 'Gristnogol Almaenig'.

Ffynhonnell CH Müller, Esgob y Reich ar ôl cysegriad yr eglwys Gustav-Adolf, Berlin, 1933

Roedd Protestaniaid yr Almaen yn perthyn i 28 o grwpiau Eglwysig. Yn 1933, o dan bwysau'r Natsïaid, cytunodd y grwpiau i uno i ffurfio Eglwys Genedlaethol y Reich. Yr arweinydd oedd Ludwig Müller a ddaeth yn Esgob y Reich, sef yr arweinydd cenedlaethol, ym mis Medi 1933. Roedd yn ymgais fwriadol i Natsïeiddio strwythur yr eglwys. Tynnwyd y Beibl, y groes a'r gwrthrychau crefyddol eraill i gyd o'r allor a rhoddwyd copi o *Mein Kampf* a chleddyf yn eu lle.

Yn 1935, sefydlwyd Gweinyddiaeth Eglwysi o dan arweiniad Hans Kerrl. Diddymwyd ysgolion eglwys a cheisiodd y Natsïaid ddylanwadu ar bobl ifanc drwy hyrwyddo Mudiad Ieuenctid Hitler yn hytrach na chlybiau ieuenctid yr Eglwys.

TASGAU

1. Yn y pen draw byddai Hitler wedi cael gwared ar yr holl Eglwysi Cristnogol gan roi Eglwys Natsïaidd yn eu lle. Pwy neu beth fyddai wedi cymryd lle'r canlynol:
   - Duw
   - y Beibl
   - y groes fel symbol
   - y disgyblion?
2. Eglurwch pam yr oedd Hitler eisiau rheoli'r Eglwys yn yr Almaen. (Am arweiniad ar sut i ateb y math hwn o gwestiwn, edrychwch ar dudalen 188.)
3. I ba raddau y mae Ffynhonnell A ar dudalen 173 yn cefnogi'r farn na lwyddodd y Natsïaid i reoli'r Eglwys yn llwyr? (Am arweiniad ar sut i ateb y math hwn o gwestiwn, edrychwch ar dudalen 141.)
4. Defnyddiwch Ffynhonnell B a'ch gwybodaeth eich hun i egluro pam nad oedd ymdrechion y Natsïaid i reoli'r Eglwysi yn llwyddiannus. (Am arweiniad ar sut i ateb y math hwn o gwestiwn, edrychwch ar dudalen 132.)
5. Pa mor ddefnyddiol yw Ffynhonnell C i hanesydd sy'n astudio syniadau Eglwys Genedlaethol y Reich? (Am arweiniad ar sut i ateb y math hwn o gwestiwn, edrychwch ar dudalennau 155–56.)
6. Astudiwch Ffynhonnell CH. Rydych yn gwrthwynebu Eglwys Brotestannaidd y Reich newydd. Meddyliwch am bennawd ar gyfer y ffotograff.

Arweiniad ar arholiadau

Mae'r adran hon yn rhoi arweiniad ar sut i ateb cwestiynau 2(b) a 3(b) yn Unedau 1 a 2. Mae'r cwestiwn yn werth 5 marc.

Cwestiynau 2(b) a 3(b) – deall nodwedd allweddol drwy ddethol gwybodaeth briodol

Disgrifiwch driniaeth Iddewon yn yr Almaen rhwng 1933 a 1939. (5 marc)

Cyngor ar sut i ateb

- Gwnewch yn siŵr eich bod yn cynnwys gwybodaeth sy'n uniongyrchol berthnasol yn unig.
- Dylech wneud rhestr o'ch syniadau cychwynnol a'r pwyntiau rydych eisiau eu cynnwys.
- Ar ôl llunio eich rhestr, dylech geisio rhoi'r pwyntiau mewn trefn gronolegol drwy eu rhifo.
- Mae'n syniad da defnyddio geiriau'r cwestiwn i ddechrau eich ateb. Er enghraifft: 'Roedd triniaeth Iddewon a oedd yn byw yn yr Almaen . . .'
- Dylech geisio cynnwys manylion ffeithiol penodol fel dyddiadau, digwyddiadau, enwau pobl allweddol. I ennill marciau uchel, mae angen cynnwys cymaint o wybodaeth ag y gallwch.
- Dylech ysgrifennu o leiaf ddau baragraff llawn.

Nodiadau bras i helpu i alw i gof a rhoi strwythur i'r ateb.

Mae llawer o ddigwyddiadau allweddol yn cael eu trafod mewn trefn gronolegol.

Amrywiaeth dda o fanylion ffeithiol penodol.

Dau baragraff o faint da gyda chysylltiadau clir â'r cwestiwn.

Ymateb yr ymgeisydd

Deddfau Nürnberg (3) | *boicot y siopau (1)*
Kristallnacht (4) | *gwahardd o swyddi penodol (2)*

Gwaethygodd y ffordd y cafodd yr Iddewon a oedd yn byw yn yr Almaen eu trin yn sylweddol rhwng 1933 a 1939. Roedd Hitler wedi dweud pethau cas am yr Iddewon yn gyson a phan ddaeth i rym yn Ionawr 1933, dechreuodd eu targedu. Yn Ebrill, aeth y Natsïaid ati i orfodi boicot ar siopau Iddewig ac yna cafodd Iddewon eu gwahardd rhag gweithio mewn proffesiynau penodol fel y gwasanaeth sifil, a gweithio fel athrawon, barnwyr a meddygon. Yn 1935, diddymodd Deddfau Nürnberg hawl Iddewon i fod yn ddinasyddion Almaenig a'u gwahardd rhag priodi Almaenwyr Ariaidd.

Erbyn canol y 1930au, roedd bywyd Iddewon yn llawer caletach a gellid eu harestio a'u carcharu neu eu hanfon i wersylloedd crynhoi heb achos llys. Digwyddodd un o'r camau gwaethaf yn eu herbyn yn Nhachwedd 1938 sef y Kristallnacht. Ar y noson honno, ymosododd dynion yr SA ar siopau a synagogau Iddewig mewn trefi ar draws yr Almaen, gan dorri ffenestri a rhoi'r adeiladau ar dân. Lladdwyd llawer o Iddewon y noson honno. Roedd y ffordd yr oeddent yn cael eu trin wedi gwaethygu'n sylweddol erbyn 1939.

Adran C
Rhyfel a'i effeithiau ar fywyd yn yr Almaen, 1939–47

Ffynhonnell A Rhan o lythyr a ysgrifennwyd yn Ionawr 1943 gan Hans Scholl, arweinydd Grŵp y Rhosyn Gwyn

Mae diwedd y rhyfel yn prysur agosáu. Heb os nac oni bai, mae Hitler yn arwain cenedl yr Almaen i ddistryw. Rhaid i'r Almaenwyr sydd eisiau osgoi cael eu labelu gan weddill y byd fel Barbariaid Natsïaidd weithredu ar unwaith. Dim ond drwy gydweithrediad eangfrydig rhwng pobl Ewrop y gellir gosod y sylfaen ar gyfer cymdeithas newydd. Rhyddid i lefaru, rhyddid i gredu, diogelwch i'r dinesydd unigol rhag grym troseddol – dyma sylfeini Ewrop newydd.

Mae'r adran hon yn edrych ar effeithiau'r rhyfel ar yr Almaen, graddfa'r gwrthwynebiad i'r Natsïaid yn ystod blynyddoedd y rhyfel a rhannu'r Almaen ar ôl ei gorchfygu.

Arweiniodd y rhyfel at newidiadau sylweddol yn yr Almaen, yn enwedig effeithiau'r bomio trwm ar fywyd pob dydd a chyflwyno'r polisi '**Rhyfel Diarbed**'. Hefyd, yn sgil y rhyfel, daeth gwrthwynebiad i Hitler a'r Natsïaid ymhlith grwpiau fel Môr-ladron Edelweiss a Grŵp y Rhosyn Gwyn ac o blith y fyddin, sef Cynllwyn Bom Mis Gorffennaf yn arbennig. Pan orchfygwyd yr Almaen, rhannwyd y wlad a Berlin hefyd. Arestiwyd arweinwyr y Natsïaid a'u rhoi ar brawf yn Nürnberg (Nuremberg).

Mae pob pennod yn egluro pwnc allweddol ac yn archwilio sawl trywydd ymholi pwysig fel yr amlinellir isod:

Pennod 16: Sut yr effeithiwyd ar fywyd yn ystod blynyddoedd y rhyfel?

- Sut yr oedd bywyd yn ystod blynyddoedd cynnar y rhyfel, 1939–41?
- Sut yr oedd bywyd yn ystod blynyddoedd olaf y rhyfel, 1942–45?
- Sut y cafodd yr Iddewon eu trin yn ystod blynyddoedd y rhyfel?

Pennod 17: Faint o wrthwynebiad oedd i'r Natsïaid yn yr Almaen yn ystod blynyddoedd y rhyfel?

- Pa wrthwynebiad fu i reolaeth y Natsïaid o fewn yr Almaen gan sifiliaid?
- Pa wrthwynebiad fu i reolaeth y Natsïaid o fewn yr Almaen gan y lluoedd arfog?

Pennod 18: Beth oedd y sefyllfa yn yr Almaen ar ôl iddi gael ei gorchfygu'n llwyr yn y rhyfel?

- Sut y cafodd yr Almaen ei gorchfygu?
- Sut y cafodd yr Almaen ei chosbi gan y Cynghreiriaid?
- Beth ddigwyddodd i'r Almaen ar ôl y rhyfel?

16 Sut yr effeithiwyd ar fywyd yn ystod blynyddoedd y rhyfel?

Ffynhonnell A Llun gan arlunydd Almaenig, 1943, yn dangos y difrod a achoswyd yn yr Almaen gan fomiau'r Cynghreiriaid

TASGAU

1. Beth y mae Ffynhonnell A yn ei ddangos i chi am effeithiau'r bomio? (Am arweiniad ar sut i ateb y math hwn o gwestiwn, edrychwch ar dudalen 118.)
2. Pa mor ddefnyddiol yw Ffynhonnell A i hanesydd sy'n astudio effeithiau'r bomio ar yr Almaen? (Am arweiniad ar sut i ateb y math hwn o gwestiwn, edrychwch ar dudalennau 155–156.)

Nid oedd gweithgareddau'r Almaen yn yr Ail Ryfel Byd wedi effeithio'n fawr ar bobl yr Almaen ar y dechrau. Fodd bynnag, newidiodd y sefyllfa yn y blynyddoedd ar ôl 1942, pan gyflwynwyd polisi economaidd o Ryfel Diarbed ac yn sgil bomio'r Cynghreiriaid a'r prinder cynyddol o ddeunyddiau, yn enwedig bwyd. Hefyd, newidiodd polisïau'r Natsïaid ar gyfer yr Iddewon. Yn hytrach na'u herlid a'u gorfodi i adael yr Almaen, cyflwynwyd yr Ateb Terfynol mewn ardaloedd o Ddwyrain Ewrop a oedd wedi'u meddiannu gan y Natsïaid.

Mae'r bennod hon yn ateb y cwestiynau canlynol:

- Sut yr oedd bywyd yn ystod blynyddoedd cynnar y rhyfel, 1939–41?
- Sut yr oedd bywyd yn ystod blynyddoedd olaf y rhyfel, 1942–45?
- Sut y cafodd yr Iddewon eu trin yn ystod blynyddoedd y rhyfel?

Arweiniad ar arholiadau

Drwy'r bennod hon byddwch yn cael cyfle i ymarfer cwestiynau arholiad o wahanol arddull a rhoddir arweiniad manwl ar sut i ateb cwestiynau 2(c) a 3(c) yn Unedau 1 a 2 y papur arholiad. Cwestiwn egluro yw hwn sy'n werth 2 × 4 marc.

Sut yr oedd bywyd yn ystod blynyddoedd cynnar y rhyfel, 1939–41?

Daeth cryn newid i fywyd pobl yr Almaen oherwydd yr Ail Ryfel Byd.

Yr effaith gychwynnol

I ddechrau ni chafodd y rhyfel lawer o effaith ar unrhyw drigolion yr Almaen. Daeth llwyddiant cyflym ar ôl y ***Blitzkrieg*** a phrin oedd yr effaith ar sifiliaid dinasoedd yr Almaen. Nid oedd prinder bwyd ac arweiniodd pob buddugoliaeth at gyflenwad newydd o nwyddau crai. Llifodd nwyddau moethus fel aur, paentiadau a hosanau sidan i mewn i'r Almaen. Oherwydd llwyddiant yr Almaen yng Ngwlad Pwyl a Gorllewin Ewrop, daeth Hitler hyd yn oed yn fwy poblogaidd.

O'r dechrau, dilynodd yr Almaen bolisi o ***autarky***, neu hunangynhaliaeth, gan reoli cyflenwadau bwyd er mwyn osgoi prinder. Dechreuwyd ar bolisi o ddogni mor gynnar ag 1939 ac un o'r canlyniadau uniongyrchol oedd bod deiet dau o bob pum Almaenwr yn fwy iach na'r hyn yr oeddent yn ei fwyta cyn y rhyfel.

Anogwyd pob rhan o'r gymuned i gymryd rhan yn ymdrech y rhyfel. Cyflawnodd aelodau **Mudiad Ieuenctid Hitler** dasgau amrywiol, gan gynnwys casglu metel, dillad a llyfrau fel rhan o'r ymgyrchoedd ailgylchu.

I osgoi'r bomio, anfonwyd plant o Berlin ym mis Medi 1940 ond dychwelodd llawer yn fuan. Dim ond ar ôl dechrau'r cyrchoedd awyr mawr gan y **Cynghreiriaid** o 1943 ymlaen y dechreuodd yr **ymgilio** mawr.

Ffynhonnell B Heinrich Hauser yn cofio bywyd yn yr Almaen yn 1940 yn ei lyfr *Hitler Versus Germany: A Survey of Present-Day Germany From the Inside* (1940)

Bob wythnos, mae grwpiau o Fudiad Ieuenctid Hitler, bechgyn un wythnos a merched yr wythnos wedyn, yn mynd o dŷ i dŷ i gasglu gwastraff o 'Focsys Arbed Nwyddau Crai', tuniau bwyd gwag, ffoil, a hen bapurau newydd. Pob un â'i ferfa/whilber, maen nhw'n gorymdeithio i'r maestrefi a'r pentrefi i chwilio drwy'r tomennydd am hen botiau, offer cegin, bwcedi rhydlyd a ffframiau gwely.

Ffynhonnell A Almaenwyr yn ymlacio mewn caffi stryd ar yr Unter den Linden yn Berlin yn 1940

Ffynhonnell C Arweinydd rhanbarth Natsïaidd, yn ysgrifennu mewn papur newydd yn 1940

Mae'r genedl yn ymddiried yn llwyr yn y Führer yn fwy nag erioed o'r blaen.

Y newid yn rôl menywod

Er bod y Natsïaid yn credu mai'r cartref oedd lle'r fenyw (gweler tudalen 147), roeddent wedi bod yn recriwtio mwy a mwy o fenywod i faes diwydiant yn y blynyddoedd ar ôl 1937. Yn 1933, roedd 4.2 miliwn o fenywod priod yn gweithio y tu allan i'r cartref. Roedd y cyfanswm wedi cyrraedd 6.2 miliwn erbyn 1939.

Fodd bynnag, roedd y Natsïaid yn anfodlon i gonsgriptio menywod ym mlynyddoedd cynnar y rhyfel. Ond newidiodd y polisi'n raddol am fod gweithwyr yn mynd yn brin. Yn wir, erbyn hydref 1944, roedd cyfanswm o 13 miliwn o ddynion wedi'u consgriptio i'r lluoedd arfog, gan adael llai o weithwyr i gynhyrchu'r arfau hollbwysig oedd eu hangen ar gyfer y rhyfel.

Erbyn Ionawr 1943, roedd yn rhaid i fenywod 17 i 45 oed gofrestru i weithio, er mai dim ond 400,000 a gafodd eu recriwtio yn y diwedd. Erbyn 1944, roedd tua 41.5 y cant o fenywod yn y gweithlu.

TASGAU

1. Beth y mae Ffynhonnell A yn ei ddangos i chi am fywyd yn yr Almaen yn ystod blynyddoedd cynnar y rhyfel? (Am arweiniad ar sut i ateb y math hwn o gwestiwn, edrychwch ar dudalen 118.)
2. Defnyddiwch Ffynhonnell B a'ch gwybodaeth eich hun i egluro pam yr oedd y Natsïaid wedi dilyn polisi o *autarky*. (Am arweiniad ar sut i ateb y math hwn o gwestiwn, edrychwch ar dudalen 132.)
3. Beth y mae Ffynhonnell CH yn ei ddangos i chi am gyfraniad menywod i ymdrech y rhyfel yn yr Almaen? (Am arweiniad ar sut i ateb y math hwn o gwestiwn, edrychwch ar dudalen 118.)
4. Eglurwch pam y newidiodd rôl menywod yn ystod yr Ail Ryfel Byd. (Am arweiniad ar sut i ateb y math hwn o gwestiwn, edrychwch ar dudalen 188.)

Ffynhonnell CH Poster Almaenig o 1943 gyda'r geiriau 'Un Frwydr, Un Ewyllys, Un Nod: Buddugoliaeth ar Unrhyw Gyfrif'. Mae'n dangos llun menyw yn gweithio

Propaganda

Llwyddodd Goebbels i ddefnyddio propaganda yn effeithiol yn ystod yr Ail Ryfel Byd er mwyn cynnal brwdfrydedd ei bobl a sicrhau cefnogaeth i ymdrech y rhyfel. Daeth hyn yn llawer pwysicach ym mlynyddoedd olaf y rhyfel. Yn ystod y gyfres o fuddugoliaethau i'r Almaenwyr yn ystod dwy flynedd gyntaf y rhyfel, roedd propaganda Natsïaidd, yn enwedig eu posteri, yn cyfleu'r neges fod yr Almaen wedi chwalu ei gelynion yn ddarnau. Honnodd Goebbels fod yr Almaen wedi rhoi 1.5 miliwn o gotiau ffwr a 67 miliwn o ddillad gwlân rhwng Rhagfyr 1941 ac Ionawr 1942 i gynorthwyo byddin yr Almaen (***Wehrmacht***) yn Rwsia.

Ffynhonnell D Poster a ryddhawyd yn ystod haf 1940. Y cyfieithiad yw: 'I'r Llwch â Holl Elynion yr Almaen Fawr'

TASGAU

5 Astudiwch Ffynonellau D a DD. Sut y mae'r neges y maen nhw'n ceisio ei chyfleu yn wahanol?

6 Pa mor ddefnyddiol yw Ffynhonnell D i hanesydd sy'n astudio propaganda Natsïaidd yn ystod yr Ail Ryfel Byd? (Am arweiniad ar sut i ateb y math hwn o gwestiwn, edrychwch ar dudalennau 155–56.)

Ar ôl Ionawr 1943, newidiodd natur propaganda'r Almaen. Roedd yr Almaen wedi colli'r frwydr yn **Stalingrad** yn yr Undeb Sofietaidd ac roedd y Cynghreiriaid yn bomio dinasoedd yr Almaen.

- Roedd posteri Almaenig yn cyhoeddi neges newydd ar ôl Stalingrad – yr Almaen o dan y Natsïaid oedd yn amddiffyn gwareiddiad hynafol Ewrop yn erbyn lluoedd barbaraidd y Dwyrain. Honnodd cyfres o bosteri fod buddugoliaeth i'r Almaen yn sicr yn y tymor hir.
- Defnyddiwyd ymgyrchoedd bomio'r Cynghreiriaid i hyrwyddo cefnogaeth i ymgyrch y rhyfel, yn enwedig y polisi o 'Ryfel Diarbed'.
- Roedd ymgyrchoedd eraill yn annog pobl i arbed tanwydd, i weithio'n galetach a hyd yn oed ceisio osgoi pydredd dannedd.

Ffynhonnell DD Poster a gyhoeddwyd yn Chwefror 1943, yn syth ar ôl colli'r frwydr yn Stalingrad. Mae'n dweud, 'Buddugoliaeth neu Anhrefn Bolsiefic'

Sut yr oedd bywyd yn ystod blynyddoedd olaf y rhyfel, 1942–45?

Rhwng 1942 a 1945, roedd effaith y rhyfel ar bobl yr Almaen yn llawer mwy.

Cyhoeddwyd y Rhyfel Diarbed mewn araith yn *Sportsplatz* Berlin gan Goebbels yn Chwefror 1943. Galwodd Goebbels am wasanaeth llafur drwy'r wlad ac am gau pob busnes nad oedd yn angenrheidiol.

Ffynhonnell A Rhan o'r araith a wnaed gan Goebbels yn y *Sportsplatz*, Chwefror 1943

Gofynnaf i chi: A ydych chi'n credu ynghyd â'r Führer a ninnau ym muddugoliaeth derfynol pobl yr Almaen? Gofynnaf i chi: A ydych chi'n gwbl benderfynol o ddilyn y Führer drwy ddŵr a thân yn y frwydr i ennill gan ysgwyddo'r beichiau personol trymaf hyd yn oed? Gofynnaf i chi: A ydych chi eisiau gweld rhyfel diarbed?

Daeth cefnogaeth i ymgyrch Goebbels i wella cynhyrchiant a chynhyrchedd drwy benodi Albert Speer yn Weinidog Arfau a Chynhyrchiant y **Reich** ym Medi 1943. Hyd nes y dechreuodd Speer yn ei swydd, nid oedd economi'r Almaen, yn wahanol i un Prydain, yn canolbwyntio'n llwyr ar gynhyrchu ar gyfer y rhyfel. Roedd bron cymaint o nwyddau traul yn dal i gael eu cynhyrchu ag yn ystod adeg heddwch. Roedd pump 'Awdurdod Goruchaf' yn rheoli'r cynhyrchu arfau. Nid oedd llawer o fenywod yn cael eu cyflogi yn y ffatrïoedd a oedd yn rhedeg dim ond un shifft.

Aeth Speer ati i ddatrys y problemau hyn yn y ffyrdd canlynol:

- Ef oedd yn rheoli economi'r rhyfel yn uniongyrchol yn awr.
- Gweithiodd pob ffatri yn annibynnol, neu, fel y dywedodd Speer, 'yn hunan-gyfrifol', a chanolbwyntiodd pob ffatri ar un math o gynnyrch.
- Rhannodd y maes arfogaeth yn ôl y system arfau, gydag arbenigwyr yn hytrach na gweision sifil yn goruchwylio pob adran.
- Roedd pwyllgor cynllunio canolog dan arweiniad Speer yn goruchwylio'r adrannau hyn a daeth y pwyllgor yn gyfrifol am gynhyrchiant rhyfel a, gydag amser, am economi'r Almaen ei hun.
- Caeodd Speer nifer o gwmnïau bach gan symud gweithwyr i ffatrïoedd mawr ac effeithlon.
- Defnyddiodd fwy a mwy o weithwyr tramor pan oedd llafur yn brin. Erbyn 1944, roedd 29.2 y cant o'r holl weithwyr diwydiannol yn dramorwyr.

Roedd Hitler yn gwbl hyderus yng ngallu Speer a byddai'n cytuno'n llwyr â phob awgrym ganddo. Arweiniodd gwaith Speer at gynnydd sylweddol mewn cynhyrchiant. Un o'r enghreifftiau gorau oedd y defnydd a wnaeth o linell gydosod wrth gynhyrchu tanciau Panzer III yn 1943. O ganlyniad, lleihaodd hyn yr oriau llafur a oedd eu hangen gan 50 y cant. Wrth gynhyrchu **arfau rhyfel**, cynyddodd cynnyrch pob gweithiwr 60 y cant rhwng 1939 a 1944, er gwaethaf y trafferthion a achoswyd gan fomiau'r Cynghreiriaid.

Ffynhonnell B Cynhyrchu tanciau ac awyrennau yn yr Almaen

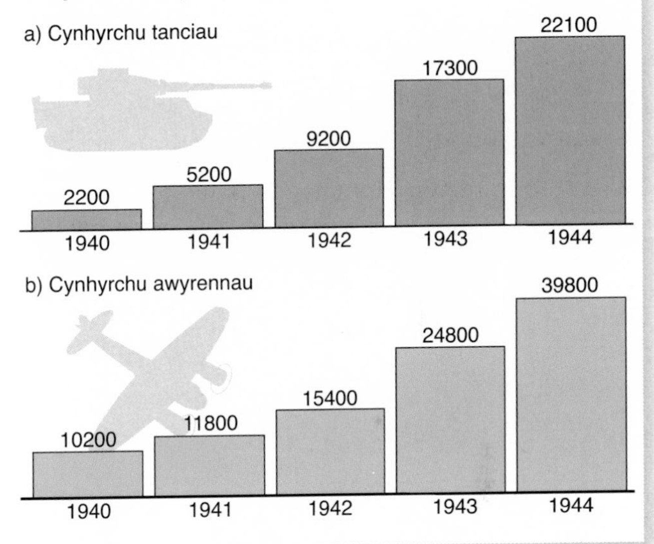

TASGAU

1. Pa mor ddefnyddiol yw Ffynhonnell A i hanesydd sy'n astudio polisi Rhyfel Diarbed? (Am arweiniad ar sut i ateb y math hwn o gwestiwn, edrychwch ar dudalennau 155–56.)
2. Eglurwch pam yr oedd Albert Speer wedi llwyddo i gynyddu cynhyrchiant arfau. (Am arweiniad ar sut i ateb y math hwn o gwestiwn, edrychwch ar dudalen 188.)
3. I ba raddau y mae Ffynhonnell B yn cefnogi'r farn bod cynhyrchiant rhyfel yr Almaen wedi cyrraedd y brig yn 1944? (Am arweiniad ar sut i ateb y math hwn o gwestiwn, edrychwch ar dudalen 141.)

Prinder nwyddau a'r farchnad ddu

Roedd yn rhaid i'r Almaenwyr gyflwyno dogni bwyd ar ddechrau'r rhyfel. I ddechrau roedd dognau'r Almaenwyr lawer mwy nag yn ystod y Rhyfel Byd Cyntaf.

Fodd bynnag, wrth golli brwydr ar ôl brwydr, aeth bwyd hyd yn oed yn fwy prin, ac, yn 1942, aeth y dognau bwyd yn llai. Anogwyd pobl i ddefnyddio cynnyrch mwy egsotig o'r gwledydd a orchfygwyd, fel planhigion wy, ffenigl ac artisiog Jerwsalem. Dyfeisiwyd ryseitiau newydd gan grwpiau arbennig er mwyn defnyddio'r cynnyrch a oedd ar gael. Defnyddiwyd parciau a gerddi'r dinasoedd ar gyfer tyfu llysiau.

Ond nid dim ond bwyd a gafodd ei ddogni. Roed dogni ar eitemau fel sigaréts, sebon, dillad ac esgidiau hefyd. Erbyn 1941 dim ond un sigarét a hanner y diwrnod a ganiatawyd i fenywod ac roedd yn rhaid cyfnewid hen esgidiau wrth brynu rhai newydd.

Eitem	Dogn
Bara	2.4kg
Tatws	3.5kg
Cig	250g
Caws	60g
Jam	175g
Coffi	60g
Grawnfwyd	150g

Dogn wythnos ar gyfer un person yn yr Almaen yn 1943.

Ffynhonnell C Rhai o brydau bwyd yr Almaen yn ystod y rhyfel

Pwrs buwch wedi'i bobi gyda pherlysiau
Calon llo wedi'i stwffio
Esgalop o golrabi (bresych)
Cytledi suran
Soufflé danadl
Salad llygad y dydd
Coffi mes
Nyget mes

Yn sgil amodau lle'r oedd prinder bwyd a theimlad o annhegwch gyda'r drefn o ddosbarthu nwyddau a phobl gyfoethog a phobl freintiedig yn cael ffafriaeth, datblygodd masnach anghyfreithlon a'r **farchnad ddu**. Ymdrechodd yr awdurdodau'n galed i gael gwared ar y farchnad ddu drwy gynnal archwiliadau mwy trylwyr.

TASGAU

4 Disgrifiwch y trefniadau dogni yn yr Almaen yn ystod yr Ail Ryfel Byd. (Am arweiniad ar sut i ateb y cwestiwn hwn, edrychwch ar dudalen 175).

5 Astudiwch Ffynhonnell C. A allwch chi feddwl am o leiaf un pryd anarferol arall a fyddai'n briodol i'r Almaen yn ystod yr Ail Ryfel Byd?

Effeithiau bomio'r Cynghreiriaid

Yn 1942, dechreuodd y Cynghreiriaid – Prydain ac UDA – gyrchoedd bomio ar ddinasoedd yr Almaen. Eu nod oedd tarfu ar gynhyrchiant rhyfel yr Almaen a lladd ysbryd sifiliaid yr Almaen. Roedd effaith y cyrchoedd ar yr Almaen yn gwbl ddinistriol:

- Aeth awyrennau'r Cynghreiriaid ar gyfanswm o 1,442,280 cyrch i'r Almaen. Gollyngwyd tua 2,700,000 bom ac amcangyfrifwyd bod 650,000 o sifiliaid wedi'u lladd.
- Lladdodd un cyrch ar Köln (Cologne) 40,000 o sifiliaid yn 1942.
- Erbyn diwedd y rhyfel roedd mwy na 3.5 miliwn o sifiliaid wedi'u lladd.
- Roedd canol dinasoedd yn yr Almaen, fel Berlin a Hamburg, yn adfeilion.
- Bu'n rhaid i sifiliaid yr Almaen hefyd weithio oriau llawer hirach ar ôl cyflwyno'r wythnos 60 awr.
- Arweiniodd y bomio at wneud miliynau o bobl yn ddigartref. Aeth llawer o'r rhain yn ffoaduriaid, gan adael eu trefi i chwilio am loches mewn mannau eraill.

Ffynhonnell CH Gan lygad-dyst, Jacob Shultz, yn disgrifio canlyniad cyrch awyr ar Darmstadt

Roedd yr ysbytai yn llawn. Nid oedd yr holl baratoi yn cyfrif am ddim. Gallech deithio heb docyn ar drên. Nid oedd ffenestri ar y trenau, dim ysgolion, dim meddygon, dim post, dim ffôn. Roedd yna deimlad eich bod wedi eich torri i ffwrdd yn llwyr o'r byd. Roedd cyfarfod ffrind a oedd wedi goroesi yn brofiad hyfryd.

Ffynhonnell DD Darnau o ddyddiadur Goebbels

15 Mai 1943: Mae cyrchoedd awyr yn dod yn fwy cyffredin eto. Ond rydym wedi saethu llawer iawn o awyrennau.
29 Mehefin 1943: Yn ystod y nos cafwyd cyrch ar Hamburg gan dros 800 o fomwyr o Loegr. Mae dinas o filiwn o bobl wedi'i dinistrio. Mae hyn wedi achosi problemau sy'n amhosibl i ni eu datrys. Bydd yn rhaid dod o hyd i fwyd i'r boblogaeth o filiwn, yn ogystal â lloches. Mae 800,000 o bobl ddigartref yn crwydro'r strydoedd, heb wybod beth i'w wneud.

Ffynhonnell D Canol Dresden yn 1945

TASGAU

6 Defnyddiwch Ffynhonnell CH a'ch gwybodaeth eich hun i egluro effeithiau cyrchoedd awyr y Cynghreiriaid ar yr Almaen. (Am arweiniad ar sut i ateb y math hwn o gwestiwn, edrychwch ar dudalen 132.)

7 Pa mor ddefnyddiol yw Ffynhonnell DD i hanesydd sy'n astudio effeithiau cyrchoedd awyr y Cynghreiriaid ar yr Almaen? (Am arweiniad ar sut i ateb y math hwn o gwestiwn, edrychwch ar dudalennau 155–56.)

Gwarchodlu Cartref y Bobl – y *Volkssturm*

Erbyn 1944, roedd lluoedd arfog yr Almaen o dan bwysau mawr ac ym mis Medi gorchmynnodd Hitler y dylid sefydlu'r ***Volkssturm***. Byddin y Bobl, neu Warchodlu Cartref, oedd y *Volkssturm* ar gyfer amddiffyn dinasoedd yr Almaen rhag goresgyniad y Cynghreiriaid. Dynion a bechgyn oedd yr aelodau ac roedd disgwyl iddynt ddarparu eu lifrai a'u harfau eu hunain.

Nid oedd gan y *Volkssturm* lawer o brofiad ac ni fu erioed yn rym gwirioneddol mewn brwydr. Roedd y dynion wedi'u hyfforddi'n wael, heb lawer o arfau ac yn brin iawn o hyder, yr eithriad oedd rhai o aelodau penboeth Mudiad Ieuenctid Hitler, a oedd yn awyddus i gymryd rhan. Bu rhai ohonynt yn brwydro i amddiffyn canol Berlin yn erbyn ymosodiad y Rwsiaid ar y ddinas yn Ebrill 1945.

Ffynhonnell E Archddyfarniad Hitler 25 Medi 1944 i sefydlu'r *Volkssturm*

Bydd pob Almaenwr rhwng 16 a 60 oed sydd â'r gallu i drin arfau yn aelodau. Bydd yn amddiffyn y famwlad gyda phob arf a phob dull priodol.

Ffynhonnell F Un o aelodau hŷn y *Volkssturm* yn cofio am ei gyfnod gyda'r uned yn nhref Fürth yng Ngogledd Bafaria

Doeddwn i erioed wedi bod yn filwr felly doedd gen i ddim syniad am ddim byd. Ar ôl tair awr o gyfarwyddiadau gan rywun oedd wedi derbyn y Groes Haearn, roedden ni'n barod i fwrw ati i ddefnyddio baswca. Roedd dau ddeg tri o aelodau'n perthyn i'r platŵn a rhoddwyd dwsin o arfau i ni i'w rhannu rhyngom. Ches i ddim yr un arf – nid fy mod i'n awyddus i gael un. Doeddwn i ddim yn deall sut roedden nhw'n gweithio.

Ffynhonnell FF Poster Almaenig 1944 yn hysbysebu rôl y *Volkssturm*

TASGAU

8 Beth y mae Ffynhonnell FF yn ei ddangos i chi am Warchodlu Cartref y Bobl? (Am arweiniad ar sut i ateb y math hwn o gwestiwn, edrychwch ar dudalen 118.)

9 Disgrifiwch rôl Gwarchodlu Cartref y Bobl. (Am arweiniad ar sut i ateb y cwestiwn hwn, edrychwch ar dudalen 175.)

10 Pa mor ddefnyddiol yw Ffynhonnell F i hanesydd sy'n astudio effeithiolrwydd Gwarchodlu Cartref y Bobl? (Am arweiniad ar sut i ateb y math hwn o gwestiwn, edrychwch ar dudalennau 155–56.)

Sut y cafodd yr Iddewon eu trin yn ystod blynyddoedd y rhyfel?

Yn fuan cyn dechrau'r Ail Ryfel Byd, roedd Iddewon yn yr Almaen yn cael eu herlid fwy a mwy. Yn Ionawr 1939, sefydlwyd Swyddfa Ganolog y Reich ar gyfer Ymfudo Iddewon, gyda Reinhard Heydrich yn rheolwr. Y nod oedd gorfodi Iddewon Almaenig i ymfudo. Awgrymwyd eu hanfon i Madagascar hyd yn oed, ynys fawr ar arfordir Affrica, ar gyfer eu hadleoli. Fodd bynnag, nid oes unrhyw dystiolaeth fod y Natsïaid yn ystyried llofruddiaeth dorfol ar gyfer yr Iddewon.

Oherwydd y rhyfel, newidiodd agweddau'r Natsïaid tuag at yr Iddewon mewn tair ffordd:

- Gellid trin yr Iddewon yn fwy eithafol heb boeni am farn y byd.
- Oherwydd llwyddiant cynnar yr Almaen daeth mwy o Iddewon o dan reolaeth y Natsïaid ond nid oedd y mannau a fwriadwyd eu defnyddio ar gyfer ymfudo gorfodol ar gael rhagor.
- Felly, roedd yn rhaid i'r Natsïaid ddod o hyd i atebion mwy eithafol, yn enwedig o ystyried bod 3 miliwn o Iddewon yng ngorllewin Gwlad Pwyl a oedd nawr o dan reolaeth yr Almaenwyr.

Getos

Dyma'r ateb cyntaf. Casglwyd yr holl Iddewon i **getos** neu 'diriogaethau brodorol Iddewig' mewn trefi gan y Natsïaid. Adeiladwyd waliau i'w cadw i mewn. Roedd y geto mwyaf yn Warszawa (Warsaw). Roedd yr amodau yn y getos yn warthus. Dim ond dognau newyn a ganiatawyd iddynt gan yr Almaenwyr a bu farw miloedd o newyn, yr oerfel enbyd neu'r clefyd teiffws. Bu farw tua 55,000 o Iddewon yng Ngeto Warszawa.

Einsatzgruppen

Ar ôl i'r Almaen oresgyn Rwsia ym Mehefin 1941, a meddiannu ardaloedd enfawr o orllewin Rwsia, gwaethygodd y broblem Iddewig. Trefnodd y Natsïaid sgwadiau llofruddio arbennig o'r enw *Einsatzgruppen*. Daeth y sgwadiau hyn i mewn i Rwsia y tu ôl i fyddinoedd yr Almaen i grynhoi a lladd Iddewon. Aethant i drefi a phentrefi i ddod o hyd i Iddewon a oedd wedyn yn cael eu hebrwng i gyrion y pentrefi. Yno, byddent yn cael eu gorfodi i agor eu beddau eu hunain cyn cael eu saethu. Erbyn 1943, amcangyfrifir bod y sgwadiau wedi llofruddio mwy na 2 filiwn o Rwsiaid, Iddewon yn bennaf.

Ffynhonnell A Darn o *Notes from the Warsaw Ghetto*. Ysgrifennwyd gan lygad-dyst Iddewig

Yr olygfa fwyaf arswydus yw gweld plant yn rhewi. Plant bach troednoeth, gyda phengliniau noeth a'u dillad yn garpiog yn sefyll yn fud ar y strydoedd yn crio. Heno ... clywais blentyn bach tair neu bedair oed yn crio. Mae'n debyg y bydd y plentyn yn cael ei ddarganfod wedi rhewi i farwolaeth erbyn bore fory.

Ffynhonnell B Rhan o ddyddiadur Felix Landau, aelod *Einsatzkommando*, a oedd wedi'i leoli yn L'viv (Lwow) gyntaf ac yna Drohobycz

Drohobycz – 12 Gorffennaf 1941 ... Am chwech y bore cefais fy neffro'n sydyn o drwmgwsg. Bydd yn barod am ddienyddiad. Iawn, fe fyddaf yn ddienyddiwr ac yna'n dorrwr beddau, pam ddim? ... Roedd yn rhaid saethu dau ddeg tri ... yn eu plith ddwy fenyw ... Roedd yn rhaid i ni ddod o hyd i le addas i'w saethu a'u claddu. Ar ôl ychydig funudau, gwelsom y lle. Daeth y dau ddeg tri â'u rhawiau'n barod i dorri eu beddau eu hunain. Roedd dau ohonynt yn wylo. Mae'r gweddill ohonynt yn rhyfedd o ddewr ... Mae'n syndod fy mod i mor ddideimlad. Dim tosturi, dim byd. Dyna fel y mae pethau ac yna mae'r cyfan ar ben ... Rhoddwyd eu pethau gwerthfawr, watshis ac arian mewn pentwr. Mae'r ddwy fenyw yn sefyll ar un pen i'r bedd yn barod i gael eu saethu gyntaf ... Wrth i'r menywod gerdded at y bedd roeddent yn hollol hunanfeddiannol. Yna, trodd y ddwy tuag atom. Roedd yn rhaid i chwech ohonom eu saethu. Dyma oedd ein cyfarwyddiadau: tri at y galon, tri at y pen. Cymerais y galon.

TASGAU

1. Defnyddiwch Ffynhonnell A a'ch gwybodaeth eich hun i egluro'r amodau yn y getos. (Am arweiniad ar sut i ateb y math hwn o gwestiwn, edrychwch ar dudalen 132.)
2. Pa mor ddefnyddiol yw Ffynhonnell B i hanesydd sy'n astudio gweithgareddau'r *Einsatzgruppen*? (Am arweiniad ar sut i ateb y math hwn o gwestiwn, edrychwch ar dudalennau 155–56.)

Ffynhonnell C Aelod o *Einsatzgruppe D* yn paratoi i saethu Iddew yn Vinnytsya (Vinnitsa), Gweriniaeth Sofietaidd Sosialaidd yr Ukrain, yr Undeb Sofietaidd, yn 1942. Roedd y geiriau 'Yr Iddew Olaf yn Vinnytsya' ar y ffotograff

TASGAU

3 Beth y mae Ffynhonnell C yn ei ddangos i ni am weithgareddau'r *Einsatzgruppen*? (Am arweiniad ar sut i ateb y math hwn o gwestiwn, edrychwch ar dudalen 118.)

Yr Ateb Terfynol

Yn ystod haf 1941, penderfynodd uwch arweinwyr y Natsïaid chwilio am ateb parhaol a therfynol i'r cwestiwn Iddewig, sef eu difodi mewn gwersylloedd angau. Er mai Goering arwyddodd y gorchymyn, mae'n ymddangos mai Himmler oedd yn bennaf gyfrifol am y syniad er mwyn lleihau'r niferoedd cynyddol o Iddewon yn yr ardaloedd a feddiannwyd gan yr Almaen. Roedd ffactorau tymor hir wedi dylanwadu ar y penderfyniad, sef casineb Hitler tuag at yr Iddewon a'r dyhead i greu hil oruchaf bur. Ar y pryd, un o'r ffactorau eraill oedd y niferoedd enfawr o Iddewon a oedd yn y tiriogaethau a feddiannwyd gan yr Almaen. Roedd angen ateb effeithlon ar y Natsïaid – difodi drwy wenwyno â nwy mewn gwersylloedd angau.

Yn Ionawr 1942, gwnaeth Natsïaid blaenllaw gyfarfod yn Wannsee yn Berlin i benderfynu ar fanylion yr 'Ateb Terfynol'. Adeiladwyd gwersylloedd angau yng Ngwlad Pwyl, ymhell o'r Almaen, lle y byddai Iddewon yn cael eu gweithio i'r bedd. Aed ati ar unwaith i adeiladu siambrau nwy ac amlosgfeydd mewn gwersylloedd fel Auschwitz, Treblinka, Sobibor a Belzec. Dechreuodd y gwersyll cyntaf weithredu ar 17 Mawrth 1942 yn Belzec ar ffin ddwyreiniol Gwlad Pwyl. Erbyn haf 1943, roedd Iddewon o bob rhan o Ewrop yn cael eu cludo i'r gwersylloedd hyn.

Y Gwersylloedd angau

Ar ôl cyrraedd y gwersylloedd angau, rhannwyd yr Iddewon yn ddau grŵp:

- Byddai'r rhai a oedd yn gorfforol iach yn gorfod gweithio.
- Byddai'r gweddill yn cael eu hanfon i'r siambrau nwy.

Nid oedd goroesi fawr gwell na mynd i'r siambrau nwy. Roeddent yn cael eu gweithio i'r bedd yn y gwersylloedd llafur. Byddai'r menywod hŷn, y mamau gyda'u plant bach, menywod beichiog a phlant dan ddeg oed yn cael eu cymryd i gael eu lladd ar unwaith fel arfer.

Byddai bechgyn ifanc yn dweud celwydd am eu hoed ac yn dyfeisio crefft neu sgil er mwyn cael gweithio ac aros yn fyw.

Ffynhonnell CH Errikos Sevillias yn disgrifio cyrraedd Auschwitz yn 1943

Wrth i ni gadw at ein gilydd, aeth yr SS ati'n syth i wahanu'r dynion oddi wrth y menywod. Rhoddwyd yr hen bobl a phawb oedd yn sâl i sefyll mewn llinell arbennig. Gofynnwyd am efeilliaid, ond ni wirfoddolodd unrhyw un, er bod gefeilliaid yn ein plith. Daliodd y meddyg a oedd yn fy archwilio fy mraich i lawr ar y bwrdd a rhoi tatŵ arni gyda'r rhif 182699. Eilliwyd fy nghorff i gyd, yna cefais gawod ac yna dillad a oedd â marciau paent coch anferth arnynt. Roedd hyn er mwyn iddynt allu fy ngweld yn hawdd pe bawn yn ceisio dianc.

TASGAU

4 Pa mor ddefnyddiol yw Ffynhonnell CH i hanesydd sy'n astudio'r driniaeth a roddwyd i garcharorion yn y gwersylloedd angau? (Am arweiniad ar sut i ateb y math hwn o gwestiwn, edrychwch ar dudalennau 155–56.)

5 Beth y mae Ffynhonnell D yn ei ddangos i chi am yr amodau yn y gwersylloedd angau? (Am arweiniad ar sut i ateb y math hwn o gwestiwn, edrychwch ar dudalen 118.)

Bu farw llawer yn y siambrau nwy ar ôl eu gwenwyno â nwyon carbon monocsid a Zyklon B. Nod y Natsïaid oedd cyflawni'r Ateb Terfynol mor effeithlon â phosibl. Er enghraifft, yn Treblinka, lladdwyd 140,000 o Iddewon bob mis yn 1942. Nid oedd llawer o wrthwynebiad oherwydd bod y mwyafrif o siambrau nwy wedi'u cynllunio fel cawodydd fel na fyddai'r carcharorion yn sylweddoli beth oedd yn digwydd iddynt tan ei bod yn rhy hwyr. Llosgwyd cyrff mewn ffyrnau neu eu gadael mewn tyllau mawr yn y ddaear.

Roedd y carcharorion nad oeddent yn cael eu gwenwyno yn cael swyddi amrywiol i'w gwneud. Y gwaethaf ohonynt i gyd oedd symud cyrff y meirw o'r siambrau nwy. Roedd y drefn yn llym iawn. Roedd rhaid sefyll am oriau y dydd i ateb y gofrestr cyn i'r gweithwyr fynd i weithio mewn pyllau glo neu ffatrïoedd. Roedd yr amodau yn ofnadwy. Roedd bwyd yn brin iawn, dim ond bara a chawl dyfrllyd fel arfer. Roedd clefydau yn lledaenu'n gyflym. Hefyd, defnyddiwyd rhai carcharorion ar gyfer arbrofion meddygol, heb anaesthetig fel arfer. Roedd meddygon yn arbrofi i greu'r math **Ariaidd** perffaith.

Erbyn i'r gwersylloedd gael eu rhyddhau gan y Cynghreiriaid yn 1945, roedd hyd at 6 miliwn o Iddewon a 500,000 o sipsiwn Ewropeaidd, ynghyd â channoedd o garcharorion eraill, wedi'u gweithio i farwolaeth, eu gwenwyno â nwy neu eu saethu.

Ffynhonnell D *Galw cofrestr yn Auschwitz I ar Noswyl Nadolig.* Llun a baentiwyd ar ôl y rhyfel gan un o garcharorion y gwersyll

Arweiniad ar arholiadau

Mae'r adran hon yn rhoi arweiniad ar sut i ateb cwestiwn 2(c) a 3(c) yn Unedau 1 a 2. Mae'r cwestiwn wedi'i rannu'n gwestiynau 2 × 4 marc, sy'n rhoi cyfanswm o 8 marc.

Cwestiynau 2(c) a 3(c) – dethol gwybodaeth a deall nodweddion allweddol

Eglurwch pam y newidiodd rôl menywod yn yr Almaen ar ôl 1939. (4 marc)

Cyngor ar sut i ateb

- Ceisiwch roi amrywiaeth o resymau a'u hegluro'n dda.
- Po fwyaf o resymau y gallwch eu nodi, bydd gennych well gobaith o gael marciau uchel.
- Mae'n hollbwysig bod y rhesymau hyn yn cael eu cefnogi gan wybodaeth ffeithiol berthnasol.
- Ceisiwch osgoi sylwadau cyffredinol gan na fyddant yn cael marciau uchel.
- Defnyddiwch enghreifftiau i gefnogi eich datganiadau bob tro.
- Gofalwch fod y wybodaeth yn gwbl berthnasol. Er enghraifft, a yw'n ateb y cwestiwn?

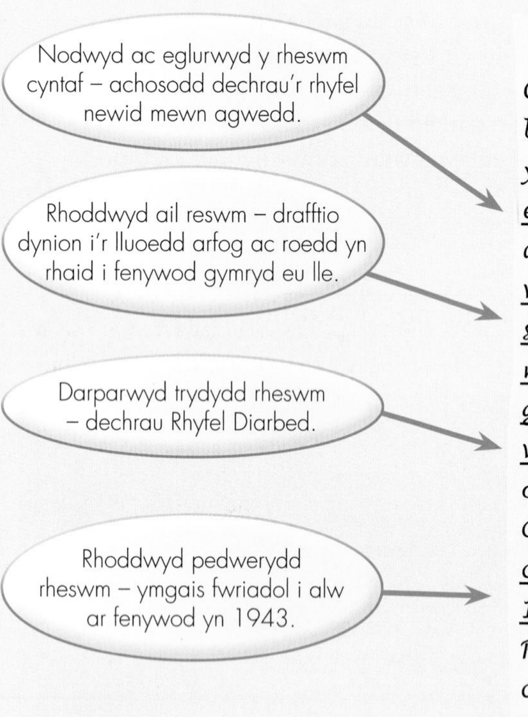

Ymateb gan ymgeisydd

Cyn 1939 roedd disgwyl i fenywod fod yn wragedd tŷ a bu ymdrech fawr i'w symud o'r gweithle. Fodd bynnag, yn 1939, aeth yr Almaen i ryfel ac achosodd gofynion economi'r rhyfel newid mewn agweddau. Un rheswm dros hyn oedd bod llawer o ddynion o'r Almaen wedi'u galw i'r fyddin ac felly wedi gorfod gadael eu swyddi yn y ffatrïoedd neu ar y ffermydd. Nawr, roedd menywod yn cael eu hannog i lenwi'r bylchau yn y gweithle. Rheswm arall dros hyn oedd bod yr Almaen wedi dechrau'r cyfnod 'Rhyfel Diarbed' ar ôl 1942 lle'r oedd disgwyl i bawb gyfrannu at ymdrech y rhyfel. Galwyd mwy a mwy o fenywod i'r ffatrïoedd. Yn 1943, ceisiodd y Natsïaid alw ar 3 miliwn o fenywod rhwng 17 a 45 oed i wneud gwaith rhyfel yn y ffatrïoedd. Roedd hyn yn wahanol iawn i'r ffordd roeddent wedi cael eu trin cyn 1939.

Sylwadau'r arholwr

Ateb cyson wedi'i gefnogi'n dda sy'n cyflwyno nifer o resymau dilys. Mae'r ateb yn dangos gwybodaeth a dealltwriaeth drylwyr sy'n haeddu'r marciau llawn (4).

Rhowch gynnig arni

Eglurwch pam y daeth propaganda yn fwyfwy pwysig yn ystod blynyddoedd y rhyfel. (4 marc)

17 Faint o wrthwynebiad oedd i'r Natsïaid yn yr Almaen yn ystod blynyddoedd y rhyfel?

Ffynhonnell A Dienyddio 12 o Fôr-ladron Edelweiss yn Köln (Cologne), Tachwedd 1944

TASGAU

1 Beth y mae Ffynhonnell A yn ei ddangos i chi am y gwrthwynebiad i reolaeth y Natsïaid? (Am arweiniad ar sut i ateb y math hwn o gwestiwn, edrychwch ar dudalen 118.)

2 Ysgrifennwch bennawd ar gyfer y ffotograff pe bai'n cael ei gyhoeddi gan:
   a) Weinyddiaeth Bropaganda Dr Josef Goebbels
   b) cangen Môr-ladron Edelweiss Köln.

Gofalodd gwladwriaeth heddlu'r Natsïaid fod gwrthwynebu'r drefn yn weithred beryglus oherwydd gallai arwain at golli eich rhyddid, eich teulu neu eich bywyd. Fodd bynnag, roedd nifer o grwpiau ac unigolion yn gwrthwynebu'r gyfundrefn Natsïaidd yn ystod yr Ail Ryfel Byd. Roedd y rhain yn cynnwys pobl ifanc fel Môr-ladron Edelweiss a'r mudiad myfyrwyr, Grŵp y Rhosyn Gwyn. Roedd gwrthwynebiad gan grwpiau crefyddol ac unigolion penodol fel yr offeiriad Martin Niemöller a'r gweinidog Dietrich Bonhoeffer, yn ogystal â gwrthwynebiad o fewn byddin yr Almaen ei hun. Yr enghraifft orau o hyn oedd y Cynllun Bom aflwyddiannus yng Ngorffennaf 1944.

Mae'r bennod hon yn ateb y cwestiynau canlynol:

- Pa wrthwynebiad fu i reolaeth y Natsïaid o fewn yr Almaen gan sifiliaid?
- Pa wrthwynebiad fu i reolaeth y Natsïaid o fewn yr Almaen gan y lluoedd arfog?

Arweiniad ar arholiadau

Drwy'r bennod hon byddwch yn cael cyfle i ymarfer cwestiynau arholiad o wahanol arddull a rhoddir arweiniad manwl ar sut i ateb cwestiynau 2(ch) a 3(ch) yn Unedau 1 a 2 y papur arholiad. Cwestiwn traethawd yw hwn sy'n rhoi strwythur i chi ar gyfer cynllunio eich ateb. Mae'n werth 10 marc.

Pa wrthwynebiad fu i reolaeth y Natsïaid o fewn yr Almaen gan sifiliaid?

Daeth gwrthwynebiad i'r Natsïaid yn ystod y rhyfel oddi wrth sawl grŵp o bobl ifanc ac arweinwyr crefyddol.

Pobl ifanc

Nid oedd pob person ifanc yn derbyn yr ymdrechion i'w troi tuag at syniadau Natsïaidd drwy'r mudiadau addysg ac ieuenctid. Erbyn diwedd y 1930au, ymddangosodd nifer o gangiau a oedd yn gwrthwynebu ymdrechion y Natsïaid i reoli pob agwedd ar eu bywydau. Ond, wrth i'r rhyfel ddatblygu dechreuodd y gangiau hyn drefnu gwrthwynebiad i'r rhyfel ei hun.

Môr-ladron Edelweiss

Yn y pen draw ymunodd llawer o'r gangiau â mudiad gwrthwynebiad cenedlaethol, sef Môr-ladron Edelweiss, a enwyd ar ôl y blodyn edelweiss a ddefnyddiwyd fel arwyddlun. Byddai'r aelodau'n gwisgo crysau siec a throwsus tywyll. Ar benwythnosau byddent yn mynd ar deithiau cerdded, cyfarfod grwpiau eraill a gobeithio rhoi crasfa i aelodau Ieuenctid Hitler oedd ar batrôl. Roedd gan y grwpiau lleol enwau unigryw iawn, fel Roving Dudes, Môr-ladron Kittelbach a'r Navajos.

Yn ystod yr Ail Ryfel Byd byddent yn casglu taflenni propaganda a ollyngwyd gan fomwyr y Cynghreiriaid a'u dosbarthu o dŷ i dŷ. Byddent hefyd yn rhoi lloches i filwyr a oedd yn gadael y lluoedd arfog. Yn Nhachwedd 1944, roedd Barthel Schink, arweinydd 16 oed Môr-ladron Köln, yn un o 12 aelod o'r grŵp hwn i gael eu crogi'n gyhoeddus gan y **Gestapo**. Ni chawsant eu rhoi ar brawf ac fe'u cyhuddwyd gyda'i gilydd o ladd pum person a chynllwynio i ymosod ar bencadlys y Gestapo yn Köln.

Ffynhonnell B Cân Môr-ladron Edelweiss

Hark the hearty fellows sing
Strum that banjo, pluck the string!
And the lassies all join in.
We're getting rid of Hitler,
And he can't do a thing.

We march by banks of Rühr and Rhine
And smash the Hitler Youth in twain.
Our song is freedom, love and life,
We're pirates of the Edelweiss.

Ffynhonnell A Môr-ladron Edelweiss. Ymddangosodd y ffotograff hwn mewn llawlyfr hyfforddi'r Natsïaid ar gyfer y Gestapo. Roedd y pennawd yn eu disgrifio fel 'Grŵp gwyllt o Köln'

Grwpiau Swing

Roedd y grwpiau hyn o bobl ifanc yn perthyn i'r dosbarth canol-uchaf yn bennaf a ddatblygodd mewn dinasoedd mawr fel Hamburg, Berlin, Frankfurt a Dresden yn ystod diwedd y 1930au. Roeddent yn ymwrthod â delfrydau Mudiad Ieuenctid Hitler ac yn datblygu diwylliant arall. Roedd y grwpiau'n cyfarfod mewn tafarnau, clybiau nos a thai ac yn chwarae cerddoriaeth ddu Americanaidd ac Iddewig yn ogystal â swing. Roedd y Natsïaid yn teimlo dan fygythiad gan eu gweithgareddau a chaewyd y tafarnau ac arestiwyd rhai aelodau.

Ffynhonnell C Rhan o adroddiad gan arweinyddiaeth ieuenctid y Reich yn 1942

Roedd mwy a mwy o grwpiau o bobl ifanc y tu allan i Fudiad Ieuenctid Hitler yn cael eu sefydlu ychydig flynyddoedd cyn y rhyfel. Mae llawer mwy o gynnydd wedi bod yn ystod y rhyfel, i'r fath raddau y gellid dweud bod yna berygl difrifol o droseddau gwleidyddol, ysbrydol a throseddol ymhlith yr ifanc.

Grŵp y Rhosyn Gwyn

Sefydlwyd Grŵp y Rhosyn Gwyn gan Hans a Sophie Scholl a'r Athro Kurt Huber ym Mhrifysgol München yn 1941. Roedd Hans Scholl yn fyfyriwr meddygaeth a oedd wedi gwasanaethu fel swyddog meddygol ar y rheng flaen yn Rwsia ac wedi gweld, gyda'i lygaid ei hun, yr erchyllterau a gyflawnwyd yn erbyn Iddewon a Phwyliaid a phobl eraill nad oeddent yn Ariaid. Wrth gyhoeddi'r erchyllterau hyn, roeddent yn credu y byddai llawer o Almaenwyr yn eu cefnogi i wrthwynebu'r Natsïaid. Roedd y Rhosyn Gwyn yn symbol o'u cred mewn cyfiawnder. Cyhoeddwyd chwe phamffled gwahanol i hysbysu'r bobl o erchyllterau'r Natsïaid.

Ffynhonnell CH Tri o arweinwyr Grŵp y Rhosyn Gwyn. Ar y chwith, Hans Scholl, yn y canol Sophie Scholl ac, ar y dde, Christoph Probst

Ffynhonnell D Dyfyniad o bamffled y Rhosyn Gwyn, 1943

Mae gan bawb yr hawl i lywodraeth onest a gweithgar sy'n gwarantu rhyddid yr unigolyn ac yn diogelu eiddo pawb ... Unbennaeth drygionus yw ein 'gwladwriaeth' bresennol ... Pam na chodwch yn ei herbyn ...? Dinistriwch arfau a ffatrïoedd diwydiant y rhyfel; tanseiliwch gyfarfodydd, gwyliau, sefydliadau, unrhyw beth y mae Sosialaeth Genedlaethol wedi'i greu. Ewch ati i darfu ar rediad esmwyth y peiriant rhyfel.

Roedd yn rhaid cyhoeddi'r taflenni hyn yn ddienw ac wedyn eu gadael mewn mannau cyhoeddus, ar garreg y drws neu yn y blwch post. Byddent yn paentio negeseuon gwrth-Natsïaidd ar adeiladau yn ystod y nos. Fodd bynnag, ar 18 Chwefror 1943 cawsant eu dal yn dosbarthu taflenni gan borthor ym Mhrifysgol München, a oedd yn aelod o'r Blaid Natsïaidd. Hysbysodd y porthor y Gestapo a chawsant eu harestio, eu harteithio a'u crogi. Torrwyd coes Sophie Scholl wrth iddi gael ei chroesholi gan y Gestapo ac fe'i gwelwyd yn hercian i'r grocbren ar faglau.

TASGAU

1. Disgrifiwch weithgareddau Môr-ladron Edelweiss a Grŵp y Rhosyn Gwyn. (Am arweiniad ar sut i ateb y cwestiwn hwn, edrychwch ar dudalen 175).
2. I ba raddau y mae Ffynhonnell C yn cefnogi'r farn bod y gwrthwynebiad i reolaeth y Natsïaid wedi cynyddu yn ystod blynyddoedd y rhyfel? (Am arweiniad ar sut i ateb y math hwn o gwestiwn, edrychwch ar dudalen 141.)
3. Pa mor ddefnyddiol yw Ffynhonnell D i hanesydd sy'n astudio gweithgareddau Grŵp y Rhosyn Gwyn? (Am arweiniad ar sut i ateb y math hwn o gwestiwn, edrychwch ar dudalennau 155–56.)
4. Gweithiwch gyda phartner i gynllunio poster yn hysbysebu nodau/gweithgareddau Môr-ladron Edelweiss neu Grŵp y Rhosyn Gwyn. Nod y poster yw recriwtio aelodau newydd.

Grwpiau crefyddol

Unwaith y gwelwyd gwir natur cyfundrefn Hitler, roedd y Natsïaid hefyd yn wynebu gwrthwynebiad gan grwpiau crefyddol ac unigolion o fewn yr Almaen ei hun.

Martin Niemöller

Roedd Niemöller yn gomander llong danfor Almaenig yn ystod y Rhyfel Byd Cyntaf cyn gweithio fel gweinidog yn Eglwys Brotestannaidd yr Almaen. Yn 1933, croesawodd Natsïaeth, gan gredu y byddai Hitler yn adfer mawredd yr Almaen ac yn gwrthdroi Cytundeb Versailles. Fodd bynnag, newidiodd ei farn ar ôl i'r Natsïaid sefydlu Eglwys y Reich, a oedd yn ymwneud llawer mwy â Natsïaeth na Christnogaeth ym marn Niemöller. Yn 1934, sefydlodd Eglwys Gyffes yr Almaen, a oedd yn gwneud gwahaniaethau clir rhwng y ddwy. Yn ystod y tair blynedd ganlynol, siaradodd Niemöller yn gyhoeddus yn aml yn erbyn y gyfundrefn Natsïaidd. Cafodd ei arestio a'i garcharu yn y diwedd yng ngwersyll crynhoi Sachsenhausen fel 'carcharor personol y *Führer*'. Llwyddodd Niemöller i oroesi'r saith mlynedd nesaf ac roedd yn fyw pan ryddhawyd y gwersyll crynhoi gan y Cynghreiriaid yn 1945. Bu farw yn 1984.

Ffynhonnell DD Cerdd a gafodd ei hysgrifennu gan Niemöller yn gynnar yn y 1940au yn ôl pob sôn, sy'n disgrifio'r ffordd yr oedd y Natsïaid yn erlid grwpiau penodol

Yn gyntaf, daethant am y ***comiwnyddion****, ac nid atebais yn ôl – gan nad oeddwn yn gomiwnydd;*
yna daethant am yr undebau llafur, ac nid atebais yn ôl – gan nad oeddwn yn undebwr llafur;
Yna daethant am yr Iddewon, ac nid atebais yn ôl – oherwydd nad oeddwn yn Iddew;
Yna daethant amdanaf i – ac nid oedd neb ar ôl i ateb drosof fi.

Dietrich Bonhoeffer

Un o arweinwyr yr Eglwys oedd Bonhoeffer a wnaeth helpu Niemöller i sefydlu'r Eglwys Gyffes yn 1934. Roedd yn credu na allai Cristnogaeth dderbyn safbwyntiau hiliol Natsïaidd a bod yn rhaid i eglwyswyr fod yn rhydd i bregethu yn erbyn y Natsïaid. Siaradodd yn agored yn erbyn y Natsïaid, yn enwedig Deddfau Nürnberg 1935. Yn 1937, cafodd ei wahardd gan y Gestapo rhag pregethu. Yn 1939, ymunodd Bonhoeffer â'r Abwehr, sef gwasanaeth gwrthryfel yr Almaen, lle'r oedd grŵp cyfrinachol yn gweithio i ddymchwel Hitler. Gwnaeth helpu i sefydlu 'Operation 7', a oedd yn cynorthwyo nifer bach o Iddewon i ddianc i'r Swistir. Yn Hydref 1942, cafodd Bonhoeffer ei arestio gan y Gestapo am gynllwynio yn erbyn Hitler. Fe'i trosglwyddwyd yn y pen draw i wersyll crynhoi Flossenburg ac, yn Ebrill 1945, ychydig cyn i'r gwersyll gael ei ryddhau, cafodd ei ddienyddio yno gan yr SS.

Von Galen

Esgob Clemens von Galen oedd esgob Pabyddol Münster. Croesawodd esgyniad Hitler i rym yn y dechrau ac, er ei fod yn feirniadol o bolisïau hiliol Hitler, roedd yn credu y byddai'r Natsïaid yn helpu i achub yr Eglwys rhag anffyddiaeth **comiwnyddiaeth**. Fodd bynnag, o 1934 ymlaen, ar ôl gweld Hitler yn sefydlu ei awdurdod, dechreuodd bregethu yn erbyn polisïau Natsïaidd. Yn 1941, rhoddodd von Galen gyfres o bregethau yn protestio yn erbyn polisïau Natsïaidd ar ewthanasia, gormes y Gestapo, anffrwythloni gorfodol a gwersylloedd crynhoi. O ran ewthanasia, ysgrifennodd: 'Pobl yw'r rhain, ein brodyr a'n chwiorydd; efallai nad yw eu bywydau'n gynhyrchiol, ond nid yw diffyg cynhyrchiant yn cyfiawnhau lladd.'

Rhoddwyd yr enw 'Llew Münster' arno, ac roedd yn rhy boblogaidd i gael ei gosbi. Fodd bynnag, cafodd ei arestio ar ôl Cynllwyn Bom Gorffennaf 1944, ond cafodd ei ryddhau yn 1945. Bu farw yn 1946.

TASGAU

5 Defnyddiwch Ffynhonnell DD a'ch gwybodaeth eich hun i egluro pam yr oedd Niemöller yn gwrthwynebu'r Natsïaid. (Am arweiniad ar sut i ateb y math hwn o gwestiwn, edrychwch ar dudalen 132.)

6 Eglurwch pam y cafodd Esgob von Galen ei arestio gan y Gestapo. (Am arweiniad ar sut i ateb y math hwn o gwestiwn, edrychwch ar dudalen 188.)

7 Gweithiwch gyda phartner i wneud rhestr i ddangos beth sy'n debyg a beth sy'n wahanol rhwng y tri arweinydd crefyddol. Cyfeiriwch at eu cefndir, eu safbwyntiau a'u marwolaeth.

Pa wrthwynebiad fu i reolaeth y Natsïaid o fewn yr Almaen gan y lluoedd arfog?

Daeth y gwrthwynebiad mwyaf difrifol i Hitler oddi wrth y fyddin.

Anniddigrwydd cynyddol o fewn y lluoedd arfog

Y prif wrthwynebwyr ceidwadol yn ystod y rhyfel oedd y Cylch Kreisau. Grŵp cymysg oedd hwn o bendefigion, **sosialwyr**, clerigwyr a swyddogion swyddfa dramor. Cafodd ei enwi ar ôl stad Silesaidd Iarll Helmuth von Moltke lle cynhaliwyd cyfarfodydd y cylch o 1940. Nod y grŵp oedd llunio cynlluniau ar gyfer y cyfnod ar ôl cwymp Hitler. Cynhyrchwyd rhaglen o'r enw *Principles for the New Order of Germany*, ond nid oedd ganddynt unrhyw gynlluniau i ladd Hitler. Cafodd von Moltke ei arestio yn Ionawr 1944 am siarad yn erbyn y Drydedd Reich. Ar ôl ei arestio, parhaodd rhai aelodau o'r cylch â'i waith a datblygu cysylltiadau â'r Cyrnol von Stauffenberg.

Roedd arweinwyr y fyddin wedi cefnogi Hitler i ryw raddau yn ystod blynyddoedd cynnar y rhyfel pan oedd byddinoedd yr Almaen, i raddau helaeth, wedi bod yn llwyddiannus. Fodd bynnag, ar ôl colli brwydrau, yn enwedig ar y Ffrynt Dwyreiniol, cafwyd gwrthwynebiad o fewn y fyddin, dan arweiniad y Cadfridog Ludwig Beck. Roedd wedi ymddiswyddo o'i swydd yn y fyddin yn 1938 oherwydd ei fod yn anghytuno â chynlluniau Hitler i herio Cytundeb Versailles.

Gyda Karl Goerdeler, swyddog Natsïaidd, roedd wedi cynorthwyo i drefnu dwy ymgais i ladd Hitler ym Mawrth a Thachwedd 1943, ond ni lwyddodd. Yng Ngorffennaf 1944, rhoddodd y dynion hyn eu cefnogaeth lawn i'r Cyrnol Claus von Stauffenberg i ladd Hitler drwy ddefnyddio bom.

Von Stauffenberg a'r Cynllwyn Bom

Ganed Claus von Stauffenberg i deulu pendefigaidd yn 1907. Roedd wedi ennill bri fel milwr ym mlynyddoedd cynnar yr Ail Ryfel Byd. Fodd bynnag, roedd hefyd wedi bod yn dyst i'r brwydrau a gollwyd yn Rwsia lle, yn 1942, roedd wedi'i anafu'n ddrwg, gan golli ei lygad chwith, ei fraich dde a dau fys ar ei law chwith. Roedd wedi dychryn gan greulondeb yr SS, yn enwedig llofruddio torfol yr holl Iddewon, ac roedd yn argyhoeddedig mai dyletswydd cadlywyddion y fyddin oedd cael gwared ar Hitler.

Ffynhonnell A Stauffenberg mewn llythyr, ychydig cyn Cynllwyn Gorffennaf

Yr wyf yn gwybod y bydd y sawl sy'n gweithredu yn cael ei gofio mewn hanes fel bradwr ond bydd y sawl sy'n gallu ac yn dewis peidio, yn fradwr i'w gydwybod. Pe na bawn yn gweithredu i atal y llofruddio disynnwyr hwn, ni allwn byth wynebu gweddwon a phlant amddifad y rhyfel.

Trefnodd 'Ymgyrch Valkyrie', lle defnyddiwyd bom mewn bag dogfennau i geisio lladd Hitler. Ym Mai 1944, penodwyd Stauffenberg yn Bennaeth Staff Cadlywydd y Fyddin Gartref. Roedd y swydd hon yn ei alluogi i baratoi ar gyfer arwain y Fyddin Gartref i gefnogi'r cynllwyn, unwaith y byddai Hitler wedi'i ladd. Hefyd, roedd yn rhoi cyfle iddo gyfarfod â Hitler ei hun. Ar ôl y lladd, roedd y cynllwynwyr yn bwriadu cyhoeddi cyfraith rhyfel, sefydlu llywodraeth dros dro a thrafod heddwch gyda'r Cynghreiriaid.

Ffynhonnell B Sgript o ddarllediad radio y bwriadodd y cynllwynwyr ei wneud ar ôl marwolaeth Hitler

Dim ond dirmyg oedd gan Hitler at y gwir a thegwch. Yn lle gwir, roedd ganddo bropaganda; yn lle tegwch, roedd ganddo drais. Propaganda a'r Gestapo oedd ei ddull o gadw ei rym. Yn lle hyn, bydd Llywodraeth newydd y Reich yn sefydlu gwladwriaeth yn unol â thraddodiadau Cristnogol y Byd Gorllewinol. Bydd hyn yn seiliedig ar egwyddorion dyletswydd sifil, teyrngarwch, gwasanaeth a sicrhau lles pawb, ynghyd â pharchu'r unigolyn a hawliau naturiol pob bod dynol.

Y digwyddiadau

Ar 20 Gorffennaf 1944, aeth Stauffenberg â bag dogfennau a oedd yn cynnwys dau gilogram o ffrwydron plastig i gynhadledd filwrol yn Obersalzberg yn Nwyrain Prwsia. Daeth rhywun ar ei draws wrth iddo osod y taniwr a llwyddodd i gario dim ond un cilogram i'r ystafell. Roedd wedi gosod y bag o dan fwrdd derw mawr, dau fetr oddi wrth Hitler. Symudodd rhywun arall a oedd yn y cyfarfod y bag a'i roi y tu ôl i un o goesau'r bwrdd. Yna, gadawodd Stauffenberg er mwyn derbyn galwad ffôn ffug, gan fynd ar unwaith i'r maes awyr, lle'r oedd awyren yn aros amdano i'w gludo i Berlin.

Roedd Hitler yn pwyso dros y bwrdd, yn astudio map, pan ffrwydrodd y bom. Bu farw un person ar unwaith a bu farw tri arall yn ddiweddarach. Fodd bynnag, roedd Hitler, a oedd yn cael ei amddiffyn gan goes solet y bwrdd derw, yn dal yn fyw. Dim ond cleisiau a gafodd a rhwygwyd tympan ei glust.

Ffynhonnell C Goering yn ymweld â'r ystafell lle ffrwydrodd y bom

Er bod yr ymgais i'w ladd wedi methu, gallai'r cynllwyn fod wedi llwyddo pe bai'r arweinwyr wedi gweithredu'n gyflym ac yn bendant. Fodd bynnag, oherwydd bod Stauffenberg wedi cymryd cryn amser i ddychwelyd i Berlin, cafwyd oedi tyngedfennol. Rhoddodd hyn amser i'r newyddion am oroesiad Hitler gyrraedd y cynllwynwyr eraill. Hefyd, methodd y cynllwynwyr dorri'r holl sianeli cyfathrebu gydag Obersalzberg.

Effeithiau'r cynllwyn

- Cafodd Stauffenberg ei arestio pan gyrhaeddodd Berlin a'i saethu.
- Cyflawnodd Beck hunanladdiad.
- Gwnaeth Hitler ddial yn ffyrnig ar bawb a gyfrannodd at gynllwyn 'Gorffennaf'. Dienyddiwyd 5746 o bobl i gyd, gan gynnwys Stauffenberg a Beck. Roedd y bobl a laddwyd yn cynnwys 19 cadfridog a 27 cyrnol.
- Ar ôl i'r cynllwyn fethu, rheolwyd byddin yr Almaen yn llym gan yr SS.
- Roedd yn ofynnol i bob aelod o fyddin yr Almaen dyngu llw am yr ail waith, drwy enw, i Hitler ar 24 Gorffennaf 1944.
- Cafodd y saliwt milwrol ei ddileu drwy'r lluoedd arfog a defnyddiwyd y cyfarchiad Almaenig gyda'r fraich yn cael ei hymestyn i'r awyr a'r cyfarchiad '***Heil Hitler***'.
- Ni fu diwedd cynnar i'r rhyfel. Aeth ymlaen hyd at fis Mai 1945.

TASGAU

1. Defnyddiwch Ffynhonnell A ar dudalen 193 a'ch gwybodaeth eich hun i egluro pam y cynllwyniodd Stauffenberg yn erbyn Hitler. (Am arweiniad ar sut i ateb y math hwn o gwestiwn, edrychwch ar dudalen 132.)
2. Pa mor ddefnyddiol yw Ffynhonnell B ar dudalen 193 i hanesydd sy'n astudio Cynllwyn Gorffennaf? (Am arweiniad ar sut i ateb y math hwn o gwestiwn, edrychwch ar dudalennau 155–56.)
3. Beth y mae Ffynhonnell C yn ei ddangos i chi am Gynllwyn Bom Gorffennaf? (Am arweiniad ar sut i ateb y math hwn o gwestiwn, edrychwch ar dudalen 118.)
4. Eglurwch pam na fu Cynllwyn Gorffennaf yn llwyddiannus. (Am arweiniad ar sut i ateb y math hwn o gwestiwn, edrychwch ar dudalen 188.)
5. Meddyliwch am bennawd papur newydd neu ddarllediad radio i'w gyhoeddi gan y Natsïaid yn syth ar ôl yr ymgais aflwyddiannus i ladd Hitler.

Arweiniad ar arholiadau

Mae'r adran hon yn rhoi arweiniad ar sut i ateb cwestiynau 2(ch) a 3(ch) yn Unedau 1 a 2. Cwestiwn ateb estynedig yw hwn sy'n cynnwys strwythur i'ch helpu i gynllunio eich ateb. Mae'n werth 10 marc.

Cwestiynau 2(ch) a 3(ch) – defnyddio eich gwybodaeth eich hun a'r strwythur i ysgrifennu traethawd sy'n ystyried y ddau safbwynt

A ddaeth y gwrthwynebiad cryfaf i'r Natsïaid yn ystod blynyddoedd y rhyfel oddi wrth byddin yr Almaen? Eglurwch eich ateb yn llawn. (10 marc)

Dylech roi safbwyntiau'r ddwy ochr i'r cwestiwn hwn:

- trafodwch y gwrthwynebiad gan fyddin yr Almaen
- trafodwch wrthwynebiad y sectorau eraill

a dod i benderfyniad.

Gweler tudalen 196 am arweiniad pellach ar sut i strwythuro eich traethawd i'r cwestiwn uchod.

Rhowch gynnig arni

Ai gwrthwynebiad gan grwpiau crefyddol o fewn yr Almaen oedd yr her fwyaf difrifol i reolaeth y Natsïaid yn ystod y rhyfel? Eglurwch eich ateb yn llawn. (10 marc)

Dylech roi safbwyntiau'r ddwy ochr i'r cwestiwn hwn:

- trafodwch y gwrthwynebiad gan grwpiau crefyddol
- trafodwch wrthwynebiad y sectorau eraill

a dod i benderfyniad.

Cyngor ar sut i ateb

- Mae angen i chi ddatblygu ateb sy'n rhoi safbwyntiau'r ddwy ochr yn gytbwys gyda chefnogaeth dda.
- Dylech ddechrau drwy drafod yr hyn sy'n cael ei nodi yn y cwestiwn, gan ddefnyddio eich gwybodaeth ffeithiol i egluro pam y mae'r mater hwn yn bwysig.
- Yna mae angen i chi ystyried yr wrthddadl drwy ddefnyddio eich gwybodaeth i archwilio ffactorau perthnasol eraill.
- Mae angen trafod y pwyntiau hyn yn fanwl, gan ddechrau paragraff newydd ar gyfer pob pwynt.
- Ceisiwch gysylltu'r paragraffau drwy ddefnyddio geiriau fel 'mae ffactorau eraill yn cynnwys', 'hefyd yn bwysig', 'yn ogystal â', 'fodd bynnag'.
- Ceisiwch osgoi sylwadau cyffredinol – po fwyaf penodol yw eich sylwadau, yr uchaf fydd eich marc, cyn belled â bod y wybodaeth ffeithiol yn berthnasol i'r cwestiwn.
- I gloi eich ateb dylech gyfeirio yn ôl at y cwestiwn, gan ddod i benderfyniad am bwysigrwydd y mater sy'n cael ei restru yn y cwestiwn wrth ei gymharu â'r ffactorau eraill rydych wedi'u trafod.
- Dylech geisio ysgrifennu rhwng un a dwy ochr tudalen.

Cyflwyniad sy'n cysylltu â'r cwestiwn.

Ymdrin â'r mater allweddol a nodir yn y cwestiwn.

Rhoi manylion cywir i gefnogi'r ddadl.

Dechrau'r wrthddadl. Mae defnyddio'r term 'fodd bynnag' yn dangos yn glir eich bod yn awr yn edrych ar ffactorau eraill.

Trafodir ffactorau eraill fel grwpiau ieuenctid, myfyrwyr prifysgol, yr Eglwys.

Dechrau paragraff newydd ar gyfer pob ffactor newydd.

Casgliad wedi'i resymegu'n dda sy'n dod i benderfyniad clir sy'n cysylltu'n ôl â'r cwestiwn.

Ymateb ymgeisydd – cynllunio eich traethawd drwy ddefnyddio strwythur

Yn ystod blynyddoedd y rhyfel daeth y gwrthwynebiad i reolaeth y Natsïaid yn yr Almaen yn fwy agored ac yn fwy eang. Gwelwyd gwrthwynebiad gan sawl rhan o'r gymdeithas ond roedd yn amrywio o ran ei rym a'i effeithiolrwydd.

Un o'r gwrthwynebiadau mwyaf difrifol oedd gan ran o fyddin yr Almaen. Yng Ngorffennaf 1944 defnyddiodd grŵp o brif gadfridogion a oedd yn cynnal cyfarfodydd cyson â Hitler eu safle i geisio ei ladd gyda bom a oedd wedi'i osod yn ...

Er bod yr ymgais hon wedi dod yn agos at ladd Hitler, ni lwyddodd yn y diwedd. Fodd bynnag, cododd grwpiau o wrthwynebwyr eraill ar draws yr Almaen mewn protest yn erbyn rheolaeth y Natsïaid. Heriodd rhai pobl ifanc fel y Swing Kids yr awdurdodau drwy wrando ar gerddoriaeth jazz a ...

Yn yr un modd, dangosodd myfyrwyr ym Mhrifysgol München a oedd yn aelodau o grŵp y Rhosyn Gwyn wrthwynebiad agored drwy ...

Daeth grwpiau crefyddol hefyd yn fwy agored yn eu beirniadaeth o bolisïau Natsïaidd yn ystod blynyddoedd y rhyfel. Beirniadodd Archesgob Pabyddol Münster, sef Esgob von Galen, y polisi ewthanasia ac roedd offeiriaid Protestannaidd yr un mor feirniadol o weithredoedd y Natsïaid ...

Roedd y rhyfel yn llyncu holl adnoddau'r Natsïaid ac roedd hyn yn ei gwneud yn haws i bobl gyffredin ddefnyddio rhai dulliau o wrthwynebiad. Roedd rhai yn gwrando ar ddarllediadau BBC ar eu setiau radio i ddarganfod beth oedd yn digwydd yn y rhyfel mewn gwirionedd, roedd eraill ...

Daeth gwrthwynebiad i reolaeth y Natsïaid yn fwy cyffredin ac yn fwy agored yn ystod blynyddoedd y rhyfel. Daeth y gwrthwynebiad hwn o sawl rhan o'r gymdeithas, gan grwpiau ieuenctid yr Almaen, gan fyfyrwyr prifysgol, gan arweinwyr eglwysig a chan unigolion cyffredin. Fodd bynnag, y bygythiad mwyaf oedd y fyddin, oddi wrth grŵp o brif gadfridogion a ddaeth yn agos iawn at ladd Hitler yng Ngorffennaf 1944. Dangosodd hyn fod llawer o Almaenwyr yn anhapus gyda rheolaeth y Natsïaid a'u bod yn barod i'w wrthwynebu.

18 Beth oedd y sefyllfa yn yr Almaen ar ôl iddi gael ei gorchfygu'n llwyr yn y rhyfel?

Ffynhonnell A Map o Ewrop, 1943, yn dangos y tiroedd a feddiannwyd gan yr Almaen a'r Eidal yn Ewrop

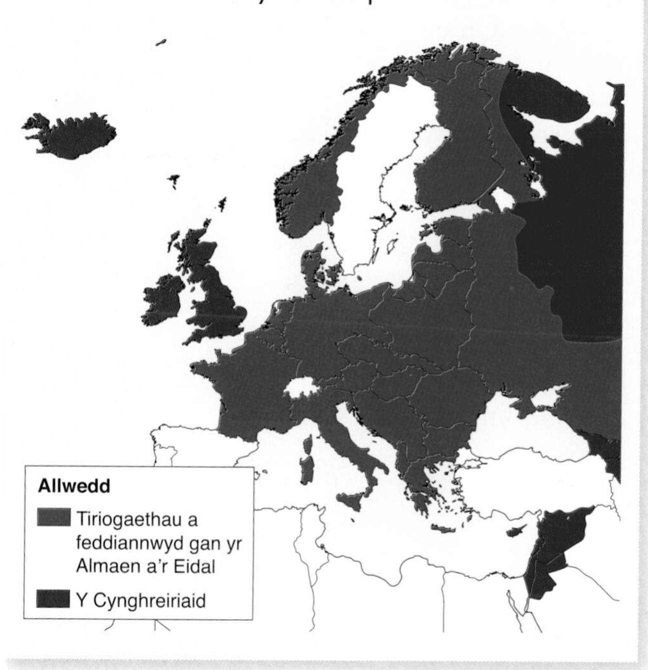

TASG

Beth y mae Ffynhonnell A yn ei ddangos i chi am y tiroedd a feddiannwyd gan yr Almaen yn Ewrop? (Am arweiniad ar sut i ateb y math hwn o gwestiwn, edrychwch ar dudalen 118.)

Erbyn diwedd 1942, roedd y Cynghreiriaid yn teimlo fod y rhod yn troi o'u plaid. Yng Ngogledd Affrica, yn dilyn Brwydr El Alamein (Hydref–Tachwedd 1942), gorfodwyd lluoedd yr Almaen i droi'n ôl. Yna, bu'n rhaid iddynt wynebu'r Cynghreiriad yn glanio ym Moroco ac Algeria ond yn y diwedd cawsant eu gwthio allan o Ogledd Affrica. Ildiodd gweddill byddin yr Almaen yno ym mis Mai 1943. Yn dilyn y buddugoliaethau hyn, aeth y Cynghreiriaid ymlaen i oresgyn Sicilia ym mis Gorffennaf a thir mawr yr Eidal ym mis Medi. Ildiodd yr Eidal yn ystod y mis hwnnw.

Roedd 1943 hefyd yn drobwynt i'r Undeb Sofietaidd pan godwyd y gwarchae ar Stalingrad. Yng Ngorffennaf 1943 trechwyd yr Almaenwyr ym Mrwydr Kursk, lle collwyd 2000 o danciau, ac yna dechreuodd yr Undeb Sofietaidd eu cyrch tua'r gorllewin yn gyflym iawn.

Erbyn 1943, roedd ymdrechion yr Almaen ym Mrwydr Cefnfor Iwerydd i oresgyn Prydain trwy newyn wedi methu ac nid oedd eu llongau tanfor yn dal i fod yn fygythiad mawr. Sefydlwyd ail ffrynt ym Mehefin 1944, pan laniodd y Cynghreiriaid yn Normandie. Rhyddhawyd Paris yn Awst ond roedd cynnydd y Cynghreiriaid yn araf. Fodd bynnag, methodd gambl olaf Hitler ym Mrwydr y Bulge ac yna meddiannwyd yr Almaen gan y Cynghreiriaid a'i rhannu yn bedwar rhanbarth milwrol. Rhoddwyd yr arweinwyr Natsïaidd a gafodd eu dal ar brawf yn Nürnberg (Nuremberg).

Mae'r bennod hon yn ateb y cwestiynau canlynol:

- Sut y cafodd yr Almaen ei gorchfygu?
- Sut y cafodd yr Almaen ei chosbi gan y Cynghreiriaid?
- Beth ddigwyddodd i'r Almaen ar ôl y rhyfel?

Arweiniad ar arholiadau

Yn y bennod hon byddwch yn cael y cyfle i ymarfer cwestiynau arholiad o wahanol arddull.

Sut y cafodd yr Almaen ei gorchfygu?

Llwyddiant y Cynghreiriaid yn y Gorllewin, 1944–45

Ffynhonnell A Un o'r traethau pan oresgynwyd Normandie, Dydd-D, 6 Mehefin 1944

TASG

1 Beth y mae Ffynhonnell A yn ei ddangos i chi am y glanio yn Normandie gan y Cynghreiriaid ar 6 Mehefin 1944? (Am arweiniad ar sut i ateb y math hwn o gwestiwn, edrychwch ar dudalen 118.)

Ar 6 Mehefin 1944, trefnodd y Cynghreiriaid ail ffrynt (y ffrynt Dwyreiniol oedd y llall) pan laniodd byddinoedd o Loegr yn Normandie, sef **Glaniadau Dydd-D** (*D-Day Landings*). Ar ôl llwyddo i sefydlu ardaloedd diogel, cafodd y Cynghreiriaid drafferthion wrth feddiannu Normandie, ond llwyddwyd i wneud hynny yn y pen draw ac, ar 25 Awst, rhyddhawyd Paris.

Ar ôl hyn, symudodd y Cynghreiriaid tuag at Wlad Belg a Luxembourg, ond wrth i'r hydref agosáu, roedd y symudiad tuag at yr Almaen yn araf. Yn ei ddyhead i ddod â'r rhyfel i ben yn y Gorllewin, awgrymodd y Cadfridog Montgomery y dylid ymosod o'r awyr y tu ôl i luoedd yr Almaenwyr. *Operation Market Garden* oedd llysenw'r ymgyrch. Bwriad Montgomery oedd diogelu pontydd allweddol y Rheine er mwyn i'r Cynghreiriaid allu symud ymlaen yn gyflymach tua'r gogledd a chyrraedd iseldiroedd yr Almaen gan osgoi amddiffynfeydd yr Almaenwyr. Pe bai'r fenter yn llwyddo, amcangyfrifwyd y byddai Cynghreiriaid y Gorllewin wedi cyrraedd Berlin erbyn Nadolig 1944, cyn byddinoedd yr Undeb Sofietaidd. Dechreuodd yr ymgyrch ar 17 Medi, ond bu'n aflwyddiannus oherwydd cyfathrebu radio gwael, tywydd garw a gwybodaeth wael.

Brwydr y Bulge

Ffynhonnell B Map o symudiad yr Almaen ym Mrwydr y Bulge

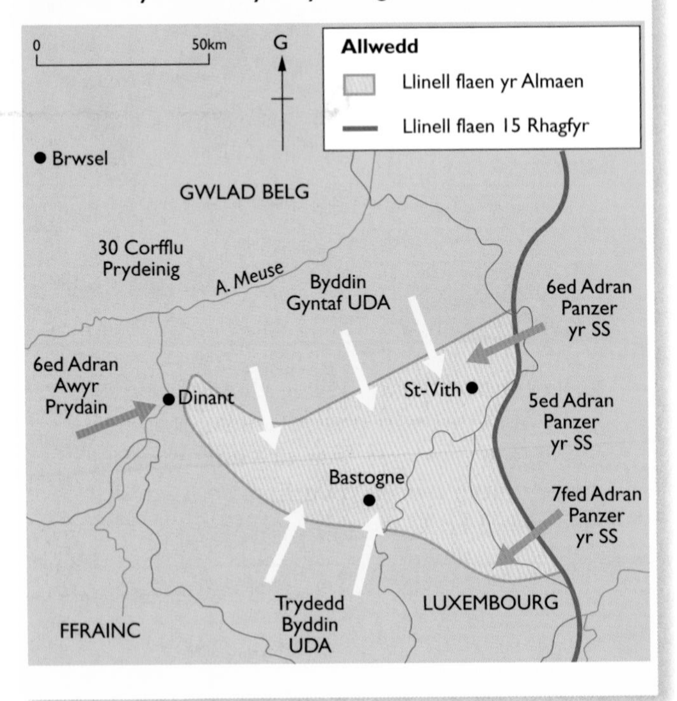

Am y tro olaf, yn Rhagfyr 1944, ymdrechodd Hitler i orchfygu'r Cynghreiriaid yn y Gorllewin. Roedd eisiau rhannu'r Cynghreiriaid a'u hatal rhag defnyddio porthladd Antwerpen yn yr Iseldiroedd.

Aeth ati i ymosod drwy'r Ardennes gan lwyddo i ddal y gelyn yn gwbl ddirybudd. Lansiwyd yr ymosodiad ar 16 Rhagfyr a symudodd yr Almaenwyr ymlaen yn gyflym i Wlad Belg a Luxembourg, gan ymwthio i mewn i luoedd America a chreu 'toriad' (gweler Ffynhonnell B). Cafwyd brwydro ffyrnig, a lladdwyd tua 80,000 o Americanwyr a tua 100,000 o Almaenwyr.

Fodd bynnag, roedd canlyniadau Brwydr y Bulge yn ddinistriol iawn i'r Almaenwyr. Roedd eu holl adnoddau nawr wedi cael eu defnyddio a gwthiwyd byddinoedd yr Almaen yn ôl o gyfeiriad y Gorllewin a'r Dwyrain – nid oedd modd gwrthsefyll grym y Cynghreiriaid rhagor. Ar 9 Mawrth 1945, llwyddodd y Cynghreiriaid, o'r diwedd, i groesi'r Afon Rheine yn Remagen ac, ym mis Ebrill, ymosododd byddinoedd y Sofietiaid ar Berlin.

Gwrthododd Hitler ystyried gorffen y rhyfel, ond roedd pobl yr Almaen hefyd yn ofni'r Rwsiaid yn fawr a bu'r frwydr i'w cadw draw yn un galed dros ben.

TASGAU

2 Eglurwch pam y lansiwyd *Operation Market Garden*. (Am arweiniad ar sut i ateb y math hwn o gwestiwn, edrychwch ar dudalen 188.)

3 Beth y mae Ffynhonnell B yn ei ddangos i chi am Frwydr y Bulge? (Am arweiniad ar sut i ateb y math hwn o gwestiwn, edrychwch ar dudalen 118.)

4 Eglurwch pam yr oedd Brwydr y Bulge yn fethiant i'r Almaen.

5 Beth y mae Ffynhonnell C yn ei ddangos i chi am symudiad y Sofietiaid i mewn i Ddwyrain Ewrop yn 1945? (Am arweiniad ar sut i ateb y math hwn o gwestiwn, edrychwch ar dudalen 118.)

Datblygiadau ar y Ffrynt Dwyreiniol, 1943–45

Erbyn haf 1943, roedd gan yr Undeb Sofietaidd dair gwaith cymaint o danciau â'r Almaenwyr ac roeddent yn eu cynhyrchu ar raddfa anhygoel. Roedd yr Almaen yn wynebu gelyn gyfoethog iawn o safbwynt rhif eu milwyr a'u deunyddiau rhyfel ac nid oedd modd iddynt wrthsefyll grym y Sofietiaid. Yr hyn a oedd yn ofnadwy am y rhyfel yn y Dwyrain oedd ei faint, ei greulondeb a'i ddwyster. Lladdwyd miliynau o sifiliaid yn ogystal â miliynau o filwyr. Nid oes neb yn gwybod yn union faint o sifiliaid Sofietaidd a laddwyd, ond mae'r ffigur rhwng 7 miliwn ac 20 miliwn. Roedd yr Almaenwyr yn ystyried sifiliaid Sofietaidd yn is-ddynol (*Untermenschen*) ac felly nid oeddent yn haeddu cael eu trin fel pobl gyffredin.

Ffynhonnell C Map yn dangos y digwyddiadau allweddol ar y Ffrynt Dwyreiniol, 1941–45

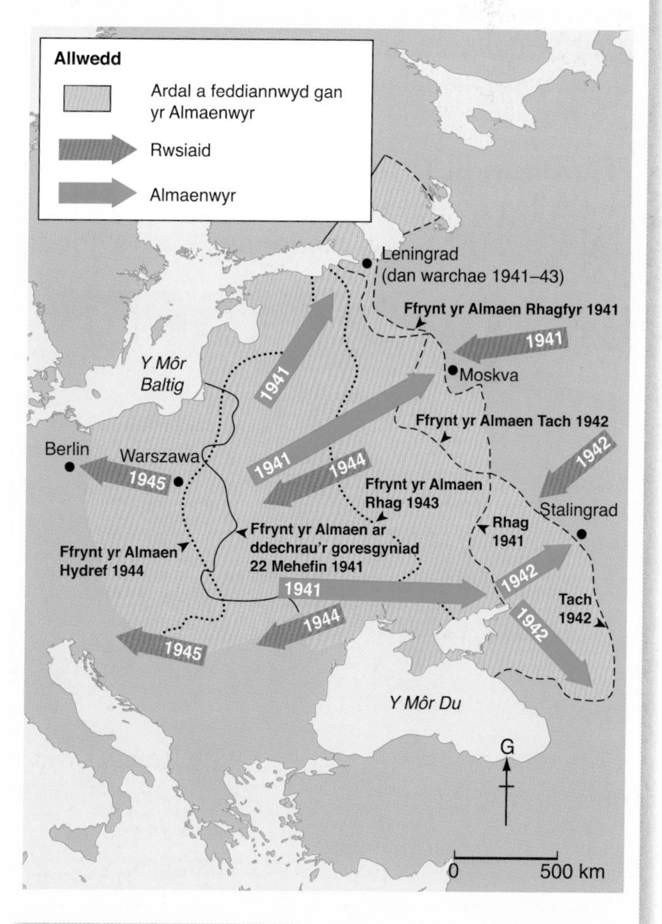

Cwymp Berlin

Nid oedd un byddin Almaenig yn meddiannu'r Undeb Sofietaidd erbyn diwedd 1944. Rhyddhawyd Warszawa yng Ngwlad Pwyl ar 17 Ionawr, Budapest yn Hwngari ar 11 Chwefror a Wien (Vienna) yn Awstria ar 13 Ebrill.

Dechreuodd y Sofietiaid eu cyrch olaf ar Berlin ar 16 Ebrill gyda chymorth tua 1.5 miliwn o filwyr, 6300 o danciau ac 8500 o awyrennau. Gollyngwyd miliynau o ffrwydron ar Berlin – dinas a oedd wedi profi dwy flynedd o gyrchoedd bomio diddiwedd gan y Prydeinwyr a'r Americanwyr yn barod. Amgylchynwyd Berlin erbyn 24 Ebrill gyda'r brwydro nawr yn digwydd o dŷ i dŷ. Ar ôl eu hamgylchynu, roedd tua 100,000 o filwyr Almaenig ar ôl (sef hen ddynion yn bennaf – aelodau'r *Volkssturm* – neu aelodau o Fudiad Ieuenctid Hitler). Prin iawn oedd y posibilrwydd o lwyddiant yn erbyn y byddinoedd Sofietaidd a oedd wedi'u hyfforddi'n dda.

Wrth i fyddinoedd Sofietaidd symud i mewn i Berlin, daethant yn anodd eu rheoli ac nid oedd unrhyw ddisgyblaeth, yn enwedig pan ddaethant o hyd i gyflenwadau o alcohol. Cafwyd trais rhywiol, ysbeilio, a thrais ar raddfa fawr.

Ar 2 Mai, gorchmynnodd y Cadfridog Weidling, pennaeth amddiffyn Berlin, bod byddinoedd amddiffyn yr Almaen yn ildio i'r Fyddin Goch. Ond, ni wnaeth pob un o fyddinoedd yr Almaen ildio yn sgil y gorchymyn swyddogol, a pharhaodd rhai i frwydro tan 8 Mai. Roedd tua 300,000 o filwyr Sofietaidd wedi'u lladd neu eu hanafu yn y frwydr am y ddinas.

Ffynhonnell CH Rhan o *Laughter Wasn't Rationed* gan Dorothea von Schwanenfluegel, Almaenes a oedd yn byw yn Berlin yn 1945. Ysgrifennodd yn 1999

Yr ochr arall i'r stryd roedd bachgen ifanc a oedd yn edrych yn drist. Roedd wedi cloddio ffos isel ar ei gyfer ei hun ac roedd yn sefyll ynddo, y tu ôl i ychydig o lwyni. Wrth agosáu ato, gwelais mai plentyn ydoedd mewn lifrai llawer rhy fawr, gyda grenâd i ddinistrio tanciau wrth ei ochr. Roedd dagrau ar ei wyneb ac roedd yn amlwg bod ofn pawb arno. Gofynnais yn dawel iawn iddo beth oedd yn ei wneud yno. Dywedodd ei fod wedi cael gorchymyn i aros yno nes bod tanc Sofietaidd yn pasio er mwyn rhedeg o dan y tanc a ffrwydro'r grenâd. Gofynnais iddo sut fyddai hynny'n gweithio, ond nid oedd yn gwybod.

Ffynhonnell D Hitler yn rhoi'r Groes Haearn i aelodau Mudiad Ieuenctid Hitler a oedd yn amddiffyn Berlin rhag ymosodiad y Sofietiaid, 20 Ebrill 1945. Dyma ben-blwydd Hitler yn 56 oed a'r tro olaf iddo ymddangos yn gyhoeddus

Ffynhonnell DD Gwraig tŷ o Berlin yn ysgrifennu yn Ebrill 1945

Cyhoeddodd y radio fod Hitler wedi dod allan o'i fyncer diogel i siarad â'r bechgyn 14 i 16 oed a oedd wedi 'gwirfoddoli' am yr 'anrhydedd' o gael eu derbyn i'r SS a marw dros eu Führer wrth amddiffyn Berlin. Sôn am gelwydd creulon! Nid gwirfoddoli oedd hyn, nid oedd dewis ganddynt. Byddai'r bechgyn a oedd yn mynd i guddio yn cael eu dal a'u crogi fel bradwyr gan yr SS gyda'r rhybudd 'mae'r rhai sy'n rhy llwfr i ymladd yn gorfod marw'. Pan nad oedd coed ar gael, roedd pobl yn cael eu hongian wrth bostyn lamp. Roedden nhw'n hongian ym mhobman, milwyr a sifiliaid, dynion a menywod, pobl gyffredin yn cael eu dienyddio gan grŵp bach o eithafwyr.

Ffynhonnell E Milwr Sofietaidd yn gosod y faner Sofietaidd ar adeilad y *Reichstag* yn Berlin, 2 Mai 1945

TASGAU

6 I ba raddau y mae Ffynhonnell CH yn cefnogi'r farn bod byddin yr Almaen ar fin colli'r frwydr? (Am arweiniad ar sut i ateb y math hwn o gwestiwn, edrychwch ar dudalen 141.)

7 Beth y mae Ffynhonnell D yn ei ddangos i chi am Fudiad Ieuenctid Hitler yn 1945? (Am arweiniad ar sut i ateb y math hwn o gwestiwn, edrychwch ar dudalen 118.)

8 Pa mor ddefnyddiol yw Ffynhonnell DD i hanesydd sy'n astudio diwedd y gyfundrefn Natsïaidd yn 1945? (Am arweiniad ar sut i ateb y math hwn o gwestiwn, edrychwch ar dudalennau 155–56.)

9 Astudiwch Ffynhonnell E. Pam rydych yn meddwl ei bod yn bwysig i'r Undeb Sofietaidd chwifio'u baner dros Berlin ym Mai 1945?

10 Ailddarllenwch dudalennau 198–201. Lluniwch linell-amser o 6 Mehefin 1944 i 8 Mai 1945 yn dangos y digwyddiadau allweddol. Rhowch ddigwyddiadau Prydeinig/UDA ar un ochr i'r llinell, a digwyddiadau'r Undeb Sofietaidd ar yr ochr arall.

11 Disgrifiwch yr ymosodiad Sofietaidd ar Berlin. (Am gyngor ar sut i ateb y math hwn o gwestiwn, edrychwch ar dudalen 175.)

Marwolaeth Hitler

Yn ystod yr ymosodiad Sofietaidd ar Berlin, roedd Hitler yn ei fyncer tanddaearol yn Llys Canghellor y Reich, ar wahân i realiti y byd tu allan. Roedd wedi derbyn, o'r diwedd, na allai ennill y rhyfel, ac nad oedd dihangfa, ac aeth ati i wneud ei drefniadau terfynol. Tua hanner nos ar 28 Ebrill, priododd Hitler ag Eva Braun. Yn ddiddorol, gan gydymffurfio â gofynion Natsïaidd, roedd yn rhaid i'r swyddog ofyn i Hitler ac Eva Braun a oeddent o waed pur Ariaidd ac a oeddent yn rhydd o salwch etifeddol.

Ar ôl y briodas, ysgrifennodd Hitler ei destament gwleidyddol gan honni bod y rhyfel ac anffawd yr Almaen wedi'u hachosi gan Iddewiaeth ryngwladol. Aeth hefyd ati i ddiarddel Himmler a Goering o'r Blaid Natsïaidd ar sail brad. Yna, rhannodd ei swyddi ei hun rhwng y Llyngesydd Dönitz a Goebbels. Byddai Dönitz yn ei ddilyn fel Pennaeth y Wladwriaeth a Chadlywydd Goruchaf y Lluoedd Arfog a byddai Goebbels yn Bennaeth y Llywodraeth a hefyd yn Ganghellor.

Ar 30 Ebrill, lladdodd Hitler ei hun – ynghyd ag Eva. Roedd wedi bwriadu defnyddio capsiwlau cyanid ac roedd wedi arbrofi gyda'r rhain ar ei gi, Blondi. Cymerwyd y ci a'r cŵn bach i ardd Llys Canghellor y Reich a'u lladd.

Roedd Hitler wedi mynnu y dylid llosgi ei gorff ef a chorff ei wraig. Roedd wedi clywed beth oedd wedi digwydd i gorff Mussolini, a oedd wedi cael ei arddangos yn gyhoeddus ym Milano (Milan), ac nid oedd eisiau i'r un peth ddigwydd i'w gorff ef. Am 3.30 p.m., darganfuwyd cyrff Hitler a'i wraig yn eu hystafelloedd preifat gan Martin Bormann a Josef Goebbels. Roedd twll bwled gan Hitler ar ochr dde ei ben tu ôl i'w lygaid ac roedd Eva wedi marw ar ôl llyncu gwenwyn. Lapiwyd y cyrff mewn blancedi a'u cludo i fynedfa Llys y Canghellor. Trochwyd y cyrff mewn petrol a chawsant eu llosgi.

Yn ôl tystiolaeth gwarchodwyr Llys y Canghellor, roedd y ddau gorff wedi llosgi'n llwyr ac nad oedd modd eu hadnabod. Ar 4 Mai, aeth byddinoedd y Sofietiaid â gweddillion y cyrff i gael eu harchwilio. Defnyddiodd yr awdurdodau Sofietaidd Fritz Echtmann, technegydd deintyddol a oedd wedi gweithio i ddeintydd Hitler, i archwilio asgwrn gên a dwy bont o'r gweddillion. Defnyddiodd Echtmann y cofnodion a oedd ar gael er mwyn cadarnhau mai Hitler a'i wraig oedd y cyrff.

Ar 1 Mai, lladdodd Goebbels a'i wraig eu hunain yn Llys y Canghellor (ar ôl rhoi gwenwyn i'w chwe phlentyn). Roedd y prif Natsi arall yn Llys y Canghellor, Martin Bormann, wedi dianc ar 2 Mai yn ôl pob sôn. Yna, penodwyd Schwerin von Krosigk yn Ganghellor gan y Prif Lyngesydd Dönitz a cheisiwyd ffurfio llywodraeth. Cafodd Himmler a Goering eu diarddel. Cadwodd Dönitz Keitel a Jodl yn arweinwyr y *Wehrmacht*.

TASGAU

12 Ysgrifennwch bennawd papur newydd ac adroddiad am y dyddiau olaf ym myncer Hitler yn Llys y Canghellor. Ceisiwch wneud yr erthygl mor gyffrous â phosibl.

13 Eglurwch pam yr oedd Hitler wedi lladd ei hun yn Ebrill 1945. (Am arweiniad ar sut i ateb y math hwn o gwestiwn, edrychwch ar dudalen 188.)

Pam y trechwyd yr Almaen – ffactorau eraill

- Dinistriodd yr **RAF** ac **USAAF** adeiladau diwydiannol, ffyrdd, pontydd, gorsafoedd rheilffyrdd a ffatrïoedd arfau rhyfel. Fodd bynnag, nid oedd cynhyrchiant diwydiant yr Almaen wedi syrthio tan yn gynnar yn 1945 ac mae'n anodd mesur effaith yr ymgyrch fomio ar sifiliaid. Amcangyfrifwyd bod tua 600,000 o sifiliaid yr Almaen wedi'u lladd yn sgil bomiau'r Cynghreiriaid.
- Roedd gan y Cynghreiriaid gymaint o adnoddau diwydiannol fel nad oedd yn bosibl i'r Almaen a'i chynghreiriaid gystadlu yn eu herbyn.
- Trwy oresgyn yr Undeb Sofietaidd roedd yn rhaid i Hitler ymladd rhyfel ar ddau ffrynt ac, hefyd, roedd yn rhaid iddo anfon sawl adran i gynorthwyo'r Eidal yng Ngogledd Affrica ac yna yn yr Eidal ei hun.
- Roedd y rhyfel ar y môr yn fethiant i'r Almaen. Roedd bygythiad y llongau tanfor yn broblem fawr yn 1942 pan suddwyd bron 1200 o longau'r Cynghreiriaid. Ond oherwydd y datblygiadau technegol – sonar, ffrwydron tanddwr a radar centimetrig – llwyddodd y Cynghreiriaid i drechu'r llongau tanfor. Roedd y Cynghreiriaid yn gallu cynhyrchu llongau newydd yn lle'r rhai a oedd wedi'u dinistrio ac, yn 1944, dim ond 117 o longau'r Cynghreiriaid a suddwyd gan longau tanfor Almaenig.

Ffynhonnell F Cartŵn Sofietaidd o 1942 yn dangos Hitler yn cael ei dagu gan y Cynghreiriaid

Ffynhonnell FF Map o ardaloedd o'r Almaen a fomiwyd gan y Cynghreiriaid yn yr Ail Ryfel Byd

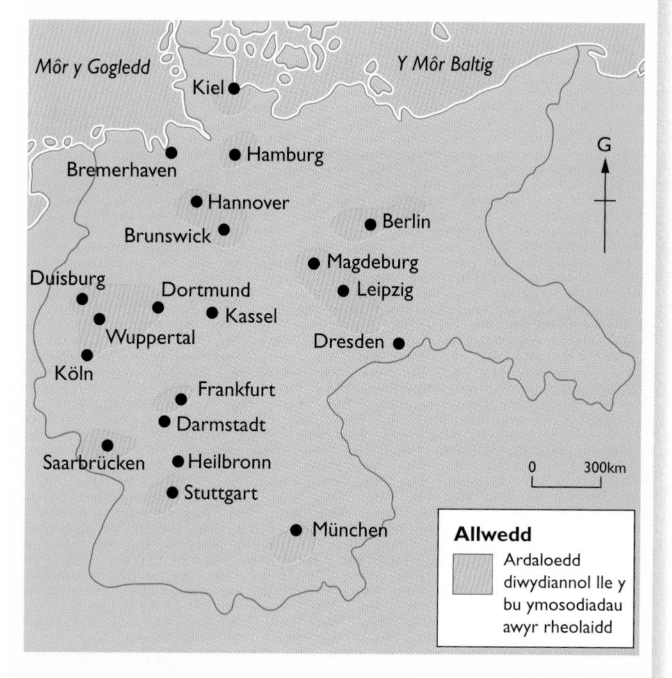

- Arweiniodd y ffordd roedd yr Almaenwyr yn trin sifiliaid yn y gwledydd a feddiannwyd ganddynt at dwf y gwrthsafiad neu grwpiau partisan. Cafodd y grwpiau hyn, yn enwedig yn Ffrainc, gymorth gan y Cynghreiriaid ac, o ganlyniad, roedd yn rhaid i'r Almaen gadw llawer o filwyr yn yr ardaloedd hyn yn bell o'r ymladd gwirioneddol.
- Mae haneswyr yn aml yn cyfeirio at y camgymeriadau a achoswyd gan Hitler am iddo ymyrryd mewn materion milwrol, er enghraifft, mynnu bod tanciau Almaenig yn aros y tu allan i Dunkerque (Dunkirk), gwrthod gadael i'w filwyr dynnu'n ôl o Stalingrad a'r ffaith iddo gredu mai ymosodiad ffug oedd cyrch Normandie. Hefyd, roedd Hitler yn wynebu tri arweinydd grymus, Churchill, Roosvelt a Stalin, a fu'n ysbrydoliaeth i'w pobl drwy gydol blynyddoedd y rhyfel.
- Roedd pobl gyffredin Prydain a'r UDA yn unedig yn eu cred eu bod yn brwydro i gael gwared ar ormes yn Ewrop. Hefyd, roeddent yn credu yn eu haberth er mwyn creu gwell dyfodol i'r byd.

TASGAU

14 Meddyliwch am bennawd ar gyfer Ffynhonnell F.

15 Pa mor ddefnyddiol yw Ffynhonnell F i hanesydd sy'n astudio gorchfygiad yr Almaen? (Am arweiniad ar sut i ateb y math hwn o gwestiwn, edrychwch ar dudalennau 155–56.)

16 Beth y mae Ffynhonnell FF yn ei ddangos i chi am ymgyrchoedd bomio'r Cynghreiriaid yn yr Almaen? (Am arweiniad ar sut i ateb y math hwn o gwestiwn, edrychwch ar dudalen 118.)

17 Ai bomio'r Cynghreiriaid oedd y rheswm pwysicaf dros orchfygiad yr Almaen yn 1945? Eglurwch eich ateb yn llawn. Efallai y byddwch eisiau trafod y canlynol yn eich ateb.

Dylech roi safbwyntiau'r ddwy ochr i'r cwestiwn hwn:

- trafodwch ymgyrchoedd bomio'r Cynghreiriaid a'u heffaith
- trafodwch y ffactorau eraill a arweiniodd at orchfygiad yr Almaen

a dod i benderfyniad.

(Am arweiniad ar sut i ateb y math hwn o gwestiwn, edrychwch ar dudalennau 195–96.)

Yr Almaen yn ildio

Yn dilyn y digwyddiadau yn Llys y Canghellor (gweler tudalen 202), dechreuodd y Llyngesydd Dönitz drafod gyda Chadfridog Eisenhower yr UDA yn Reims yn Ffrainc, gan obeithio sicrhau gwell amodau na gyda'r Undeb Sofietaidd. Roedd eisiau gwneud yn siŵr bod cyn lleied o filwyr Almaenig â phosibl yn gorfod ildio i fyddin y Sofietiaid. Fodd bynnag, mynnodd Eisenhower, fod yr Almaen yn ildio'n llwyr ac yn ddiamod ar bob ffrynt. Pe na baent yn ildio, roedd Eisenhower yn bygwth ailddechrau'r cyrchoedd awyr. Gwelodd Dönitz mai ei unig ddewis oedd ildio a llofnododd ei gynrychiolydd, Pennaeth Staff Ymgyrchoedd Cadlywyddiaeth y Lluoedd Arfog, Alfred Jodl, y dogfennau ildio.

Llofnodwyd yr Offeryn Ildio cyntaf, y ddogfen swyddogol a oedd yn nodi diwedd yr ymladd, yn Reims, Ffrainc am 2.41 a.m., 7 Mai 1945. Cyhoeddodd Cadlywyddiaeth yr Almaen orchmynion i bob milwr o dan ei awdurdod roi'r gorau i ymgyrchoedd gweithredol am 11.01 p.m., yn union, ar 8 Mai. Llofnodwyd ail Ddeddf Ildio Milwrol ar 8 Mai gan fod Stalin yn credu nad oedd cynrychiolwyr Sofietaidd y diwrnod blaenorol wedi bod ar lefel ddigon uchel.

Ffotograff o'r awyr yn dangos y difrod i orsaf Anhalter ger Potsdamer Platz yn Berlin yn 1945. Roedd yn un o orsafoedd mwyaf y ddinas a ddinistriwyd gan fomiau'r Cynghreiriaid.

Yr Almaen ar ddiwedd y rhyfel

O fewn yr Almaen, achosodd y rhyfel ddifrod eang iawn. Roedd tua 3.25 miliwn o filwyr a 3.6 miliwn o sifiliaid wedi'u lladd ac roedd y wlad yn llawn o ffoaduriaid. Dihangodd miliynau rhag y lluoedd Sofietaidd ac ar ôl yr ildio, gorfodwyd miliynau o Almaenwyr i adael Gwlad Pwyl, Hwngari a Tsiecoslofacia. Roedd mwy na 25 y cant o'r holl gartrefi wedi'u dinistrio a dim ond 45 y cant o ysgolion oedd yn gyfan. Roedd y trefi a'r dinasoedd mawr bron i gyd yn rwbel.

Roedd yr economi mewn llanast a'r systemau cludiant wedi chwalu. Roedd arian yn ddi-werth felly cyfnewid nwyddau a gwasanaethau oedd y drefn yn awr.

TASGAU

18 Awgrymwch resymau pam y gwrthododd Eisenhower wneud amodau ar wahân gyda'r Almaenwyr.

19 Pam yr oedd pobl yr Almaen yn ofni'r lluoedd Sofietaidd?

20 Disgrifiwch gyflwr yr Almaen ym mis Mai 1945. (Am arweiniad ar sut i ateb y math hwn o gwestiwn, edrychwch ar dudalen 175.)

Sut y cafodd yr Almaen ei chosbi gan y Cynghreiriaid?

Cytunodd y Cynghreiriaid na ddylai'r Almaen byth eto gael y cyfle i ddinistrio heddwch Ewropeaidd fel yr oedd wedi'i wneud yn y ddau ryfel byd. Un o nodau allweddol y Cynghreiriaid oedd atal Almaen pwerus ac ymosodol yn y dyfodol. Felly, penderfynwyd yng Nghynadleddau Yalta a Potsdam y byddai'n rhaid **dadfilwro**, dadnatsieiddio a democrateiddio'r Almaen.

Cynhadledd Yalta, Chwefror 1945

Erbyn dechrau 1945 roedd yr Almaen ar fin colli'r rhyfel, gyda byddinoedd y Cynghreiriaid yn agosáu at Berlin. Tri arweinydd y Cynghreiriaid oedd Stalin yr arweinydd Sofietaidd, Roosevelt Arlywydd yr UDA, a Churchill Prif Weinidog Prydain (eu llysenw oedd y 'Tri Mawr'). Cynhaliwyd cyfarfod yn Yalta yn Chwefror 1945 i ystyried beth i'w wneud â'r Almaen ac Ewrop ar ôl sicrhau'r fuddugoliaeth. Roeddent yn dal i ofni Hitler ac yn gallu cytuno ar faterion allweddol yn bennaf. Fodd bynnag, roedd Stalin eisiau i'r Almaenwyr dalu **iawndal** enfawr ond cytunodd Roosevelt a Churchill nad oedd yn syniad da cosbi'r Almaen yn rhy llym. Ni allai'r Tri Mawr gytuno ar beth i'w wneud â Gwlad Pwyl. Gwnaed y penderfyniadau terfynol yn Potsdam, yng Ngorffennaf ac Awst y flwyddyn honno.

O ran yr Almaen, cytunwyd ar y canlynol:

- Byddai'r Undeb Sofietaidd yn ymuno â'r rhyfel yn erbyn Japan ar ôl i'r Almaen ildio.
- Rhannu'r Almaen yn bedwar rhanbarth: UDA, Prydeinig, Ffrengig a Sofietaidd (gweler y map ar dudalen 206).
- Rhannu Berlin yn bedwar rhanbarth yn yr un modd (gweler y map ar dudalen 206).
- Erlid troseddwyr rhyfel Natsïaidd a'u rhoi ar brawf mewn llys cyfiawnder rhyngwladol.
- Caniatáu i wledydd a oedd wedi'u rhyddhau rhag cael eu meddiannu gan fyddin yr Almaen i gynnal etholiadau rhydd i ddewis eu llywodraeth eu hunain.

TASG

1 Eglurwch pam y cynhaliwyd Cynhadledd Yalta. (Am arweiniad ar sut i ateb y math hwn o gwestiwn, edrychwch ar dudalen 188.)

Cynhadledd Potsdam, Gorffennaf 1945

Yn y pum mis rhwng y cynadleddau, digwyddodd nifer o newidiadau a effeithiodd yn fawr ar gysylltiadau a chanlyniad cynhadledd Potsdam. Rhyddhaodd byddinoedd Sofietaidd wledydd yn Nwyrain Ewrop ond ni chafwyd gwared ar eu presenoldeb milwrol. Erbyn Gorffennaf, roeddent wedi meddiannu Latvia, Lithuania, Estonia, Y Ffindir, Tsiecoslofacia, Hwngari, Bwlgaria a România.

Yn Potsdam, cytunodd y Cynghreiriaid ar y canlynol:

- Rhannu'r Almaen a Berlin yn ôl cytundeb Yalta. Roedd pedwar rhanbarth yr Almaen a phedwar sector Berlin yn cael eu meddiannu a'u gweinyddu fel un o'r Cynghreiriaid (gweler y map ar dudalen 206).
- Dadfilwro'r Almaen.
- Ailsefydlu democratiaeth yn yr Almaen, gan gynnwys etholiadau rhydd, gwasg rydd a rhyddid i fynegi barn.
- Byddai'n rhaid i'r Almaen dalu iawndal i'r Cynghreiriaid mewn cyfarpar a deunyddiau. Byddai'r mwyafrif o'r rhain yn mynd i'r Undeb Sofietaidd, a oedd wedi dioddef fwyaf. Byddai'r Undeb Sofietaidd yn derbyn chwarter y nwyddau diwydiannol a wnaed yn rhanbarthau'r gorllewin yn gyfnewid am fwyd a glo o'r rhanbarth Sofietaidd.
- Gwahardd y Blaid Natsïaidd. Collodd y Natsïaid eu swyddi pwysig a rhoddwyd Natsïaid blaenllaw ar brawf am droseddau rhyfel yn Nürnberg yn 1946.
- Symud ffin Gwlad Pwyl i'r gorllewin tuag at yr afonydd Oder a Neisse, gan ennill tir Almaenig.

TASGAU

2 Disgrifiwch y penderfyniadau a wnaed am yr Almaen yng Nghynhadledd Potsdam. (Am arweiniad ar sut i ateb y math hwn o gwestiwn, edrychwch ar dudalen 175.)

3 Astudiwch Ffynhonnell A ar dudalen 206. Awgrymwch resymau pam yr oedd rhannu Berlin yn broblem i'r Cynghreiriaid a'r Almaen.

Ffynhonnell A Map yn dangos rhaniad yr Almaen a Berlin yn 1948

Ffynhonnell B Cartŵn a gyhoeddwyd yn y *St Louis Post-Despatch* yn 1945. Y pennawd yw 'Tyst dros yr erlyniad'

© *St Louis Post-Despatch*, defnyddiwyd gyda chaniatâd, Cymdeithas Hanesyddol Talaith Missouri, Columbia

Treialon Nürnberg

Cytunodd y Cynghreiriaid i roi arweinwyr blaenllaw'r Almaen o dan y Natsïaid ar brawf fel troseddwyr rhyfel. Rhoddwyd dau ddeg dau o uwch swyddogion Natsïaidd ar brawf yn Nürnberg, lle a ddewiswyd oherwydd ei gysylltiad â datblygiad y Blaid Natsïaidd. Cyhuddwyd y diffynyddion o gynllwynio:

- i fynd i ryfel
- i gyflawni troseddau yn erbyn heddwch
- i gyflawni troseddau yn erbyn dynoliaeth (gan gynnwys y drosedd newydd o hil-laddiad)
- i gyflawni troseddau rhyfel fel cam-drin a llofruddio carcharorion.

Dechreuodd y treialon ar 21 Tachwedd 1945 a daethant i ben ar 1 Hydref 1946.

Rhoddwyd bron i 200 o Natsïaid eraill ar brawf yn Nürnberg, a chafwyd 142 yn euog o un cyhuddiad o leiaf. Dedfrydwyd dau ddeg pedwar diffynnydd i farwolaeth, ond newidiwyd 11 dedfryd i garchar am oes, dedfrydwyd 20 arall i garchar am oes, carcharwyd 98 a rhyddhawyd 35. Roedd yn rhaid gohirio achos pedwar diffynnydd oherwydd salwch a lladdodd pedwar arall eu hunain yn ystod y treialon.

Diffynyddion Nürnberg. Rhes flaen, o'r chwith i'r dde: Hermann Goering, Rudolf Hess, Joachim von Ribbentrop, Wilhelm Keitel, Ernst Kaltenbrunner, Alfred Rosenberg, Hans Frank, Wilhelm Frick, Julius Streicher, Walther Funk, Hjalmar Schacht. Rhes gefn o'r chwith i'r dde: Karl Dönitz, Erich Raeder, Baldur von Schirach, Fritz Sauckel, Alfred Jodl, Franz von Papen, Arthur Seyss-Inquart, Albert Speer, Konstantin van Neurath, Hans Fritzsche.

Ffynhonnell C Tabl yn dangos tynged uwch swyddogion Natsïaidd

Josef Goebbels	Hunanladdiad yn Llys Canghellor y *Reich*	1 Mai 1945
Heinrich Himmler	Hunanladdiad ar ôl ei ddal	23 Mai 1945
Hermann Goering	Hunanladdiad ar ôl prawf a chyn ei ddienyddio	15 Hydref 1946
Robert Ley	Hunanladdiad wrth aros ei brawf	25 Hydref 1945
Joachim von Ribbentrop	Ei roi ar brawf a'i grogi	16 Hydref 1946
Maeslywydd Wilhelm Keitel	Ei roi ar brawf a'i grogi	16 Hydref 1946
Alfred Jodl	Ei roi ar brawf a'i grogi	16 Hydref 1946
Wilhelm Frick	Ei roi ar brawf a'i grogi	16 Hydref 1946
Arthur Seyss-Inquart	Ei roi ar brawf a'i grogi	16 Hydref 1946
Fritz Sauckel	Ei roi ar brawf a'i grogi	16 Hydref 1946
Hans Frank	Ei roi ar brawf a'i grogi	16 Hydref 1946
Ernst Kaltenbrunner	Ei roi ar brawf a'i grogi	16 Hydref 1946
Julius Streicher	Ei roi ar brawf a'i grogi	16 Hydref 1946
Albert Speer	20 mlynedd o garchar	
Rudolf Hess	Carchar am oes	Hunanladdiad yn y carchar, 1987
Llyngesydd Dönitz	10 mlynedd o garchar	
Llyngesydd Erich Raeder	Carchar am oes	
Baldur von Schirach	20 mlynedd o garchar	

Ffynhonnell CH Cartŵn gan David Low yn rhoi sylwadau ar ddiwedd Treialon Nürnberg. Fe'i cyhoeddwyd yn y papur newydd *Evening Standard*, 4 Hydref 1946

Y DARLLENWYR: "WEL, DYNA DDIWEDD Y NATSÏAID"

TASGAU

4 Beth y mae Ffynhonnell B yn ei ddangos i chi am Dreialon Nürnberg? (Am arweiniad ar sut i ateb y math hwn o gwestiwn, edrychwch ar dudalen 118.)

5 Eglurwch pam y cynhaliwyd Treialon Nürnberg. (Am arweiniad ar sut i ateb y math hwn o gwestiwn, edrychwch ar dudalen 188.)

6 Ymchwil: Astudiwch Ffynhonnell C a darganfyddwch safle pob unigolyn yn y Blaid Natsïaidd.

7 I ba raddau y mae Ffynhonnell CH yn cefnogi'r farn bod y gyfundrefn Natsïaidd wedi'i dinistrio'n llwyr erbyn Hydref 1946? (Am arweiniad ar sut i ateb y math hwn o gwestiwn, edrychwch ar dudalen 141.)

8 Mewn grwpiau o dri neu bedwar, trafodwch a oedd y cosbau a roddwyd yn Nürnberg yn deg ai peidio.

Beth ddigwyddodd i'r Almaen ar ôl y rhyfel?

Dadnatsieiddio

Dadnatsieiddio oedd polisi'r Cynghreiriaid o gael gwared ar olion y gyfundrefn Natsïaidd o gymdeithas, diwylliant, gwasg, economi, barnwriaeth a gwleidyddiaeth yr Almaen. Nid yn unig bod yn rhaid i'r Cynghreiriaid gosbi a chael gwared ar brif aelodau'r Blaid Natsïaidd, ond roeddent eisiau gwneud yn siŵr bod Natsïaeth yn cael ei ddileu'n llwyr o fywyd pob dydd. Erbyn dechrau 1947, roedd y Cynghreiriaid wedi carcharu 90,000 o Natsïaid ac roedd bron 2 filiwn wedi'u gwahardd rhag gweithio mewn unrhyw swyddi ar wahân i fod yn llafurwyr.

Llwyddwyd i ddadnatsieiddio'r Almaen drwy gyfres o gyfarwyddiadau a gyhoeddwyd gan Gyngor Rheoli'r Cynghreiriaid, a oedd yn arolygu'r ffordd yr oedd yr Almaen yn cael ei rhedeg ar ôl y rhyfel. Roedd rhai o'i benderfyniadau allweddol am ddadnatsieiddio yn cynnwys:

- 30 Awst 1945: gwahardd pobl rhag gwisgo lifrai byddin yr Almaen.
- 10 Hydref 1945: diddymu'r Blaid Sosialaidd Genedlaethol a gwaharddwyd ei hailsefydlu yn llwyr.
- 1 Rhagfyr 1945: diddymu holl unedau milwrol yr Almaen.
- 12 Ionawr 1946: cyfres o feini prawf cynhwysfawr ar gyfer diswyddo pawb o swyddi cyhoeddus a oedd wedi bod yn gynorthwywyr gweithgar gyda'r Blaid Natsïaidd. Roedd y cyfarwyddyd yn berthnasol i gategori o bobl a oedd wedi dal swyddi pwysig yn y Blaid Natsïaidd neu'r rhai a oedd wedi ymuno cyn 1937, yr adeg pan ddaeth aelodaeth yn orfodol i ddinasyddion yr Almaen.
- 13 Mai 1946: gwahardd cyhoeddi neu ledaenu llenyddiaeth Natsïaidd neu filwrol.

Sefydlwyd llysoedd arbennig i archwilio hyd a lled cysylltiad aelodau'r blaid yn y gyfundrefn Natsïaidd ac i bennu a oeddent yn addas i gyfrannu at ailadeiladu'r Almaen ar ôl y rhyfel. Roedd y Cynghreiriaid yn dibynnu ar gael datganiadau gan bobl eraill ynglŷn â chyfraniad y sawl a gyhuddwyd at Sosialaeth Genedlaethol. Yr enw a roddwyd ar y datganiadau hyn oedd *Persilscheine*, (tystysgrif Persil, ar ôl y powdr golchi dillad).

Ffynhonnell A Rhan o'r broses ddadnatsieiddio – ailenwi stryd yn yr Almaen yn 1946

Roedd y broses o ddadnatsieiddio yn wahanol ym mhob rhanbarth a feddiannwyd ond daeth yn anodd iawn, a bron yn amhosibl, i archwilio holl aelodau'r blaid yn drylwyr. Llwyddodd llawer o gyn aelodau'r Blaid Natsïaidd i ddianc rhag cael eu cosbi – sefyllfa anffodus yn ôl llawer o Almaenwyr. Daeth rhai hyd yn oed yn aelodau o lywodraethau newydd y ddwy Almaen yn y 1950au. Nid oedd gwaith yr ymchwilwyr yn hawdd oherwydd ei bod yn anodd gwahaniaethu rhwng pobl a oedd yn gyfrifol am weithgareddau Natsïaidd a phobl a oedd yn ddilynwyr yn unig.

Ar 13 Mai 1946, cyhoeddodd Cyngor Rheoli'r Cynghreiriaid gyfarwyddyd ar gyfer cipio pob cyfrwng a allai gyfrannu at Natsïaeth neu filwriaeth. Yn sgil hynny, lluniwyd rhestr o fwy na 30,000 o deitlau llyfr, yn amrywio o werslyfrau ysgol i farddoniaeth, a gafodd eu gwahardd. Casglwyd pob copi o'r llyfrau a oedd ar y rhestr a'u dinistrio; gallai person gael ei erlyn a'i gosbi am fod yn berchen ar unrhyw un o'r llyfrau hyn.

Yn y rhanbarth Americanaidd, roedd ymdrechion i geisio dadnatsieiddio drwy reoli'r cyfryngau. Erbyn Gorffennaf 1946, roedd y Cynghreiriaid yn rheoli 37 o bapurau newydd Almaenig, 6 gorsaf radio, 314 theatr, 642 sinema, 101 cylchgrawn, 237 cyhoeddwr llyfrau a 7384 o werthwyr ac argraffwyr llyfrau.

Yn y rhanbarth Sofietaidd, sefydlwyd nifer o wersylloedd arbennig i gadw Natsïaid honedig. Weithiau, arestiwyd pobl heb reswm a heb wrandawiad – rhai ohonynt heb achos llys o gwbl. Credir bod mwy na 40,000 o bobl wedi marw yn y gwersylloedd.

Yr Almaen yn 1947

Erbyn 1947, roedd camau mawr wedi'u cymryd i ddechrau rhoi'r Almaen yn ôl ar ei thraed. Fodd bynnag, dechreuodd y rhanbarthau adlewyrchu ideoleg y Cynghreiriaid. Yn y tri rhanbarth Gorllewinol (Americanaidd, Prydeinig a Ffrengig), roedd **cyfalafiaeth** a democratiaeth yn cael eu cyflwyno. Yn y rhanbarth Sofietaidd cyflwynwyd comiwnyddiaeth ac er bod sawl plaid wleidyddol, dim ond esgus oedd democratiaeth yno. Hefyd, daeth yr Almaen yn rhan o'r hyn a enwyd yn y Rhyfel Oer – yr elyniaeth gynyddol rhwng UDA a'r Undeb Sofietaidd a'u cynghreiriaid. Defnyddiodd Winston Churchill yr ymadrodd 'Llen Haearn' i ddisgrifio'r rhaniad yn Ewrop rhwng y Gorllewin (UDA a'i Gynghreiriaid) a'r Dwyrain (Undeb Sofietaidd a'i Gynghreiriaid). Dywedodd fod y rhaniad yn dilyn ffiniau rhanbarthau meddianedig yr Almaen.

Yn 1947, gwnaeth Prydain a'r UDA uno eu rhanbarthau a gwnaeth awgrymiadau pellach y flwyddyn honno nodi fod y tebygolrwydd o ailuno'r Almaen yn diflannu. Cyhoeddodd UDA Athrawiaeth Truman, gan ddatgan y byddai'n atal lledaeniad comiwnyddiaeth. Dilynwyd hyn gyda Chynllun Marshall a oedd yn ceisio adfywio economïau Ewrop. Roedd yr Undeb Sofietaidd wedi sefydlu COMINFORM yn barod i ddatblygu systemau economaidd a chymdeithasol comiwnyddol yn y gwledydd a'r ardaloedd roedd yn eu rheoli, gan gynnwys ei rhanbarth Almaenig. Yn 1949, crëwyd dwy wlad ar wahân o'r rhanbarthau. Daeth Gweriniaeth Ffederal yr Almaen i fod o'r tri rhanbarth Gorllewinol a Gweriniaeth Ddemocrataidd yr Almaen o'r rhanbarth Sofietaidd. Parhaodd dwy Almaen, y Dwyrain a'r Gorllewin, i fodoli hyd at ailuno'r wlad yn 1990.

TASGAU

1. Beth y mae Ffynhonnell A yn ei ddangos i chi am y broses o ddadnatsieiddio? (Am arweiniad ar sut i ateb y math hwn o gwestiwn, edrychwch ar dudalen 118.)
2. Awgrymwch resymau pam 'y gwaharddwyd bron 2 filiwn o Natsïaid rhag gweithio mewn unrhyw swyddi ar wahân i fod yn llafurwyr'.
3. Disgrifiwch waith Cyngor Rheoli'r Cynghreiriaid. (Am arweiniad ar sut i ateb y math hwn o gwestiwn, edrychwch ar dudalen 175.)
4. Beth oedd ystyr y term *Persilscheine*?
5. Eglurwch pam yr oedd yn bwysig i'r Cynghreiriaid reoli'r cyfryngau yn yr Almaen ar ôl y rhyfel. (Am arweiniad ar sut i ateb y math hwn o gwestiwn, edrychwch ar dudalen 188.)
6. I ba raddau y byddech chi'n cytuno â'r datganiad 'rhwng 1929 a 1947, gwlad mewn cyfnod o newid oedd yr Almaen'?

Arweiniad ar arholiadau

Dyma gyfle i chi ymarfer rhai o'r cwestiynau sydd wedi'u hegluro mewn penodau blaenorol.

Mae'r enghreifftiau hyn yn perthyn i Adran B yr arholiad ac yn ymdrin â'r newid ym mywydau pobl yr Almaen rhwng 1933 a 1939.

Cwestiwn 2(a) – deall ffynhonnell weledol

Ffenestri siop Iddewig wedi'u torri a'u hysbeilio yn Berlin ym mis Tachwedd 1938

Beth y mae'r ffotograff hwn yn ei ddangos i chi am y driniaeth a roddwyd i'r Iddewon yn yr Almaen hyd at 1939? (2 farc)

- Cofiwch ddewis o leiaf ddwy ffaith o'r llun.
- Mae'n rhaid i chi hefyd ddefnyddio'r wybodaeth sydd wedi'i nodi yn y pennawd.
- Am arweiniad pellach, edrychwch ar dudalen 118.

Cwestiwn 2(b) – deall nodwedd allweddol drwy ddethol gwybodaeth briodol

Disgrifiwch sut yr oedd bywyd i fenywod yn yr Almaen Natsïaidd rhwng 1933 a 1939. (5 marc)

- Bydd angen i chi ddisgrifio o leiaf ddwy nodwedd allweddol.
- Byddwch yn benodol a cheisiwch osgoi sylwadau cyffredinol.
- Am arweiniad pellach, edrychwch ar dudalen 175.

Cwestiwn 2(c) – dethol gwybodaeth a deall nodweddion allweddol

i Eglurwch pam yr oedd llai o ddiweithdra yn yr Almaen ar ôl 1933. (4 marc)

ii Eglurwch pam yr oedd y Natsïaid yn rheoli addysg yn yr Almaen. (4 marc)

- Cofiwch roi amrywiaeth o resymau.
- Rhowch fanylion penodol fel enwau, dyddiadau, digwyddiadau, sefydliadau, gweithgareddau.
- Am arweiniad pellach, edrychwch ar dudalen 188.

Cwestiwn 2(ch) – defnyddio eich gwybodaeth eich hun a'r strwythur i ysgrifennu traethawd sy'n ystyried y ddau safbwynt

I ba raddau yr oedd pobl yr Almaen wedi elwa ar y newidiadau a gyflwynwyd gan y Natsïaid yn ystod y cyfnod 1933–39? Eglurwch eich ateb yn llawn. (10 marc)

Dylech roi safbwyntiau'r ddwy ochr i'r cwestiwn hwn:

- trafodwch y bobl oedd wedi elwa ar y newidiadau a gyflwynwyd gan y Natsïaid
- trafodwch y bobl nad oeddent wedi elwa yn sgil y newidiadau hyn

a dod i benderfyniad.

- Cofiwch ddefnyddio'r strwythur. Mae'n ffrâm ysgrifennu defnyddiol sy'n rhoi syniadau ar beth i gynnwys yn eich ateb.
- Ceisiwch gysylltu eich paragraffau, gan drafod amrywiaeth o faterion allweddol.
- Mae'n rhaid i chi ddod i gasgliad sy'n gysylltiedig â'r cwestiwn.
- Am arweiniad pellach, edrychwch ar dudalennau 195–96.

GEIRFA

Anarchiaeth Am gael gwared ar bob ffurf o lywodraeth
Ardal y Beibl Ardal o dde UDA lle mae'r grefydd Gristnogol yn gryf
Arfau rhyfel Ffrwydron/arfau sy'n cael eu cynhyrchu ar gyfer y lluoedd arfog
Ariad Term Natsïaidd am Almaenwr nad yw'n Iddew, rhywun o darddiad Almaenig 'pur'
Autarky Hunangynhaliaeth

Blitzkrieg Rhyfel cyflym fel mellt. Y dull newydd a ddefnyddiwyd gan luoedd arfog yr Almaen yn 1939
Bolsieficiaid Aelodau plaid Democratiaid Sosialaidd Rwsia, a ddilynodd Lenin a dechrau chwyldro comiwnyddol yn Rwsia yn 1917
Bootlegger Person sy'n gwneud a gwerthu alcohol anghyfreithlon
Bygythiad Coch Term a ddefnyddiwyd yn UDA ar ôl y chwyldro comiwnyddol yn Rwsia yn 1917. Yr ofn y byddai mewnfudwyr o Ddwyrain Ewrop yn dod â syniadau am chwyldro comiwnyddol i UDA

Cadoediad Diwedd ymladd mewn rhyfel
Clwb Yfed Anghyfreithlon (*Speakeasy*) Tafarn anghyfreithlon
Comiwnyddiaeth Damcaniaeth lle nad oes dosbarthiadau o fewn cymdeithas, nac eiddo preifat, a lle mae tir a busnesau yn eiddo ar y cyd
Comiwnyddion Dilynwyr syniadau Karl Marx, sy'n credu yn y ddamcaniaeth gomiwnyddol
Consgripsiwn Gwasanaeth milwrol gorfodol am gyfnod penodol
Credyd Arian sydd ar gael i'w fenthyg
Cwymp Wall Street 29 Hydref 1929, pan werthwyd gwerth mwy na 16 miliwn o gyfranddaliadau drwy banig, gan sbarduno gwerthiannau pellach ac arwain at argyfwng economaidd byd-eang
Cyfalafiaeth System lle y gall pobl unigol fod yn berchen ar fusnes a gwneud elw
Cyfnewidfa Stoc Wall Street Lleoliad marchnad stoc Efrog Newydd
Cyfran-gnydwyr (*Sharecroppers*) Gweithwyr fferm nad oedd yn berchen ar eu tir eu hunain; roeddent yn cael cyfran o'r cnydau yn hytrach na chyflog
Cynghrair Gwrth-Salŵn Mudiad a sefydlwyd yn 1895 a oedd yn ymgyrchu dros y Gwaharddiad
Cynghrair y Cenhedloedd Y corff rhyngwladol a sefydlwyd ar ôl y Rhyfel Byd Cyntaf er mwyn cadw heddwch
Cynghreiriad Gwledydd cefnogol
Cyngres Fersiwn UDA o'r senedd. Mae'r Gyngres yn cael ei rhannu yn ddwy ran, y Senedd a Thŷ'r Cynrychiolwyr
Cynllun Dawes Cyflwynwyd yn 1924 i leihau taliadau iawndal blynyddol yr Almaen
Cynllun Young Cynllun i ostwng taliadau iawndal yr Almaen, a gyflwynwyd yn 1929
Cynlluniau anghyfreithlon Cynlluniau ar gyfer cael gafael ar arian drwy ddulliau anghyfreithlon
Cynrychiolaeth Gyfrannol Roedd nifer y pleidleisiau a enillwyd mewn etholiad yn pennu nifer y seddi yn y *Reichstag*
Cynulliad Cyfansoddol Grŵp o gynrychiolwyr sy'n cael ei ethol i sefydlu cyfansoddiad newydd

Chwyddiant Cynnydd cyffredinol mewn prisiau a gostyngiad mewn gwerth arian wrth brynu nwyddau
Chwyldro Bolsieficaidd Y Comiwnyddion yn cipio grym yn Rwsia ym mis Hydref 1917

Dadfilwrio Cael gwared ar yr holl luoedd arfog
Deddfau Jim Crow Cyfres o ddeddfau a arweiniodd at arwahanu a gwahaniaethu yn erbyn pobl ddu America yn nhaleithiau deheuol UDA
Dinas Rydd Heb fod yn cael ei rheoli gan unrhyw wlad
Dirwasgiad Cyfnod o ddirywiad economaidd estynedig a difrifol, gyda chynhyrchiant y wlad yn isel a diweithdra'n uchel
Dirwasgiad Mawr Cwymp yn yr economi yn y 1930au a arweiniodd at ddiweithdra uchel
Diwydianwyr Rhywun sy'n rhedeg ac/neu sy'n berchen ar ddiwydiant neu ffatri
DNVP *Deutsche National Volks Partei*, Plaid Genedlaethol Pobl yr Almaen
'Dychwelyd i Normalrwydd' Slogan Warren Harding yn addo dychwelyd i ddyddiau mwy diofal 1917 – cyn i UDA ymuno â'r Rhyfel Byd Cyntaf

Federal Reserve Board Sefydliad sy'n rheoli'r Gronfa Ffederal wrth Gefn – system genedlaethol lle mae arian wrth gefn ar gael i fanciau
Flapper Menyw ifanc a oedd yn diystyru gwisg ac ymddygiad cyffredinol yn y 1920au
Führerprinzip Yr egwyddor o arweinyddiaeth; y syniad y dylai'r Blaid Natsïaidd a'r Almaen fod ag un arweinydd y dylai pawb ufuddhau iddo

Ffwndamentalwyr Grŵp crefyddol a oedd yn mynd i'r eglwys yn rheolaidd ac yn credu yn y Beibl yn llythrennol

Gestapo *Geheime Staats Polizei*, Heddlu Cudd yr Almaen
Geto Cymdogaeth mewn dinas lle mae grŵp lleiafrifol yn byw oherwydd pwysau cymdeithasol ac economaidd
Glaniadau Dydd-D (*D-Day Landings*) Yr enw a roddwyd ar laniadau'r Cynghreiriaid yn Normandie fis Mehefin 1944
Gleichschaltung Sicrhau bod pobl yn meddwl ac yn ymddwyn yn yr un ffordd. 'Cydlynu' yw'r cyfieithiad arferol
Gorchwyddiant Chwyddiant uchel iawn, lle mae arian yn colli ei werth bron yn llwyr
Goruchafiaeth y Dyn Gwyn Y ddamcaniaeth bod pobl wyn yn well yn naturiol na phobl o hiliau eraill
Gramoffon Chwaraewr recordiau
Gwaharddiad Gwahardd gwerthu ac yfed alcohol
Gwariant diffygiol (*Deficit spending*) Gwariant gan lywodraethau sy'n cael ei ariannu drwy fenthyg
Gweriniaeth Gwladwriaeth lle mae'r llywodraeth yn cael ei chynnal gan y bobl neu eu cynrychiolwyr etholedig
Gweriniaethwr Cefnogwr y Blaid Weriniaethol. Ei phrif syniadau oedd cadw trethi'n isel, cyfyngu ar bwerau'r llywodraeth ffederal, dilyn polisïau a oedd yn ffafrio busnesau ac annog pobl i fod yn hunangynhaliol

Gwladoli Newid o berchenogaeth breifat i berchenogaeth y wladwriaeth
Gwrth-Semitiaeth Casáu ac erlid yr Iddewon

Hedfan masnachol Awyrennau a ddefnyddir ar gyfer busnes ac i wneud elw
Heil Hitler Math o gyfarchiad i Hitler
Hobo Crwydryn di-waith sy'n chwilio am waith
Hurbwrcasu System gredyd lle gall rhywun brynu eitem drwy dalu'n rheolaidd amdano gan ei ddefnyddio hefyd

Iawndal Iawndal rhyfel i'w dalu gan yr Almaen
Ieuenctid Hitler Mudiad a sefydlwyd yn yr Almaen i ddylanwadu ar yr ifanc
Isafswm cyflog Isafswm cyflog yr awr i berson

Kaiser Ymerawdwr yr Almaen
KPD Plaid Gomiwnyddol yr Almaen
Kristallnacht 'Noson Torri'r Gwydr', pan dorrwyd ffenestri eiddo Iddewig

Laissez-faire Polisi lle nad yw llywodraeth yn ymyrryd yn uniongyrchol yn yr economi
Länder Taleithiau rhanbarthol yr Almaen
Lynsio (*Lynching*) Lladd person drwy grogi heb brawf cyfreithiol

Llys Goruchaf Y llys ffederal uchaf yn UDA. Mae'r arlywydd yn dewis naw barnwr, sy'n gofalu bod yr arlywydd a'r Gyngres yn ufuddhau i reolau'r Cyfansoddiad
Llywodraeth ffederal Llywodraeth ganolog UDA yn Washington DC
Llywodraeth glymblaid Llywodraeth gyda dwy blaid wleidyddol neu fwy
Llywodraeth Natsïaidd-Genedlaetholgar Clymblaid o NSDAP a DNVP ar ôl mis Ionawr 1933
Llywodraethwr Pennaeth etholedig talaith yn UDA

Marchnad Ddu Masnachu nwyddau prin yn anghyfreithlon
Marchnad esgynnol (*Bull market*) Cyfnod pan mae prisiau cyfranddaliadau yn codi
Marchnad stoc Lle prynwyd a gwerthwyd stociau a chyfranddaliadau yn ddyddiol
Masgynhyrchu Cynhyrchu nwyddau ar raddfa fawr
Mecaneiddio Defnyddio peiriannau
Mudiad Dirwest Mudiad a oedd yn ceisio gwahardd gwerthu diodydd alcohol
Mudiad menywod Grŵp unedig i wella sefyllfa gymdeithasol, economaidd a gwleidyddol menywod
Mudiad Pŵer Du Mudiad o blaid gwella hawliau pobl ddu America, a oedd yn barod i ddefnyddio dulliau mwy treisgar
Mudo Mawr Y gweithwyr fferm a symudodd o amgylch UDA yn y 1930au

***National Association for the Advancement of Colored People* (*NAACP*)** Sefydlwyd yn 1909 i sicrhau gwell amodau ar gyfer pobl ddu America
NSDAP Y Blaid Natsïaidd
Nwyddau traul Nwyddau wedi'u cynhyrchu sy'n bodloni anghenion personol – er enghraifft sugnwyr llwch

Plaid Genedlaethol Ffurf gryno Plaid Genedlaethol Pobl yr Almaen (DNVP)
Pleidlais Gwlad Pleidlais uniongyrchol yr etholwyr ar fater cyhoeddus pwysig
Pogromau Cyflafan a drefnwyd i ladd Iddewon
Polisi 'Drws Agored' Mynediad dirwystr i fewnfudwyr
'Prynu ag arian benthyg' Benthyg arian i brynu cyfranddaliadau ar y farchnad stoc
Prynwriaeth Cynnydd yng nghynhyrchiant nwyddau traul ar y sail mai gwariant uchel yw sylfaen economi gadarn

RAD Y Ffrynt Llafur
Radicaliaeth Credu mewn newid mwy eithafol
RAF Y Llu Awyr Brenhinol
Reich Mae sawl ystyr i'r term hwn yn yr Almaen – gwladwriaeth, teyrnas, ymerodraeth. Pan oedd y Natsïaid yn ei ddefnyddio, roedd yn tueddu i olygu ymerodraeth neu'r Almaen

Rhyfel Diarbed Rhyfel lle y mae'r holl arfau ac adnoddau sydd ar gael yn cael eu defnyddio

SD *Sicherheitsdienst* Gwasanaeth Diogelwch
Senoffobia Ofn neu gasineb direswm at dramorwyr
Sosialydd Y rhai sy'n credu ym mherchenogaeth y wladwriaeth
SS *Schutzstaffel* Gwarchodwr preifat Hitler yn y lle cyntaf; ond tyfodd yn y pen draw i gael pwerau eang iawn
Stalingrad Ailenwyd Dinas Tsaritsyn yn Stalingrad yn 1925
Stociau a chyfranddaliadau Tystysgrifau perchenogaeth ar gwmni
Streic gyffredinol Streic gan y mwyafrif o weithwyr, os nad pob un
Strwythur ffederal System lle rhennir grym rhwng llywodraeth ganolog (*Reichstag*) a llywodraethau rhanbarthol (*Länder*)
Swastica Arwyddlun y Blaid Natsïaidd

Toll Toll mewnforio; treth ar nwyddau tramor sy'n dod i mewn i wlad
Tollau mewnforio Trethi ar nwyddau sy'n cael eu prynu o wledydd tramor
Trefedigaeth Pobl sy'n sefydlu mewn gwlad newydd sy'n cael ei rheoli gan famwlad
Treth Incwm Taliad o gyflogau i'r llywodraeth

Undeb Llafur Mudiadau sy'n cael eu sefydlu i amddiffyn a gwella hawliau gweithwyr
'Unigolyddiaeth rymus' Y ddelfryd Americanaidd bod unigolion yn gyfrifol am eu bywydau eu hunain heb gymorth gan neb arall; maent yn llwyddo neu'n methu trwy eu hymdrechion eu hunain
***Universal Negro Improvement Association* (*UNIA*)** Mudiad hunangymorth ar gyfer pobl ddu America a sefydlwyd yn 1914 gan Marcus Garvey
USAAF Llu Awyr yr Unol Daleithiau

Volkssturm Byddin cartref Almaenig a sefydlwyd gan Hitler yn 1944 i recriwtio dynion hen ac ifanc o'r Almaen

WASP (*White Anglo-Saxon Protestant*) Protestant Eingl-Sacsonaidd Gwyn
Wehrmacht Byddin yr Almaen

Ymchwydd Cyfnod o ffyniant economaidd
Ymgilio Symud menywod a phlant o lefydd peryglus i ddiogelwch
Ynysiaeth Polisi o gadw allan o faterion y byd yn fwriadol. Roedd UDA yn ymynyswyr rhwng y ddau ryfel byd

MYNEGAI